GELEOS

РИПОЛ
КЛАССИК

Bernard Werber

L'ULTIME SECRET

ALBIN MICHEL
2001

Бернар Вербер

ПОСЛЕДНИЙ СЕКРЕТ

GELEOS PUBLISHING HOUSE
РИПОЛ КЛАССИК
2010

УДК 821.133.1-312.9
ББК 84(4Фра)-445
   В31

Перевод с французского Ю. Ватагиной

Вербер, Бернар

В31   Последний секрет / Бернард Вербер; [Пер. с фр.
Ю. Ватагиной] — М. : GELEOS Publishing House (Кэпитал Трейд Компани) : РИПОЛ классик, 2010. —
448 с. — Доп. тит. л. фр.

ISBN 978-5-412-00022-0 (Кэпитал Трейд Компани)
ISBN 978-5-7905-4926-7 (РИПОЛ классик)

Очередной роман Бернара ВЕРБЕРА, автора мирового бестселлера «Империя ангелов»!

На этот раз культовый французский писатель приглашает читателя проникнуть в тайны человеческого сознания.

Гениальный шахматист и ученый играет решающую партию с компьютерным мозгом. На кону — мировая шахматная корона. Победа на стороне человека! Зал ликует, мировая общественность рукоплещет. И вдруг неожиданная кончина победителя.

Двое журналистов начинают свое собственное расследование...

УДК 821.133.1-312.9
ББК 84(4Фра)-445

ISBN 978-5-412-00022-0
(Кэпитал Трейд Компани)
ISBN 978-5-7905-4926-7
(РИПОЛ классик)

[бернар вербер]

последний
секрет

АКТ 1
ПОВЕЛИТЕЛЬ БЕЗУМЦЕВ

Мы используем лишь 10% наших умственных способностей.

Альберт Эйнштейн

Проблема в том, что единственный инструмент, позволяющий изучать и совершенствовать работу мозга, — это... сам мозг.

Эдмонд Уэллс.
«Энциклопедия относительного
и абсолютного знания»

Большинство великих открытий сделано по ошибке.

Закон Мерфи

1

Что побуждает нас к действию?

2

Он осторожно выдвигает своего ферзя.

В огромной, обитой войлоком зале дворца Каннских фестивалей человек в роговых очках борется с компьютером DEEP DLUE IV за звание чемпиона мира по шахматам. У него дрожит рука. Он нервно шарит в своем кармане. Ему хочется перестать курить. Напряжение слишком высоко.

Тем хуже.

Сигарета уже поднесена ко рту. Сладковатый аромат карамелизированного табака охватывает его горло, выходит через ноздри и улетучивается, слегка касаясь велюра портьер и красных кресел, превращаясь из завитков в кольца, которые, плавно извиваясь, рисуют бесконечные восьмерки.

Напротив шипящий компьютер, внушительный стальной куб в метр высотой. От него исходит запах озона и горячей меди, которая сочится сквозь его вентиляционную решетку.

Человек бледен и утомлен.

Я должен победить, думает он.

Несколько громадных экранов показывают его исхудавшее лицо крупным планом, лихорадочный взгляд.

Странное зрелище представляет собой этот роскошный зал, где свыше тысячи зрителей, раскрыв рты, следят за человеком, который ничего не говорит, не совершает ни единого движения. Он только думает.

Слева на сцене стоит вместительное кресло, в котором, поджав ноги, сидит игрок.

Посередине стол, шахматная доска и пластиковые часы с двумя циферблатами.

Справа суставчатая механическая рука, присоединенная кабелем к большому серебристому кубу, на котором готическими буквами выведено: DEEP DLUE IV. Благодаря компактной камере на треноге компьютер «видит» шахматную доску. Часы издают отчетливый звук. Тик-так. Тик-так.

Поединок длится уже неделю. Сегодня они играют с шести часов. Никому не известно, день сейчас или ночь. Внезапно появляется посторонний звук. В зал влетела муха.

Не расслабляться.

Счет равный. Каждый выиграл по три партии. Кто одержит верх сейчас, тот и станет победителем.

Игрок вытирает пот, каплями выступивший на лбу, и давит окурок.

Суставчатая рука напротив шевелится. Механический противник делает ход черным конем.

«Шах», — появляется надпись на экране DEEP DLUE IV.

Шум по залу.

Стальной палец нажимает на кнопку часов. Те отсчитывают секунды, напоминая человеку в роговых очках, что время тоже против него.

Способный мыслить быстрее, компьютер оказался впереди.

Муха кружится. Она выделывает умопомрачительные петли под огромным потолком зала, с каждым разом понемногу приближаясь к шахматной доске.

Человек слышит муху.

Не рассредоточиваться. Главное, остаться сконцентрированным.

Муха возвращается.

Человек старается не волноваться, внимательно смотрит на доску.

Доска. Человеческий глаз. За ним глазной нерв. Визуальная поверхность затылочной доли. Кора головного мозга.

В сером веществе игрока боевая тревога. Активизированы миллионы нейронов. По всей их длине проходят крошечные электрические разряды, высвобождая на концах нейромедиаторы. Это можт породить быструю и сильную мысль. Идеи скачут, словно безумные мыши, в огромном чердаке-лабиринте его мозга. Сравнение настоящей ситуации с прошлыми партиями, победы и поражения. Изобретение новых возможных ходов. Импульс снова уходит в противоположном направлении.

Кора головного мозга. Спинной мозг. Мышцы пальца. Деревянная доска.

Человек спасает своего короля. Белого короля. Последний теперь в безопасности.

DEEP DLUE IV снова сжимает радужную диафрагму своей видеокамеры.

Анализ хода. Запуск. Подсчет.

Шахматная доска. Объектив видеокамеры компьютера. За ним оптический кабель. Материнская плата. Центральный процессор.

Изнутри процессор — город-спрут с микроскопическими проспектами из меди, золота и серебра, пролегающими между кремниевыми зданиями. Электрический импульс движется во все стороны, будто спешащий автомобиль.

Машина соображает, как бы поскорее нанести последний удар. Сравнивает настоящую ситуацию с миллионами уже завершенных партий.

Просчитав все возможные варианты, DEEP DLUE IV делает ход. Своей механической рукой он передвигает черную ладью на последнюю клетку, чтобы отрезать королю путь к побегу.

Теперь ход человека.

Тик. Так.

Часы еще выше приподнимают знамя времени.

Скорее. Было бы глупо проиграть часам.

Муха смело приземляется на доску.

«Тик-так. Тик-так», — говорят часы.

«Бззз», — лукаво изрекает муха, протирая глазки передними лапками.

Не думать о мухе.

Не оценив ход как следует, рука из плоти тянется к своему королю и вдруг, передумав, в последний момент меняет направление.

Сумасшедший.

Человек ловко приподнимает фигуру и давит ею муху, сидящую на белой клетке. Затем он нажимает на кнопку, чтобы перебросить время в лагерь противника. Спустя несколько секунд знамя должно опуститься. Тишина становится гнетущей.

Два желудочка человеческого сердца прерывисто сокращаются. Словно в замедленном темпе, воздух из легких проникает в голосовые связки. Рот открывается. Время останавливается.

— Шах и мат, — произносит человек.

Зал гудит.

Компьютер, удостоверившись, что никакой лазейки больше нет, осторожно берет своего короля медной рукой и кладет его на бок в знак покорности.

В зале дворца Каннских фестивалей безумные аплодисменты переходят в невероятную овацию.

Самюэль Феншэ только что победил компьютер DEEP DLUE IV, который до настоящего момента сохранял звание чемпиона мира по шахматам!

Чтобы успокоиться, он опустил веки.

3

Я выиграл.

4

Подняв веки, Самюэль Феншэ увидел перед собой штук двадцать журналистов. Они бросились к нему, протягивая микрофоны и магнитофоны.

— Доктор Феншэ, доктор Феншэ! Прошу вас!

Организатор матча, знаком приказав им вернуться на свои места, объявляет, что Феншэ сейчас возьмет слово.

Группа инженеров отключает DEEP DLUE IV, который, помигав диодами, прекращает жужжать и затухает.

Игрок поднимается на сцену и садится за стол, стоящий справа.

Аплодисменты повторяются.

— Спасибо, спасибо, — говорит Самюэль Феншэ, поднимая руку, прося тишины.

Просьба вызывает обратный эффект: возгласы усиливаются, и первая волна хаотических аплодисментов выливается в двойной ритм, так как люди хлопают в унисон.

Игрок терпеливо вытирает лоб белым платком.

— Благодарю.

Наконец аплодисменты стихают.

— Если б вы знали, как я счастлив, что выиграл этот поединок! О Боже, если б вы знали, как я счастлив! Своей... своей победой я обязан одному тайному средству.

Зал весь внимание.

— Теоретически компьютер всегда сильнее человека, потому что у него нет души. Выиграв, компьютер не чувствует ни радости, ни гордости. Проигрыш его не расстраивает и не разочаровывает. У компьютера нет эго. Он не испытывает жажды мщения. Компьютер всегда сконцентрирован, для игры он без устали использует максимум своих возможностей. Вот почему компьютеры неизменно обыгрывали людей в шахматы... по крайней мере до сегодняшнего дня.

Доктор Феншэ улыбнулся, словно стесняясь сообщать такую простую истину.

— У компьютера нет души, но... у него нет и «мотива». DEEP DLUE IV знал, что в случае победы ему не светит лишнее электричество или программное обеспечение.

В зале слышатся смешки.

— Он не боялся, что его выключат в случае проигрыша. В то время как у меня... у меня был мотив! Я хотел отомстить за неудачу Леонида Каминского, произошедшую здесь же год назад, когда он играл против DEEP DLUE III, и, кроме того, отыграться за Гарри Каспарова, побежденного в Нью-Йорке DEEP DLUE в 97-м. Сегодняшнее событие я рассматриваю как реванш не только для этих игроков, но и для всего человечества в целом.

Самюэль Феншэ протирает очки платком, снова надевает их и оглядывает публику.

— Я боялся, что мне придется признать, что и впредь машины будут умнее в шахматах, нежели мы, люди. Но для человека, имеющего мотив, пределов не существует. Именно мотивация помогла Одиссею смело идти навстречу тысячам опасностей, когда он переплывал Средиземное море. Благодаря мотиву Христофор Колумб пересек Атлантику, а Армстронг преодолел пространство и добрался до Луны. Человечество будет обречено в тот день, когда у людей пропадет желание превзойти себя. И вы, те, кто меня слушает, задайте себе вопрос: «В самом деле, что заставляет меня вставать по утрам и приниматься за дело? Отчего я хочу прикладывать усилия? Что побуждает меня к действию?»

Доктор Самюэль Феншэ окидывает аудиторию утомленным взглядом.

— Какова ваша главная мотивация в жизни... вот, наверное, самый важный вопрос.

Он опускает глаза, словно извиняясь за свой порыв.

— Спасибо за внимание.

Он спускается со сцены, проходит сквозь восторженную толпу людей и присоединяется к своей невесте, Наташе Андерсен.

Попрощавшись с публикой в последний раз, пара садится в черную спортивную машину и скрывается в облаке пыли, которое застывает под треском фотоаппаратов.

5

В тот же вечер доктор Самюэль Феншэ был найден мертвым на своей вилле Кап-д'Антиб. Об этом сообщил полуночный выпуск новостей.

Камера показывает место убийства, а за кадром слышится голос журналиста:

— ...Драма развернулась несколько часов спустя после победы Феншэ на чемпионате мира по шахматам.

Камера скользит по шикарному холлу и гостиной.

— ...Дело весьма загадочно, так как следователи не обнаружили никаких следов взлома...

Камера фиксирует детали интерьера: массивную мебель и предметы искусства. Среди них несколько картин Дали и скульптуры, изображающие древнегреческих философов.

— ...На жертве нет ни единой раны.

Открывается дверь ванной комнаты, и выходит Наташа Андерсен в сопровождении двух полицейских. Она старательно прячет лицо от камеры. Даже без макияжа, в такой ужасный момент, она сохраняет исключительную прелесть.

Появляется человек в зеленом костюме, давая указания заполнившим виллу полицейским. Журналист спрашивает его:

— Комиссар, скажите, что произошло?

— Менее часа назад нам сообщили об убийстве.

— Кто вам позвонил?

— Мадемуазель Андерсен.

— Не может быть!

— Она утверждает, что убила его, когда... они занимались любовью.

Комиссар теряет терпение.

— Следствие ведется. Мы сможем предоставить вам больше информации, когда получим официальное заключение врачей. Спасибо, что освободили проход.

Журналист вкратце рассказывает о карьере доктора Самюэля Феншэ. «Окончил медицинский институт в Ницце, получил диплом психоневролога и быстро поднялся по иерархической лестнице. В сорок два года ему доверили управление больницей Святой Маргариты, расположенной на одном из Леринских островов. Расширив ее, он ввел законы новой психиатрии, которые вызвали яростные споры среди его коллег, особенно парижан.

Засидевшись на старте в отличие от большинства великих шахматистов, играющих с раннего детства, он быстро стал мастером, затем гроссмейстером. Три месяца назад Самюэль Феншэ обыграл Леонида Каминского. Далее — победа над DEEP DLUE IV, которому пришлось вернуть человеку желанное звание лучшего в мире игрока в шахматы».

По телевизору снова показали отрывки матча и речи победителя.

Затем журналист говорит о карьере Наташи Андерсен, датской топ-модели: после двух шумных браков — с теннисистом и актером — она стала невестой способного шахматиста-психоневролога.

Журналист заканчивает фразой, которую он, видимо, тщательно обдумал:

— Могли ли «самые красивые ноги в мире» победить «лучший на свете мозг»? Если бы эта гипотеза подтвердилась, это был бы единственный случай смерти от любви.

Камера поспешно следует за носилками, которые заносят в машину «скорой помощи». Воспользовавшись неразберихой, журналист приподнимает покрывало и открывает лицо жертвы.

Быстрый наезд камеры на лицо покойного.

Похоже, перед смертью Феншэ был в экстазе.

6

— «...смерти от любви».

Изображение и звук за 954,6 км передаются через параболическую антенну. Антенна посылает сигналы на экран телевизора. Их принимают ухо и карий глаз. Палец нажимает на кнопку «стоп» видеомагнитофона. Готово. Полуночные новости записаны.

Владелец пальца с минуту тщательно обдумывает увиденное и услышанное. Затем одной рукой хватает записную книжку, а другой — телефонную трубку и нервно набирает номер. Колеблется, бросает трубку и берет свое пальто. Выходит.

Он идет к огням проспекта. Плавно приближается машина со светящейся надписью наверху.

— Такси!

Дворники громко скребут по лобовому стеклу. Громадное черное облако изливает крупные, как мячики для пинг-понга, капли, которые не отскакивают, а тяжело разбиваются о мостовую.

Человек высаживается перед домом на Монмартре, порывы влажного ветра подгоняют его. Он сверяет адрес. Поднимается на несколько этажей, выходит и останавливается перед дверью, из-за которой доносятся звуки ударов по подвесной груше и синкопическая музыка.

Он нажимает на звонок под именем ЛУКРЕЦИЯ НЕМРО. Через мгновение музыка прекращается. Он слышит шаги и шум открывающихся замков.

В приоткрытую дверь показывается потное лицо молодой девушки.

— Исидор Катценберг...

Она удивленно смотрит на него. Вокруг его ботинок образовалась лужица.

— Добрый вечер, Лукреция. Можно войти?

Она все еще не осмеливается убрать цепочку, продолжая глядеть на него, словно пораженная таким поздним визитом.

— Так я могу войти? — повторяет он.

— Что вы здесь делаете?

Она как будто улыбается.

— Вы со мной на «вы»? Кажется, в последний раз мы были на «ты».

— «Последний раз» был три года назад. И с тех пор я о вас ничего не слышала. Мы снова стали чужими друг другу. Поэтому на «вы». Что вас привело?

— Я по работе.

Поколебавшись, она наконец убирает цепочку и приглашает мужчину войти, затем закрывает за ним дверь. Он вешает свое мокрое пальто на вешалку.

Исидор Катценберг с интересом рассматривает квартиру. Его всегда забавляло разнообразие увлечений молодой журналистки, освещающей научные темы. На стенах постеры фильмов, в основном американских и китайских боевиков. В центре гостиной, недалеко от низкого столика, заваленного женскими журналами, подвесная боксерская груша.

Он садится в кресло.

— Ваш визит действительно удивил меня.

— Я сохранил прекрасные воспоминания о том, как мы искали истоки человечества.

Лукреция кивает:

— Вижу. Я тоже не забыла.

Нечеткие картины их предыдущей совместной работы в Танзании вновь всплывают в ее памяти. Она еще внимательнее смотрит на него. Метр девяносто пять, более ста килограммов: неловкий великан. Кажется, он похудел.

Что-то его сильно беспокоит, видимо, он заставил себя прийти сюда.

Исидор Катценберг отрывает от переносицы свою тонкую позолоченную оправу и тоже внимательно смотрит на нее. Рыжие волосы, длинные и волнистые, стянутые черной бархатной лентой, миндалевидные глаза изумрудно-зеленого цвета, маленькие ямочки и острый подбородок — мимолетная красота, как на полотнах Леонардо да Винчи. Она кажется ему миловидной. Не красивой, но миловидной. Возможно, из-за возраста. Прошло три года. Во время их последнего дела ей было двадцать пять, значит, теперь ей двадцать восемь.

Она изменилась. Уже не столько нескладный мальчик, сколько молодая девушка. Но еще и не женщина.

На ней китайская курточка из черного шелка со стоячим, как у кителя, воротником, который скрывает шею, зато открывает округлые плечи. Сзади на курточке рыжий тигр во всю спину.

— Так что за «работу» вы мне предлагаете?

Исидор Катценберг взглядом что-то ищет в комнате. Замечает видеомагнитофон, поднимается, вставляет кассету, которую достает из кармана, и нажимает на пуск.

Они вместе пересматривают сюжет о смерти Феншэ, переданный в теленовостях.

Кассета заканчивается сообщением о сильном дожде, похожем на тот, что идет за окном.

— Вы пришли ко мне в час ночи, чтобы показать новости?

— По-моему, невозможно умереть от любви.

— Ну-ну... вам всегда недоставало романтизма, дорогой Исидор.

— Напротив, я считаю, что любовь не убивает. Любовь спасает.

Она задумывается.

— В конце концов, мне это очень даже нравится — «смерть от любви». Хотела бы я когда нибудь таким образом убить мужчину. Идеальное преступление, в хорошем смысле слова.

— Это всего лишь мое мнение, но, думаю, здесь речь идет не о преступлении, а об убийстве.

— А в чем разница?

— Это преднамеренное убийство.

Он кашляет.

— Вы простыли? — спрашивает она. — Вероятно, из-за дождя. Сейчас сделаю вам чай с бергамотом и медом.

Она ставит чайник.

Он растирается и отряхивается.

— С чего вы взяли, что оно преднамеренное?

— Доктор Самюэль Феншэ — не первый умерший от любви. В 1899 году президент Французской Республики Феликс Фор был найден мертвым в доме свиданий. Шутки ради рассказывают, что прибывшие инспекторы спросили мадам: «Он еще в сознании?» На что та ответила: «Нет, он сбежал через заднюю дверь».

Лукреция не улыбается.

— К чему вы клоните?

— Полиция предпочла бы оставить дело в тайне, сказав, что президент скончался от сердечного приступа. Однако скоро оно получило огласку за пределами комиссариата. Пикантность обстоятельств гибели Феликса Фора помешала нормальному расследованию. Смерть в разгаре утех в публичном доме вызывает насмешки. Таким образом, никто серьезно и не копался в этом.

— Кроме вас.

— Просто из интереса, будучи студентом, я выбрал это дело темой для диссертации по криминологии. Я отыскал документы, нашел свидетелей. Раскрыл мотив. Феликс Фор собирался провести антикоррупционную программу, даже внутри секретных служб.

Лукреция Немро наполняет две чашки душистым чаем.

— Если не ошибаюсь, Наташа Андерсен призналась в убийстве Самюэля Феншэ.

Торопясь проглотить свой чай, Исидор обжигает язык и принимается дуть поверх чашки.

— Она *думает*, что убила его.

Для виду он просит ложечку и начинает быстро вертеть ею, будто желает таким образом остудить чай.

— Вот увидите, теперь за ней многие будут ухаживать...

— Мазохизм? — без малейшего стеснения спрашивает Лукреция, глотая горячий напиток.

— Любопытство. Очарование слияния Эроса, бога любви, с Танатосом, богом смерти. К тому же силен архетип богомола. Вы никогда не слышали о том, что самки этих насекомых убивают самцов во время полового акта, отрывая им голову? Это завораживает, потому что напоминает о чем-то глубоко сидящем в нас...

— Страх любви?

— Скажем, любви, связанной со смертью.

Одним глотком она допивает свой все еще горячий чай.

— Чего вы хотите от меня, Исидор?

— Мне бы хотелось, чтобы мы снова стали работать вместе. Провели расследование убийства доктора Самюэля Феншэ... По-моему, следует продолжить исследования мозга.

Лукреция Немро поджимает под себя ноги, чтобы устроиться поглубже на диване, и отставляет пустую чашку.

— Мозга?.. — задумчиво повторяет она.

— Да, мозга. В нем разгадка этого дела. Разве жертва не была как раз «лучшим мозгом в мире»? И еще вот что. Смотрите.

Исидор Катценберг подходит к видеомагнитофону и перематывает кассету, чтобы вернуться к словам Феншэ: «...Своей победой я обязан тайному средству».

Он водружает на телевизор свою по-прежнему полную чашку и останавливает изображение.

— Вот тут, глядите, насколько сильно сияют его глаза, когда он произносит слово «мотивация». Удивительно, не правда ли? Словно он хотел дать нам указание. Мотивация. Я задаю вам этот вопрос: какова ваша жизненная мотивация, Лукреция?

Она молчит.

— Вы мне поможете? — спрашивает он.

Она убирает с телевизора чашку и идет к раковине.

— Нет.

Не останавливаясь, она снимает шапку и еще мокрое пальто Катценберга и направляется к видеомагнитофону, чтобы вытащить кассету.

— Я считаю, что никакого убийства не было. Просто несчастный случай. Сердечный приступ от перенапряжения и стресса на чемпионате. А что касается проблем с мозгом, то они есть именно у вас, и болезнь ваша имеет название: ми-фо-ма-ния. Она излечима. Стоит лишь перестать видеть во всем фантастику и начать принимать реальность такой, какая она есть. На этом... спасибо, что зашли.

Удивленный и разочарованный, он медленно поднимается.

Внезапно она застывает, словно парализованная, и прижимает руку к щеке.

— Что с вами?

Лукреция Немро не отвечает. С искаженным лицом она держится обеими руками за челюсть.

— Скорей, скорей, аспирин! — стонет она.

Исидор бросается в ванную, перерывает аптечку, находит белую упаковку, вынимает таблетку и приносит ее вместе со стаканом воды. Она жадно глотает.

— Еще одну. Скорее. Скорее.

Он повинуется. Немного спустя химикат усыпляет боль. Лукреция понемногу оправляется. Она часто дышит.

— Убирайтесь! Не видите, что ли? Мне вчера выдрали зуб мудрости... Мне плохо, очень плохо, я хочу остаться одна. (*Терпеть не могу, когда он видит меня слабой. Пусть уходит!*) Уходите! УХОДИТЕ!

Исидор отступает.

— Ладно, думаю, вы только что обнаружили первый мотив наших действий: остановить боль.

Она захлопывает дверь перед его носом.

7

Среда, собрание еженедельного журнала «Геттёр модерн». В хорошо оформленном центральном кабинете собрались все журналисты. Каждый по очереди предлагает сюжеты для будущих номеров, а Кристиана Тенардье, глава отдела «Общество», выслушивает их в своем большом кожаном кресле.

— Давайте побыстрес, — говорит она, поправляя свои обесцвеченные волосы.

Журналисты, слева направо, защищают свои сюжеты. Ответственный за рубрику «Образование» предлагает статью о неграмотности. За десять лет количество людей, не умеющих читать и писать, возросло с 7 до 10 процентов. И эта цифра продолжает расти. Материал принят.

В рубрику «Экология» журналистка Клотильда Планкое планирует дать статью о вреде мобильных телефонов, которые испускают губительные лучи.

Сюжет отвергнут. Один из акционеров журнала как раз является оператором сотовой сети, об этом не может быть и речи.

Тема загрязнения рек удобрениями? Отказано, слишком технично. У журналистки больше нет материалов, и она уходит раздосадованная.

— Следующий, — небрежно бросает Кристиана Тенардье.

В рубрику «Наука» Франк Готье предлагает разгромную статью о так называемых шарлатанах гомеопатии. Он объясняет, что находит целесообразным разоблачить всех специалистов по иглоукалыванию. Принято.

— Ну, как твои зубы мудрости, Лукреция? — шепчет Франк Готье садящейся рядом с ним коллеге по рубрике.

— Стоило мне сходить к парикмахеру, как они сразу перестали болеть, — бормочет она.

Готье удивленно смотрит на Лукрецию.

— К парикмахеру?

Лукреция говорит про себя, что мужчины никогда не поймут женскую психологию. Поэтому она и не пытается объяснять, что поход к парикмахеру или покупка новых туфель — лучший способ для женщины поднять себе настроение, а следовательно, и иммунитет.

Наступает очередь Лукреции Немро.

Журналистка подготовила несколько тем. Первая — коровье бешенство.

— Уже было.

— Ящур? Чтобы сделать запас вакцины, убивают тысячи баранов!

— Ерунда.

— СПИД? После тритерапии погибли миллионы людей, об этом никто не говорит.

— Вот именно: это уже не в моде.

— Коммуникация растений при помощи обоняния? Заметили, что некоторые деревья способны ощущать клеточное разложение рядом с собой. Значит, дерево чувствует, когда возле него совершается преступление...

— Слишком технично.

— Самоубийство молодежи? Двенадцать тысяч случаев за этот год, не считая ста сорока тысяч попыток. Чтобы помочь людям покончить с собой, создана организация под названием «Выход».

— Слишком нездорово.

Волнение. В ее блокноте идей больше нет. Все журналисты смотрят на нее. Тенардье это как будто забавляет. Миндалевидные зеленые глаза журналистки потухают.

Оплошала. Клотильда ушла, на роль козла отпущения никого больше нет. Что толку перебирать сюжеты. Она все отвергла только ради того, чтобы я провалилась. Как из этого выпутаться? Оставаться профессионалом. Не считать, что эти отказы из-за личного неприятия. Найти тему, которую невозможно отвергнуть. У меня остался лишь один козырь. Последний.

— Мозг, — предлагает она.

— Что «мозг»? — спрашивает Кристиана, роясь в своей сумочке.

— Статья о работе мозга. Каким образом простой орган воспроизводит мысли.

— Несколько широко. Надо бы сузить.

— Смерть доктора Феншэ?

— Шахматы никого не интересуют.

— Этот Феншэ обладал исключительными способностями. Он был исследователем, который пытался понять, как функционирует то, что внутри нашего черепа.

Глава отдела одним движением выворачивает свою сумочку, и на стол высыпается груда всяких предметов, от губной помады до мобильного телефона вперемешку с чековой книжкой, ручкой, ключами, маленьким газовым баллончиком и лекарствами без упаковок.

Молодая журналистка продолжает свои доводы, посчитав, что если еще не сказали «нет», значит, возможно, скажут «да».

— Взлет Самюэля Феншэ в шахматном мире был просто головокружительным. Телевидение сообщало об этом по всему миру. И вдруг — раз, в день своей победы он умирает в объятиях топ-модели Наташи Андерсен. Никакого взлома. Никаких ран. Единственно очевидная причина смерти: наслаждение.

Глава отдела «Общество» находит наконец, что искала. Сигару. Она вынимает ее из целлофанового чехла и затягивается.

— Ммм... Наташа Андерсен, это та великолепная блондинка, манекенщица с длиннющими ногами и большими голубыми глазами, которая была на обложке «Бель» на прошлой неделе? А есть фотографии, где она голая?

Оживляется Олаф Линдсен, арт-директор, который до сих пор что-то быстро записывал в своей тетрадке.

— Гм. Нет. Несмотря на ее скандальную репутацию, или, возможно, именно из-за нее, Наташа никогда не позировала обнаженной. Только в купальнике. В лучшем случае в мокром купальнике.

Кристиана Тенардье отрезает кончик своей сигары маленькой гильотинкой и, пожевав, выплевывает его в мусорную корзину.

— Жаль. А если подправить купальник на компьютере?

— Могут подать в суд, — заверяет специалист. — Если я не ошибаюсь, последняя линия журнала: «Главное — никаких тяжб». Уже потеряно много денег.

— Ладно, тогда фото в купальнике пооткровенней, в мокром купальнике, чтобы немного просвечивало. Вот что нужно раздобыть.

Кристиана Тенардье сигарой указывает на Лукрецию.

— Да, в конце концов, мозг неплохая идея. Это должно пойти. Но вашу статью надо направить на то, что привлекает людей. Анекдоты, например. Испытанные приемы. Опишите химические процессы, происходящие в мозге во время занятия сексом. Я даже не знаю. Гормоны. Оргазм.

Лукреция отмечает рекомендации в своем блокноте, будто речь идет о списке покупок.

— Еще можно поговорить о провалах в памяти. Но это, скорее, для пожилых читателей. Осталось добавить небольшой тест: «Не пора ли обратиться к врачу?» Вы сможете достать такое, Олаф? Запутанную картинку, а после — вопросы по ней. Есть фотографии этого Феншэ?

Арт-директор кивает.

— Великолепно. Как бы назвать эту статью... скажем... «Загадки мозга»? Нет, лучше: «Тайны мозга». Да, можно было бы назвать так: «Тайны мозга» или «Разгадка последних тайн мозга». И фотография полуголой Наташи Андерсен на фоне шахматной доски; такая обложка привлечет внимание.

Лукреции полегчало.

Сработало. Спасибо, Исидор. Теперь надо усилить хватку. Продвигаться дальше, но без резких движений. Иначе она отдаст тему Готье.

— Доктор Феншэ и Наташа Андерсен жили на Лазурном берегу, в Каннах. Вероятно, мне надо расследовать дело там, — говорит журналистка.

Тенардье становится более сдержанной.

— Вы прекрасно знаете, что в рамках ограничения бюджета мы стараемся делать все репортажи в Париже.

Глава рубрики неприветливо смотрит на молодую журналистку.

— Впрочем... Учитывая, что сюжет будет на первой полосе... можно сделать исключение. Будем четкими: учет расходов, никаких излишков. И не забудьте каждый раз включать НДС, ясно?

Обе с вызовом посмотрели друг на друга. В глазах Лукреции уже не было блеска.

Тенардье уважает людей с чувством собственного достоинства. Она презирает тех, кто лебезит перед ней.

— Могу я взять в помощь внештатного журналиста? — спрашивает Лукреция Немро.

— Кого?

— Катценберга, — произносит она, поднимая голову.

— Ах, этот, он еще жив? — удивляется Тенардье. Она медленно тушит свою сигару. — Мне не нравится этот тип. Он нам не с руки. Он слишком нелюдим. Излишне претенциозен. Точное его определение:

«высокомерный». Меня раздражает эта его надменность Господина Всезнайки. Вы в курсе, что это я постаралась, чтобы его выкинули из отдела?

Лукреция наизусть знала историю Исидора Катценберга. Бывший полицейский, знаток криминологии, он был виртуозом по части анализа следов преступления. Расследуя что-либо, он всегда опирался на научные достижения, но начальство сочло его слишком независимым, и постепенно ему перестали доверять дела. Тогда он пришел в научную журналистику, где стал применять технику полицейского следствия в журналистских расследованиях. Особенно его оценили в «Геттёр модерн», где один из курьеров прозвал его Научным Шерлоком Холмсом. Однако внезапный террористический акт в парижском метро, когда он оказался единственным выжившим среди расчлененных тел, его ошеломил. С тех пор он начал свой собственный крестовый поход против насилия. Ни о чем другом он больше не хотел писать. Затем Исидор Катценберг снова залез в свою раковину. В одиночку он взялся за необычное дело: стал продумывать будущее человечества. На огромном, во всю стену, листе бумаги он начертил древовидную схему, отражающую все возможные варианты будущего. На каждой ветви было написано «если». «Если» приоритет отдадут обществу досуга, «если» великие державы начнут войну, «если» верх возьмет либерализм, социализм, роботизм, завоевание пространства, религия и т.п. Корни, ствол, ветви представляли собой прошлое, будущее и настоящее людского рода. Анализируя возможное будущее, в этом древе вероятностей он хотел отыскать ПНН, Путь наименьшего насилия.

Лукреция держится молодцом.

— Наши читатели все еще ценят Исидора Катценберга, как мне кажется, его имя связано с наиболее обстоятельными материалами журнала.

— Нет, наши читатели уже забыли о нем. Журналист, который не публиковался больше года, перестает существовать. Мы делаем однодневное искусство, дорогуша. И к тому же вы ведь знаете, насколько Исидор был потрясен тем случаем в метро. По-моему, он тронулся головой.

Тенардье боится его.

— Он мне необходим, — произносит Лукреция.

Брови поднимаются от удивления.

— А я говорю вам, что мне не нужен этот ваш Катценберг. Хотите вести дело в паре, берите Готье, он вам явно больше подходит!

Готье кивает.

— В таком случае я лучше откажусь, — заявляет Лукреция.

Присутствующие удивлены.

— Кем вы себя считаете, мадемуазель Немро? Ваша должность не позволяет вам даже отказаться. Вы всего лишь мелкий журналист. То есть никто.

Взгляд Лукреции останавливается. Дыра от вырванного зуба испускает колющую боль. Призвав всю свою волю, она пытается с ней совладать.

Только не сейчас, зуб, только не сейчас.

— Полагаю, все сказано.

Лукреция встает и собирает свои бумаги.

Только бы рот не искривился.

Тенардье смотрит на нее по-другому. Ее лицо скорее выражает удивление, нежели гнев. Лукреция чувствует себя маленькой мышкой, которая потянула за усы львицу и продолжает ее дразнить. Это не умно, но забавно.

Я получила удовольствие от того, что хоть раз в жизни это сделала.

— Подождите, — бросает Тенардье.

Не оборачиваться.

— Итак, вы быстро растете. И не для того, чтобы вызвать мою неприязнь. Я была почти такой же в молодости. Вернитесь.

Аккуратно сесть, не показать своего удовлетворения.

— Хорошо... можете взять своего Катценберга, если он вам так нужен, но никаких расходов на него и упоминания его имени в статье. Он помогает в расследовании, но не пишет. Вы думаете, он примет такие условия?

— Примет. Я его знаю, он занимается этим не ради славы и денег. Для него имеет значение лишь один важный вопрос, который завладел его умом: «Кто убил Феншэ?»

8

Мсье Жан-Луи Мартен был обычным человеком.

9

В апреле в Каннах хорошая погода.

В городе недельная передышка между игровым и документальным кинофестивалями.

По Круазет, дымя выхлопными газами, тарахтит мотоцикл с коляской. Он проезжает мимо роскошных отелей, которыми славится город: «Мартинез», «Маджестик», «Эксельсиор», «Карлтон», «Хилтон».

35

Мотоцикл ведет молодая девушка в красном плаще; ее лицо скрывают летные очки, а на голове — круглый кожаный шлем. В коляске полный мужчина, одетый почти так же, только плащ его черный.

Мотоциклисты паркуются возле «Эксельсиора». Они долго стряхивают с себя пыль, снимают дорожную одежду и направляются к столу регистрации. Берут самый дорогой номер с видом на море.

Тенардье побелеет от злости.

Они проходят вперед, будто княжеская чета. Молча добираются до своего номера, где лакей отворяет ставни и открывается чудесный вид на море, пляж, на Круазет. Прямо перед ними, словно усыпанная звездами, сверкает вода.

Несколько смельчаков уже плещутся в еще прохладном Средиземном море.

Лукреция Немро заказывает два фруктовых коктейля.

— Не верю вашей версии об убийстве. Я рада расследовать это дело для газеты, но я вам докажу, что вы не правы. Не было никакого убийства. Доктор Самюэль Феншэ и в самом деле умер от любви.

Внизу громко сигналят машины.

— Я по-прежнему убежден, что ключ к этой загадке — мотивация, — продолжает Исидор Катценберг, игнорируя замечание. — Со времени нашей последней встречи я провел небольшой опрос по этому поводу. Каждому я задавал один и тот же вопрос: «Что побуждает вас к действию?» В общем, основной мотив остается: прекратить страдание.

Снова появляется лакей. Он несет два цветных стакана, украшенных зонтиками, засахаренной вишней и кусочками ананаса.

Лукреция отпивает глоток янтарной жидкости и старается не думать о дырке в десне, которая все еще побаливает.

— А что же побуждает к действию вас, Исидор?

— На данный момент, вы это прекрасно знаете, Лукреция: желание разгадать эту загадку.

Она грызет ноготь.

— Начинаю вас узнавать. Конечно, это единственный мотив.

Лукавая улыбочка.

Он не оборачивается и продолжает смотреть на море.

— Нет. У меня есть еще один мотив, более личного характера.

Она съедает засахаренную вишенку.

— Гм... По-моему, я теряю память. Например, когда я начинаю фразу, а меня перебивают, я теряю нить и не могу вспомнить, о чем говорил. Точно так же мне стало трудно запоминать номера, например коды, чтобы войти в здания, или номера моих кредиток. Меня это беспокоит. Боюсь, мой мозг стал работать хуже.

Поставив локти на подоконник, Лукреция смотрит на море.

Слон теряет память.

— Вы, наверное, переутомились. К тому же сейчас приходится запоминать столько разных цифр... Теперь они на машинах, в лифтах, в компьютерах.

— Я прошел экзамен в клинике памяти, в парижской больнице Питье-Сальпетриер. И они ничего такого не нашли. Расследуя это дело, я надеюсь лучше понять мой мозг. У моей бабушки со стороны отца была болезнь Альцгеймера. В конце концов бабушка перестала меня узнавать. Она встречала меня словами: «Здравствуйте, мсье, вы кто?» А моему деду говорила: «Вы не мой муж, он гораздо моложе и красивее вас». Его это сильно задевало. Когда приступы проходили, она очень страдала от сознания того, что с ней случилось. Одна мысль, что это может произойти со мной, приводит меня в ужас.

Вдали желтое солнце становится оранжевым. Посеребренные облака проплывают по небу. Долгое время оба журналиста созерцают горизонт, радуясь, что они в Каннах, в то время как остальные парижане все еще в плену своего серого города.

Мгновение отдыха и тишины.

Лукреция отмечает про себя, что люди чаще думают, чем говорят, а из-за этого теряется много информации.

Мы не знаем их мыслей, то, что они несут в себе.

Внезапно Исидор подскакивает и смотрит на часы.

— Скорее, новости начинаются!

— Что же там такого животрепещущего? — возмущается Лукреция.

— Мне надо знать, что происходит в мире.

Анонсы уже прошли, и теперь каждый сюжет преподносится детально.

«Забастовка преподавателей лицея. Они требуют повышения заработной платы».

На телевизионном экране появляются демонстранты.

— Вот, пожалуйста, мотив всегда один и тот же, — скептически усмехается Лукреция.

— Ошибаетесь. На самом деле они требуют не денег, а уважения. Раньше преподаватели имели большое значение, а теперь им приходится не только воевать с учениками, которые их не ценят, но еще и администрация просит нести тяжелое бремя: заменять несостоявшихся родителей. Преподавателей выставляют в невыгодном свете, будто только они жаждут каникул и привилегий, тогда как они всего лишь хотят благодарности. Поверьте, если б они могли, на их транспарантах было бы написано «Больше уважения», а не «Больше денег». Вообще свои истинные мотивы люди высказывают очень редко.

Диктор продолжает свою канитель:

«В тайной лаборатории Колумбии, финансируемой различными объединениями, разработан новый наркотик, вызывающий мгновенное привыкание. Это вещество, уже оцененное во Флориде, подмешивали в сангрию на студенческой вечеринке. Наркотик парализует волю тех, кто его принял. Сразу поступило множество жалоб об изнасиловании».

«В Афганистане талибский парламентский совет принял решение запретить женщинам обучение в школе, а также лечение в больницах. Кроме того, женщинам запрещено выходить без чадры и разговаривать с мужчинами. Толпа закидала камнями одну женщину, потому что ее обувь была светлого цвета».

Лукреция замечает, что Исидор потрясен.

— Зачем вы каждый вечер смотрите эти ужасы?

Исидор молчит.

— Что случилось, Исидор?

— Я слишком чувствителен.

Она выключает телевизор.

Он в раздражении снова его включает.

— Слишком просто. Я бы чувствовал себя трусом. Пока в мире есть хоть капля жестокости, я не могу оставаться спокойным. Не желаю прятать голову в песок.

Она шепчет ему на ухо:

— Мы здесь, чтобы расследовать строго определенное преступление.

— Именно. И это заставляет меня задуматься. Мы расследуем смерть одного человека, а ведь каждый день убивают тысячи людей и при еще более гнусных обстоятельствах, — говорит он.

— Но если мы бросим это дело, смертей будет тысячи... и одна. И возможно, это все потому, что каждый думает: в любом случае ничего не изменится, число смертей продолжит расти, и в действительности никто не расследует ни одного преступления.

Задетый этим доводом, Исидор соглашается выключить телевизор. Он закрывает глаза.

— Вы спрашивали, какой у меня мотив? Мне кажется, он несколько широк: это страх. Я действую, чтобы страх прекратился. С детства боюсь всего. Я никогда не знал покоя, может, поэтому мой мозг так хорошо работает. Чтобы я мог защититься от опасностей, реальных и воображаемых, близких или дальних. Порой мне кажется, что весь мир — сплошная ярость, несправедливость, насилие, стремление к смерти.

— Чего же вы боитесь?

— Всего. Боюсь жестокости, боюсь загрязнения, боюсь злых собак, боюсь охотников, женщин, полицейских и военных, боюсь болезней, боюсь потерять память, боюсь старости, смерти, а иногда боюсь даже самого себя.

Вдруг он подскакивает от внезапного звука. Это хлопнула дверь. Появляется горничная. Она вносит миндаль в шоколаде с вишневым ликером. Презент от отеля. Она извиняется, суетится и исчезает, хлопнув дверью.

Лукреция Немро достает свою записную книжку и отмечает:

«Итак, первый мотив: прекращение боли. Второй мотив: избавление от страха».

10

Мсье Жан-Луи Мартен действительно был самым обычным человеком. Образцовый муж женщины, умеющей прекрасно готовить телятину маренго, отец трех непоседливых дочерей, он жил в пригороде Ниццы, где занимался крайне подходящим ему ремеслом: служил ответственным руководителем юридического отдела в НБКП Ниццкого банка кредита и переучета.

Его ежедневная работа состояла в том, чтобы вносить в центральный компьютер банка список клиентов, счет которых был отрицательным. Он выполнял свои обязанности со спокойствием и безразличием, радуясь, что ему не надо говорить с ними по телефону, как это делал его сосед по кабинету, Бертран Мулино.

— Уважаемая госпожа, с удивлением уведомляем, что у вас дебетовый счет. Сожалеем, но мы обязаны напомнить вам о порядке... — слышал он через перегородку.

В субботу вечером, рассевшись на диване, Мартены всей семьей смотрели передачу «Забирай или удвой».

Забирай: я на этом останавливаюсь, мой выигрыш невелик, зато я уверен, что не останусь ни с чем. Удваивай: продолжаю игру, рискую и могу сорвать большой куш.

Волнение игроков, когда они вот-вот все потеряют или, наоборот, приобретут, приводило семейство в восторг. Каждый из них спрашивал себя, что бы он сделал на их месте.

Здесь была вся драма людей, в азарте дразнящих свою удачу, считая себя особенными.

Публика постоянно побуждала их к риску. «Удвой! Удвой!» — кричала она. И Мартены кричали вместе с ней.

Дождливыми воскресными днями Жан-Луи Мартен любил играть в шахматы с Бертраном Мулино. Он считал себя не более чем «переставлятелем деревяшек», но при этом говорил: «Лучше красивая игра, а не победа любой ценой».

Лукулл, старая немецкая овчарка, знал, что во время шахматной партии его приласкают. Он чувствовал ход игры: когда хозяин был в затруднении, ласки становились более грубыми, и наоборот, нежными, когда тот выигрывал.

После сражения приятели попивали ореховую водку, а их неработающие жены громко обсуждали в гостиной школы своих детей и возможности продвижения мужей по службе.

Еще Жан-Луи Мартен любил поупражняться в живописи, рисуя маслом картины, подражал своему кумиру Сальвадору Дали.

Так безмятежно протекала жизнь, и он не чувствовал ее течения. Банк, семья, пес, Бертран, шахматы, «Забирай или удвой», живопись Дали. Отпуск казался ему чуть ли не неприятностью, грозившей разрушить заданный ритм.

Его заботило только одно: чтобы «завтра» стало еще одним «вчера». И каждый вечер, засыпая, он чувствовал себя самым счастливым человеком на свете.

11

Он храпит!

Лукреция не может заснуть. Она открывает дверь в комнату Исидора и смотрит, как он спит.

Прямо как огромный ребенок.

Поколебавшись, она тормошит его.

Исидор медленно приходит в себя; ему привиделось, что он в новых городских ботинках, под которыми поскрипывал снег, пробирается сквозь метель к маленькой темноватой хижинс.

Лукреция включает верхний свет. Он вздрагивает и приоткрывает левый глаз.

— Ммм?

Где я?

Он узнает девушку.

— Который час? — потягиваясь, спрашивает Катценберг.

— Два часа ночи. Все спокойно, и я хочу спать.

Он полностью открывает левый глаз.

— И поэтому вы меня разбудили? Сообщить мне, что хотите спать?

— Не только.

Он морщится.

— Вы, случайно, бессонницей не страдаете, а, Лукреция?

— Когда-то я была лунатиком. Но уже давно у меня не было приступов. Я читала, что лунатик во время приступа видит то, что ему снится. А еще я читала, что кошки при разрыве связи между полушариями их мозга начинают с закрытыми глазами изображать то, что им снится. Вы в это верите?

Он падает на кровать и прячется от света под простыней.

— Ладно. Спокойной ночи.

— Знаете, Исидор, мне очень приятно заниматься этим расследованием с вами, но вы храпите. Именно это меня и разбудило, и поэтому я здесь.

— Да? Простите. Хотите взять отдельный номер?

— Нет. Лягте на бок. Тогда мягкое нёбо у вас в горле не будет вибрировать. Это просто вопрос дисциплины.

Она пытается принять более приветливый вид.

— Сожалею, ОК, постараюсь, — бормочет он.

Удивительно, какую естественную покорность проявляют даже самые харизматичные мужчины перед женщиной, которая знает, чего хочет, думает Лукреция.

— Почему вы меня слушаетесь? — интересуется она.

— Возможно... Свободная воля мужчины заключается в том, чтобы найти женщину, которая будет решать за него.

— Неплохо. Что-то я проголодалась. Мы вчера не ужинали. Почему бы нам не заказать еды? Как думаете, Исидор?

Она достает записную книжку, просматривает свой список и оживленно добавляет:

— Третьим мотивом я ставлю голод. Я слушаю свое тело, которое требует пищи и говорит, что не заснет, пока его не покормят. Я уже не могу заниматься ничем другим. Поесть становится для меня просто необходимо. Итак... Первое: прекращение боли; второе: исчезновение страха; третье: утоление голода.

Исидор бормочет какие-то непонятные слова и снова забирается под одеяло. Она вытаскивает его оттуда, чтобы заставить себя слушать.

— Голод... Это ведь первичный мотив человечества, да? Именно от голода изобрели охоту, земледелие, хранилища, холодильники...

Он слушает вполуха.

— Сон тоже не менее важен, — говорит он, приподнимаясь на локте и рукой заслоняя глаза от света. — Да, в третьем пункте мы могли бы объединить голод, сон, тепло в один большой мотив: нужды выживания.

Она делает исправления в записной книжке и хватает телефонную трубку, чтобы сделать заказ.

— Я возьму спагетти. А вы что будете?

— Ничего, спасибо. Я бы поспал, — говорит он, стараясь подавить зевоту и держать веки открытыми.

— Что будем делать завтра? — весело спрашивает Лукреция.

Он снова с трудом открывает глаза.

— Завтра? — повторяет он, словно это было труднопостигаемое понятие.

— Да, завтра, — говорит она, упирая на последнее слово.

— Завтра осмотрим тело Феншэ. Вы бы не могли выключить свет, прошу вас?

Покой темноты.

Он падает на кровать, переворачивается на бок и, прижав к груди одеяло, засыпает без храпа.

Как он любезен, думает Лукреция.

Ему опять снится, что он идет сквозь снегопад в своих новых скрипящих по снегу ботинках. Он входит в хижину. Внутри — Лукреция.

12

Жизнь Жана-Луи Мартена резко изменилась одним воскресным вечером. После ужина и последующей партии в шахматы у Бертрана он спокойно прогуливался вместе со своей женой Изабеллой.

Была зима, и шел снег. Улица была пуста в этот поздний час. Они шли очень осторожно, чтобы не поскользнуться. Внезапно раздался шум мотора. Шины завизжали, машина не удержалась на обледенелой земле. Жена Мартена чудом увернулась. Он не успел.

Едва поняв, что происходит, он был сбит и подброшен в воздух. Далее темп замедлился.

Удивительно, сколько информации можно получить в одно мгновение. Ему казалось, что сверху он видит все, и особенно жену, которая смотрит на него раскрыв рот, в то время как пес даже морду не повернул.

Машина укатила, не останавливаясь.

Он все еще был между небом и землей и думал очень быстро. Сразу за удивлением последовала боль. Как до этого он перестал что-либо чувствовать, словно все нервы заблокировались и сигнал не проходил, так теперь он остро ощутил удар, будто волна кислоты разлилась по всему его телу.

МНЕ БОЛЬНО.

Ужасная боль. Бесконечное жжение. Как тогда, когда он схватил оголенный электрический провод и получил разряд в двести двадцать вольт. Или когда машина, отъезжая, проехалась ему по пальцам ног. Все былые «внезапные и сильные боли» вновь вспомнились ему. Рука, сломанная в результате падения с лошади. Прищемленные дверью пальцы. Одноклассник, с силой выдирающий его волосы в драке на переменке. В каждый из этих моментов он думал об одном: пусть это прекратится. Немедленно прекратится.

Перед падением на землю его пронзила еще одна мысль:

«Мне страшно умирать!»

13

Каннский морг. Он находится на авеню де Грасс, 223. Это хорошо отделанное здание, снаружи больше напоминающее красивую усадьбу, нежели дом смерти. Сиреневые лавровые деревья украшают сад, окруженный кипарисами. Парижские журналисты заходят. Потолки внутри здания высокие, на стенах — белые и фиолетовые декоративные обои.

На первом этаже располагаются несколько похоронных бюро, сюда же приходят семьи, чтобы в последний раз почтить своего покойного родственника, загримированного, с кожей, снова наполненной кислородом, благодаря канифоли и формалину.

Чтобы попасть в подвал, где находится судебно-медицинская лаборатория, Исидору Катценбергу и Лукреции Немро надо пересечь узкий коридор, за которым наблюдает консьерж-антилец с длинными заплетенными волосами. Он поглощен чтением «Ромео и Джульетты».

— Добрый день, мы журналисты и хотели бы встретиться с судебно-медицинским экспертом по делу Феншэ.

Консьерж не сразу удостаивает их взглядом. Драма, произошедшая когда-то с веронскими любовниками, а также с их родителями, родственниками и друзьями, казалось, потрясла его, и поэтому у него такой грустный вид, когда он открывает окошко, защищающее его от непрошеных посетителей.

— Сожалею, есть четкая инструкция: кроме следователей, никого в лабораторию не пропускать.

Консьерж-антилец снова погружается в свою книгу как раз на том моменте, когда Ромео объясняется в любви, а Джульетта говорит ему, с какими неприятностями он может столкнуться из-за ее недалеких родителей.

Исидор Катценберг лениво вытаскивает купюру в пятьдесят евро и прижимает к окошку.

— Это вас не интересует? — рискует он.

Ромео и Джульетта слегка теряют свою привлекательность.

Окошечко открывается, и оттуда высовывается проворная рука, готовая схватить купюру. Исидор обращается к своей подруге:

— Лукреция, запишите четвертый мотив: деньги.

Она вынимает записную книжку и пишет.

— Тс-с-с-с, нас могут услышать, — говорит консьерж.

Он хватает купюру, но Исидор ее не отпускает.

— Что вы сделаете с этими деньгами? — спрашивает он.

— Отпустите, вы ее разорвете!

Оба сжимают купюру и тянут в противоположных направлениях.

— Что вы сделаете с этими деньгами?

— Ну и вопрос! Вам-то что с того?

Исидор не ослабляет руку.

— Ну хорошо... даже не знаю. Куплю книг. Дисков. Фильмов, — отвечает охранник.

— Как можно назвать эту четвертую потребность? — громко спрашивает Лукреция, которую забавляют ситуация и смущение консьержа.

— Скажем, потребность в комфорте. Первое: прекращение боли; второе: избавление от страха; третье: удовлетворение нужд выживания; четвертое: удовлетворение потребности в комфорте.

Консьерж сильнее тянет купюру и наконец получает ее. Дабы избавиться от этих шумных людей, он нажимает на кнопку — и большая стеклянная дверь с рычанием открывается.

14

Когда Жан-Луи Мартен очнулся, он обрадовался, что выжил. Затем он возликовал, что не чувствует никакой боли.

Он понял, что лежит в больничной палате, и решил, что все же должен иметь какие-нибудь повреждения. Не поднимая головы, он посмотрел на свое тело, одетое в пижаму, и убедился, что все четыре конечности на месте, нигде нет ни гипса, ни шины. Он испытал облегчение, что цел. Попробовал пошевелить рукой, но она не двинулась. Попробовал шевельнуть пальцем. Снова безрезультатно. Он хотел закричать, но не смог открыть рот. Ничего не работало.

Осознав свое состояние, Жан-Луи Мартен пришел в ужас. Единственное, что он мог — видеть только одним глазом и слышать только одним ухом.

15

Запах селитры — в подвалс. Все-таки морг. Серые коридоры. Наконец они доходят до нужной двери. Стучат. Никто не отвечает. Они входят. Стоящий к ним спиной высокий мужчина помещает пробирку в центрифугу для физиологических исследований.

— Мы по делу Феншэ...

— Кто вас впустил? А, консьерж, должно быть. Ну теперь он у меня получит!

Каждый, кто обладает малейшей властью, злоупотребляет ею, чтобы показать свою значительность.

— Мы журналисты.

Мужчина оборачивается. Черные волнистые волосы, маленькие полукруглые очки, хорошая выправка. На кармане его халата вышито: «Профессор Жиордано». Он внимательно и недружелюбно рассматривает их.

— Я уже все сказал криминальной полиции. Обратитесь к ним.

Не дожидаясь ответа, он забирает свою пробирку и уходит в другую комнату.

— Надо найти его мотивацию, — шепчет Исидор. — Позвольте мне заняться этим.

Профессор Жиордано возвращается и холодно бросает:

— Вы еще здесь?

— Мы бы хотели написать статью лично о вас. Сделать портрет.

Его лицо слегка расслабляется.

— Статью обо мне? Я всего лишь муниципальный работник.

— Вы имеете дело с тем, что обычно скрывают от широкой общественности. Не просто смерти, а странные смерти. Мы не займем у вас много времени. Нам хотелось бы осмотреть комнату вскрытий и сфотографировать вас во время вашего тяжелого труда.

Профессор Жиордано соглашается. Он просит пять минут, чтобы сходить на другой этаж и взять ключ из куртки.

Журналисты рассматривают находящиеся вокруг них рабочие инструменты.

— Браво, Исидор. Как это у вас получилось?

— У каждого есть мотив. У него — слава. Вы не заметили диплом за его спиной и спортивные награды на маленькой этажерке? Раз он выставляет их напоказ, значит, он комплексует. Он всецело поглощен жаждой уважения. Статья о нем в прессе сразу означает признание.

— Неплохо.

— У любого человека есть своя «инструкция». Надо только найти главную кнопку. Для этого нужно представить его ребенком и задать себе вопрос: «Чего ему тогда не хватало?» Это могут быть поцелуи матери, игрушки или, как в случае Жиордано, восхищение окружающих. Этот человек хочет эпатировать.

— По-вашему, восхищение окружающих — пятый мотив?

Исидор ближе рассматривает центрифугу.

— Можно расширить это понятие до признания группы.

— Социализация?

— Я бы даже включил эту потребность в еще более широкое понятие — чувство обязанности по отношению к другим. Под этим термином я объединяю обязанность перед родителями, перед учителями, соседями, перед своей страной и перед всеми людьми.

Этот профессор Жиордано исполняет обязанности хорошего сына, хорошего ученика, хорошего горожанина, хорошего сотрудника и хочет, чтобы другие знали об этом.

Лукреция достает записную книжку и перечисляет:

— Итак, первое: прекращение боли; второе: исчезновение страха; третье: удовлетворение нужд выживания; четвертое: удовлетворение потребности в комфорте; пятое: обязанность.

Исидор замечает:

— Эта же «обязанность» заставляет людей идти на войну и выносить жертвы. Воспитание ягненка в стаде. Потом уже невозможно покинуть это стадо и надо вести себя так, чтобы нравиться другим овцам. Именно поэтому все рвутся к медалям, повышению зарплаты или к тому, чтобы о них написали в газете. Частично наши потребности в комфорте связаны с этим понятием обязанности. Телевизоры и машины покупают в основном не потому, что в них нуждаются, а чтобы показать соседям, что ты вписываешься в стадо. Люди стараются иметь самые лучшие телевизоры и лучшие машины, чтобы доказать, что они богаты и представляют собой достойную часть стада.

Возвращается профессор Жиордано с налаченными волосами и в новом халате. Размахивая ключом, он просит их проследовать в соседнюю комнату с надписью «Автопсия».

Судебно-медицинский эксперт вставляет ключ, и дверь открывается.

Первая информация носит обонятельный характер. Тошнотворный запах трупов смешан с запахом формалина и лаванды. Мелкие обонятельные частицы, из которых состоят испарения, проникают в ноздри журналистов и растворяются в слизистой. Реснички-рецепторы задерживают там пахучие молекулы и заставляют их подняться до апекса, наивысшей части носа. Здесь четырнадцать миллионов клеток-рецепторов, распределенных по двум квадратным сантиметрам, анализируют запах и преобразовывают его в сигналы, идущие к продолговатому мозгу, а затем к гиппокампу.

— Какая вонь! — жалуется Лукреция, зажимая себе нос; Исидор сразу же следует ее примеру.

Их проводника запах совершенно не раздражает, а столь обычная для непривыкших людей реакция его даже забавляет.

— Вообще следует надевать газовые маски. Но здесь все тела зашиты, и это необязательно. Помню, однажды мой коллега забыл надеть маску, перед тем как вскрыть живот одного типа, который покончил с собой, наглотавшись разной химии. Он смешал лекарства, моющие средства, стиральные порошки! Все это растворилось в желудке, и когда мой коллега сделал надрез, оттуда пошел настолько токсичный пар, что беднягу пришлось срочно госпитализировать.

Кроме судмедэксперта, никто не рассмеялся.

В комнате шесть столов из нержавеющей стали с деревянными весами, на которые кладут головы покойников, и желобками для вывода жидкостей из тел. На четырех столах лежат трупы в пластиковых чехлах; видны только ноги с этикетками на большом пальце.

— Автокатастрофа... — с фатализмом в голосе отмечает Жиордано. — Они думали, что успеют обогнать грузовик до поворота.

На стене справа большая раковина с дозаторами, рукоятки которых в мыле, рядом стерилизаторы для хирургических инструментов, шкаф для рабочих халатов; в углу мусоропровод для органических отбросов; в глубине комнаты дверь с надписью: «ЗАЛ РЕНТГЕНОВСКОГО ОБЛУЧЕНИЯ. ВХОД ВОСПРЕЩЕН». На стене слева холодильники, на которых написаны буквы алфавита.

— Итак, что вы хотите узнать?

— Для начала мы бы хотели сфотографировать вас с инструментами, — говорит Лукреция, которая запомнила, что профессора надо заставить почувствовать свою ценность.

Ученого не приходится долго упрашивать; он берет в руки пинцет и скальпель. Закончив, Лукреция достает записную книжку.

— Отчего, по-вашему, умер Феншэ?

Профессор Жиордано идет к шкафчику и достает досье на имя Феншэ. Оно содержит фотографии, результаты экспертизы, видеокассету, записанную во время вскрытия, результаты химических анализов.

— ...от любви.

— Вы не могли бы выразиться яснее? — просит Исидор Катценберг.

Профессор читает досье:

— «Зрачки расширены. Вены вздуты. Необычайный прилив крови к мозгу и половым органам».

— К половым органам? — удивляется Лукреция. — И это можно установить после смерти?

Жиордано вопрос как будто нравится.

— Вообще, эрекция возникает, когда кровь через артерии приливает к кавернозному телу полового члена. Вены, получившие кровь, сжимаются, чтобы поддерживать твердость. Но кровь не может долго застаиваться в кавернозном теле, иначе кровяные клетки будут испытывать нехватку кислорода. Поэтому даже во время долгой эрекции оно время от времени слегка расслабляется, чтобы выпустить немного крови. А у Феншэ мы обнаружили омертвевшие клетки, которые, похоже, слишком застоялись.

— А кроме омертвевших клеток анализ крови что-нибудь показал? — спрашивает Исидор, словно желая сменить тему.

— Уровень эндорфинов слишком высок.

— И о чем это говорит?

— О том, что он испытал потрясающий оргазм. Хорошо известно, что у мужчин оргазм необязательно связан с семяизвержением. Может быть эякуляция без оргазма и наоборот. Единственным признаком оргазма, как у мужчин, так и у женщин, является присутствие эндорфинов.

— А что такое эндорфины? — с интересом спрашивает Лукреция, приподнимая свои длинные и волнистые рыжис волосы.

Профессор Жиордано поправляет свои полукруглые очки и чуть пристальнее рассматривает девушку.

— Это наш природный морфин. Организм выделяет его, чтобы мы могли получить удовольствие и перенести боль. Эндорфины выделяются, когда мы смеемся. Или когда мы влюблены. Никогда не замечали, что рядом с желанным человеком ревматизм не так сильно чувствуется? Количество эндорфинов увеличивается, когда мы занимаемся любовью. Во время пробежки наступает состояние сродни опьянению — это из-за эндорфинов, производимых организмом, чтобы преодолеть мышечную боль. Частично именно они делают бег таким приятным.

— И поэтому столько людей обожают пробежки? — удивляется Исидор.

— На самом деле они обожают эндорфины, которые выделяют их тела, чтобы переносить боль от бега.

Заинтересованная, Лукреция делает заметки в записной книжке. Видя это, Жиордано продолжает:

— В Китае вот как используют самок оленя. Им делают открытый перелом ног. Животные при этом испытывают такую боль, что их тела начинают вырабатывать эндорфины, дабы облегчить мучения. Китайцы собирают кровь из шейной вены и сушат ее. А потом продают эту сушеную кровь, полную эндорфинов, в качестве возбуждающего средства.

Журналисты морщатся.

— Это ужасно! — заявляет Лукреция, перестав записывать.

Потрясение девушки не огорчает ученого.

— Организм обычно вырабатывает очень небольшое количество эндорфинов при каждом мгновении удовольствия, и они довольно быстро исчезают; но у Феншэ был такой выброс, что, когда я производил анализ крови, еще оставались следы. Это редчайший случай. Поистине, он, должно быть, ощутил чертовский «удар молнии».

Лукреция замечает, что Жиордано уставился на ее грудь, и спешит запахнуть свой вырез.

Раздраженный Исидор меняет тему:

— Вы считаете, Феншэ принимал наркотики?

— Я думал об этом. Наркотики скапливаются в жировой ткани и могут оставаться там долгое время.

Судмедэксперт указывает на изображение внутреннего устройства человека, висящее над раковиной. На нем видны мускулы, кости, хрящи, тщательно воспроизведенные жировые зоны тела.

— Здесь можно обнаружить такие вещества, как мышьяк, железо, алюминий, даже спустя двенадцать лет после их поступления в организм, независимо от дозы.

— Хотите сказать, что жир состоит из наслоений, как площадка археологических раскопок? — изумляется Исидор.

— Точно. В нем скапливается все, что мы глотаем, одно над другим. Я искал следы наркотиков в жире Феншэ. Ни наркотиков, ни лекарств, никаких подозрительных химических веществ.

Лукреция ликует:

— Мы согласны, значит, смерть от любви возможна...

— Да, конечно. Некоторые умирают от горя. Возможностям духа нет предела. И, если хотите знать мое мнение, эта смерть была не столько физической, сколько психологической.

Исидор осматривает отмеченные буквами холодильники и останавливается перед ячейкой «Ф».

— Можно взглянуть на тело Феншэ?

Профессор Жиордано качает головой:

— Вам не повезло, я закончил вскрытие утром, а останки отправили его семье уже почти сорок пять минут назад. — Он вздыхает и продолжает: — Этому человеку действительно удалось уйти красиво. Сперва он становится чемпионом мира по шахматам, а затем умирает от любви в объятиях одной из прекраснейших женщин планеты. Бывают же счастливчики... Не говоря уже о карьере.

— Где он работал?

— В больнице Святой Маргариты на одном из Леринских островов. Под его руководством это учреждение превратилось в одну из крупнейших психиатрических лечебниц в Европе. Никому не рассказывайте, но я сам вылечился там от депрессии.

Исидор поднимает бровь.

— Я слишком много работал и сломался.

Судмедэксперт с возрастающим напряжением смотрит в большие изумрудные глаза журналистки.

— Да, в такое вот время мы живем. По последним сведениям ВОЗ* половина населения цивилизованных стран нуждается в психологической помощи. Франция больше всех потребляет транквилизаторов и снотворного на человека. Чем умнее, тем уязвимее. Вы бы удивились, узнав, сколько политических лидеров на Западе посещают психиатрические клиники. У меня, например, остались чудесные воспоминания от пребывания в больнице Святой Маргариты. Природа, морское побережье. Это так расслабляет. Там много зелени, листвы, цветов.

16

— Господинмартенгосподинмартенвыменяслышите?

Через ушную раковину, а затем через слуховой канал эти звуки доходят до маслянистой и восковидной желтой массы — ушной серы, предназначенной для защиты и поддержки упругости барабанной перепонки. Звуковая волна, обогнув это препятствие, заставила вибрировать перепонку.

За перепонкой воздушная, или так называемая барабанная, полость, в которой находятся три косточки. Одна, прикрепленная к перепонке и переда-

---

* ВОЗ — Всемирная организация здравоохранения при ООН.

ющая движение, называется «молоточек». Она ударяет по второй косточке, «наковальне», которая, в свою очередь, приводит в движение третью, из-за своей формы названную «стремечком». Все вместе эти три косточки механическим путем усиливают слабоватый голос врача.

Потом звуковая волна передается во внутреннее ухо к ушной улитке, спиралевидному органу, состоящему из пятнадцати миллионов реснитчатых нервных клеток, — это и есть настоящий рецептор звука. Звуковая волна, теперь уже в виде электрического сигнала, поднимается по слуховому нерву до головного мозга. В нем расшифровывается каждый звук.

— Господин Мартен (*Это я.*), господин Мартен (*Он повторяет, потому что думает, что я его не слышу.*), вы меня слышите? (*Он ждет моего ответа. Что делать? Я НИЧЕГО НЕ МОГУ!*)

Жан-Луи Мартен жалобно моргает.

— Вы проснулись? Добрый день. Я доктор Самюэль Феншэ. Я буду вами заниматься. У меня есть хорошая новость и плохая. Хорошая — вы выжили после несчастного случая. И, учитывая полученный удар, это настоящее чудо. Плохая — ваш мозговой ствол был поврежден чуть ниже продолговатого мозга. Таким образом, у вас то, что мы называем LIS. Это английский термин, который обозначает Locked-In Syndrome, синдром внутренней блокировки. Ваш головной мозг работает, но остальная периферийная нервная система больше не реагирует.

17

— Насчет Феншэ, вы уверены, что это убийство? — спрашивает судмедэксперт.

Исидор кивает.

— А вы мне нравитесь. К тому же у меня долг перед Феншэ. Я вам кое-что покажу.

Он бросает на них взгляд.

— Клянетесь, что никому не расскажете? И, конечно, никаких фотографий!

С видом сомелье, достающего бутылку высококлассного вина, судмедэксперт открывает дверь комнаты рентгеновского излучения. Внутри, рядом с медицинскими аппаратами, журналисты замечают стол и шкафчик. Жиордано приглашает их войти, открывает дверцу шкафчика и извлекает оттуда прозрачную банку с желтоватой жидкостью, в которой плавает розово-серый шар.

— Члены семьи потребовали тело, но они не станут проверять его целостность. Знаете, во время вскрытия некоторые органы вынимают, исследуют, снова помещают в тело в пластиковых мешках и пришивают, но кто будет проверять, все ли органы на месте? Вот я и оставил его у себя. Я очень рассчитываю на ваше молчание. В конце концов, это был не кто-нибудь... Почти то же сделали и с Эйнштейном.

Он включает красную лампу для проявки фотографий, и перед ними вырисовывается содержимое банки.

— Мозг Феншэ! — восклицает Лукреция.

Вид этого нервного отростка в красноватом отблеске поражает журналистов. Извилины образуют бесконечный завиток. Самые темные вены находятся в наиболее глубоких бороздах. Нижняя часть мозга поделена точно по границе спинного мозга.

Судмедэксперт рассматривает содержимое поближе.

— Человеческий мозг — самая большая загадка. Проблема в том, что у нас есть лишь один инструмент, чтобы попробовать ее разгадать, и это... наш собственный мозг.

Они долго созерцают мозг, задумавшись над его фразой.

Лукреция протягивает свою визитную карточку.

— Если обнаружите что-нибудь новое, обязательно позвоните мне на мобильный, — говорит она. — Это мне никогда не помешает, в любом случае в моем телефоне есть виброзвонок.

Профессор Жиордано схватил визитку и небрежно опустил ее в карман.

Он погладил банку рукой.

— Я несколько раз встречался с Самюэлем Феншэ до его смерти. Он стал моим другом. Последний раз я случайно столкнулся с ним в кабаре «Веселый филин», где выступает его брат, Паскаль Феншэ, гипнотизер. Они оба были одержимы тем, чтобы понять, как работает мозг. Самюэль взялся за проблему с органической стороны, Паскаль — со стороны психологической. Посмотрите его сеанс гипноза и осознаете, какой силой обладает мысль...

Мозг Феншэ очень медленно вращается в банке под воздействием тепла.

18

Страх, паника, полное смятение охватили ум Жана-Луи Мартена. Но голос продолжает мягко вливаться в его ухо:

— Знаю, это нелегко. Но здесь вы в хороших руках. Вы в больнице Святой Маргариты. И у нас полным ходом идут исследования областей мозга и нервной системы.

Теперь он мог оценить всю полноту катастрофы. Жан-Луи Мартен, бывший служащий юридического отдела в НБКП, мог думать, видел одним глазом, слышал одним ухом, но был не в состоянии пошевелить пальцем, чтобы почесаться. Хотя никакого зуда он и почувствовать не мог... В этот момент у него была только одна мысль: пусть это кончится.

Доктор Самюэль Феншэ прикладывает к его лбу руку, прикосновения которой он не чувствует.

— Я знаю, о чем вы думаете. Вы хотите умереть. Хотите покончить с собой, но осознаете, что ваш полный паралич не позволяет вам осуществить это. Я не прав?

Жан-Луи Мартен снова пытается подвигать какой-нибудь частью своего тела, но у него получается лишь моргнуть. Ему приходится признать, что веко — его единственный рабочий мускул.

— Жизнь... Первичная мотивация всего организма такова: как можно дольше поддерживать жизнь. К этому стремятся даже бактерия, даже червь и насекомое. Еще несколько секунд жизни, еще немного, еще.

Доктор садится рядом с ним.

— Знаю, вы думаете: «Я — нет. Больше — нет». Вы ошибаетесь.

Медная радужка здорового глаза Жана-Луи Мартена увеличивается. Черная бездна в ней становится глубже, выражая вопрос. Он никогда не думал, что попадет в такую ситуацию.

«Я пропал. Чем я заслужил такую кару? Такое никто не выдержит. Не двигаться! Не говорить! Не ощущать мир! Я даже боль не могу почувствовать! Все рушится. Я завидую калекам, что они всего лишь калеки! Завидую людям, получившим тяжелые ожоги! Завидую безногим, что у них есть хотя бы руки. Слепым, которые, по крайней мере, могут чувствовать свое тело! Мое наказание — самое ужасное в истории человечества. Раньше мне бы позволили умереть. А теперь, из-за их чертового прогресса, я жив, несмотря на то, что по сути дела являюсь покойником. Это ужасно».

Покрутившись, его глаз останавливается.

«А этот? Кто он? С таким спокойным видом. Будто прекрасно знает, как вылечить этот кошмар. Доктор что-то говорит мне. *Я врачно...*»

— Я врач, но прежде всего я человек. В первую очередь я действую в соответствии с моей совестью, а не исходя из профессиональной обязанности или из страха попасть под суд. Более всего я уважаю свободную волю тех, кто мне доверился. Поэтому я даю вам возможность выбрать. Если вы решите жить, моргните один раз. Если откажетесь от жизни, моргните дважды.

«У меня есть выбор! Я еще могу повлиять на окружающее. Естественно, я хочу умереть. Как там сообщить ему мое решение? Ах да, дважды моргнуть».

— У вас есть время на размышления...

Жан-Луи Мартен снова подумал о «былом».

«Раньше я был счастлив. Стоит ли терять все, чтобы понять, какими ценностями я обладал?»

Доктор Феншэ закусывает губу.

До сих пор все пациенты с LIS, которым он предоставлял выбор, предпочитали смерть.

Глаз Жана-Луи Мартена оставался удивленно-неподвижным. Зрачок уменьшился от старания лучше понять то, что выражает лицо врача.

«Он не обязан делать это. Он идет на риск. Ради меня. Убив меня, когда-нибудь он поплатится за это. Другой не стал бы спрашивать мое мнение. Во имя клятвы Гиппократа, которая обязывает врача любой ценой спасать жизнь. Это самый удивительный момент в моем существовании и самое тяжелое решение, какое я когда-либо принимал».

Уставший, с опущенными глазами, доктор пальцем поправляет очки на носу, словно даже взглядом не желая влиять на своего больного; он снова заговорил:

— Решать вам. Но я должен сообщить вот что: если вы решите жить, я больше никогда не предложу вам смерть и всеми силами буду биться за то, чтобы вы жили как можно дольше. Подумайте хорошенько. Одно моргание — да, два — нет. Итак, ваш выбор?

19

— Ниццкий салат без анчоусов, соус налить сбоку. Томаты, пожалуйста, очистите, их кожицу я не перевариваю. А какой у вас уксус?

— Малиновый, мадемуазель.

— Вы не могли бы положить благовонный моденский уксус? Я его обожаю.

Исидор, очень любящий смесь сладкого и соленого, заказывает авокадо с креветками и грейпфрутом.

Официант записывает заказ. В качестве основного блюда Лукреция выбирает курицу по-провансальски. Но без помидоров и с соусом сбокэ. И никакого лука тоже. Она спрашивает, нельзя ли заменить гарнир из жареного картофеля зелеными бобами, сваренными на пару. Официант, привыкший к непростым клиентам, со спокойным видом зачеркивает, делает пометки на полях. Исидор берет налима с вареными овощами. Он хочет оставить место для десерта.

— Подать мсье карту вин? У нас есть отличное розовое вино из Бандоля.

— Нет. Дайте «Оранжину лайт» с сиропом из оршада, — решает Лукреция.

Перед уходом официант зажигает две свечи, украшающие стол. Исидор и Лукреция сидят за столиком в ресторане-кабаре «Веселый филин».

Зал не очень большой, на стенах и на потолке висят около сотни масок, изображающих человеческие лица с широко раскрытыми глазами. Создается впечатление, будто толпа людей из каждого угла рассматривает гостей.

Над сценой написано: «ГОСПОДИН ПАСКАЛЬ. ГИПНОТИЗЕР».

— Вы верите в гипноз?

— Я верю в силу внушения.

— Что вы имеете в виду?

— Какого цвета снег?

— Белого.

— Какого цвета бумага?

— Белого.

— Что пьет корова?

— Молоко...

На лице Исидора появляется победоносная улыбочка.

— Черт. Воду, а не молоко. Браво. Вам удалось меня запутать, — признает Лукреция.

На закуску им приносят тапенаду, и они едят, осматривая зал.

Справа от них мужчина громко кого-то убеждает в чем-то по мобильному телефону, а его сотрапезник пытается сохранить спокойствие в надежде, что скоро и у него заззонит мобильник, чтобы, в свою очередь, поставить приятеля в неловкое положение.

На столике завибрировал телефон Лукреции. Исидор Катценберг бросает на нее вопросительный взгляд. Она смотрит на определитель номера и выключает телефон, решив, что не хочет говорить с тем, кто звонит.

— Тенардье звонила. Я отключила мобильник, чтобы нам никто не мешал... — извиняется она.

— Мобильник — новая современная форма бестактности, — замечает Исидор.

Вокруг них все едят молча. Исидор внимательно осматривает людей, скатывая шарики из хлебного мякиша.

— Умереть от любви, умереть от любви, Жиордано пошутил... — ворчит он, схватив шарик.

— Умереть от любви — прекрасно! Любить. Л-Ю-Б-И-Т-Ь так, чтобы в голове все взорвалось. Конечно, любитель помудрствовать, вы слишком умны, чтобы понять силу чувств! — отвечает Лукреция Немро.

Одним глотком он выпивает свой сироп из оршада.

— Феншэ убили, я в этом уверен. И это не Наташа Андерсен.

Журналистка берет его за подбородок. Ее большие зеленые глаза блестят в свете горящих свечей. Грудь вздымается от возмущения.

— Исидор, скажите честно: вы хоть раз произносили слова «я люблю тебя»?

Он высвобождается.

— Это фраза-ловушка. Лучший способ охмурять наивных. Я считаю, за этими словами скрывается лишь желание обладать кем-либо. Я никогда не хотел никем обладать и никогда никому не позволял обладать мной.

— Тем хуже для вас... Как же вы можете найти убийцу, если не способны отыскать любовь?

Он со злобой сминает хлебные шарики в один огромный ком, который проглатывает; а потом отпускает фразу, которую только что отшлифовал в своей церебральной мастерской:

— Любовь — это победа воображения над интеллектом.

Она пожимает плечами и думает, что ее собеседник способен только на умствования. И ни на что больше. Мозг без сердца.

Им подают закуски.

Лукреция берет листик салата и, как грызун, обкусывает его резцами.

— Я больше не собираюсь терять время в Каннах. По-моему, никакого расследования уже не надо, мой дорогой Исидор. Любовь существует, Самюэль Феншэ ее повстречал, и она убила его. Тем лучше для него. Я тоже надеюсь умереть от любви. Завтра я вернусь в Париж и продолжу заниматься мозгом в больнице Питье-Сальпетриер, где, по вашим словам, есть новейшее неврологическое отделение.

Внезапно лампы гаснут, оставляя присутствующих в полумраке свечей.

— А теперь, как и всегда, большое представление: сеанс гипноза с господином Паскалем Феншэ. Прошу вас отключить мобильные телефоны.

Все повинуются.

На сцену выходит человек в черном смокинге с блестками и приветствует аудиторию.

Лукреция и Исидор узнают в его лице знакомые черты. Только по сравнению со скончавшимся братом он несколько выше, без очков, более сутулый и кажется старше.

Паскаль Феншэ начинает представление речью о возможностях внушения. Он вспоминает русского ученого Павлова, которому удалось заставить собаку выделять слюну при звуке звонка.

— Это называется приобретенный рефлекс. Кого угодно можно запрограммировать на действие при данном обстоятельстве или в данный момент. Никогда не случалось, чтобы вы говорили себе: «Хочу проснуться без пятнадцати восемь без будильника», и вы действительно просыпались ровно без пятнадцати восемь? Ни минутой раньше, ни минутой позже.

В зале шум, некоторые припоминают, что и правда, такое бывало, но они считали это простой случайностью.

— Вы сами себя запрограммировали. И мы это делаем постоянно. Например, сюда относится желание сходить в туалет перед завтраком, появление голода во время перерыва, тяга ко сну после вечернего фильма...

Зрители уже не вспоминают вслух о подобных вещах, посчитав их слишком интимными.

— Мы словно компьютеры, которые можно программировать и перепрограммировать по желанию. Мы сами обусловливаем наши будущие победы и поражения. Вам никогда не приходилось видеть людей, начинающих свою речь словами: «Уверен, что помешал вам, но...»? Таким образом, они заставляют других отталкивать их. И это делается неосознанно.

Гипнотизер требует добровольца для эксперимента. Встает высокий блондин. Паскаль Феншэ просит, чтобы тому поаплодировали, затем ставит его перед собой и приказывает смотреть на маятник, говоря при этом: «Ваши веки тяжелеют, тяжелеют, вы больше не можете их поднять. Теперь вам жарко, очень жарко. Вы в пустыне и задыхаетесь в своей одежде».

Когда он повторяет эту избитую фразу несколько раз, подопытный, с закрытыми глазами, раздевается до трусов. Паскаль Феншэ будит его, и высокий блондин подскакивает, сперва удивившись, а затем устыдившись своей наготы. Все в зале аплодируют.

— В чем же фокус? — спрашивает Лукреция своего друга.

— Вообще, все дело не в гипнотизере, а в том, кого гипнотизируют, — объясняет Исидор. — Именно он позволяет голосу подчинить его. Считается, что лишь двадцать процентов населения подвержено гипнозу. То есть достаточно доверяется гипнотизеру, чтобы полностью поддаться.

Паскаль Феншэ требует нового испытуемого для следующего опыта.

— Идите, Лукреция!

— Нет, Исидор, давайте вы.

— Мадемуазель немного стесняется, — кричит он артисту.

Паскаль Феншэ спускается, берет девушку за руку и ведет на сцену.

— Сразу предупреждаю, что раздеваться не стану, — твердо заявляет Лукреция, стоя под прожекторами.

Гипнотизер просит ее смотреть на хрустальный маятник.

— Вы ощущаете все большую усталость. Ваши веки тяжелеют, тяжелеют...

Она не сводит взгляда с маятника, но ее рот произносит:

— Сожалею, но со мной это не пройдет, я считаю, что принадлежу к восьмидесяти процентам людей, невосприимчивых к гип...

— Вы спите.

Она замолкает и закрывает глаза.

— Вы крепко спите... — повторяет Паскаль Феншэ.

Кажется, Лукреция уже достаточно погрузилась в сон, и гипнотизер спрашивает ее, что она делала вчера. Она немного колеблется:

— Вчера я была в каннском морге.

Затем он спрашивает, чем она занималась на прошлой неделе. Она это вспоминает. Потом — что она делала месяц назад, год назад в тот же месяц, в тот же день. Она подчиняется. Далее он просит ее вернуться на десять лет назад. На двадцать. Потом пережить первые дни своей жизни, свое рождение, то, что происходило до него. Девушка сворачивается клубком. Он помогает ей сесть на пол, она принимает позу зародыша и засовывает большой палец в рот.

Затем он просит ее пережить свое рождение, и Лукреция, все сильнее сворачиваясь, начинает с трудом дышать. Она как будто задыхается. Вдруг она совсем перестает дышать. В зале беспокойство. Журналистка вся краснеет. Она дрожит. Но гипнотизер остается спокойным. Он проводит рукой по щекам Лукреции, лаская их, переходит к подбородку и делает вид, что вытаскивает ее оттуда, где она задыхалась. Он изображает, что поднимает ее за подбородок, потом за плечи. Она слегка разворачивается. Рукой он успокаивает ее, умиротворяет, ободряет. Он словно вытягивает ее через слишком узкий проход. Когда наступает пауза, он обходит девушку и сперва слегка, а потом все сильнее ударяет ее по спине. Не открывая глаз, она кашляет и кричит, как новорожденный ребенок.

Паскаль Феншэ садится на пол, берет девушку на руки и, укачивая, напевает, пока она не успокаивается.

— Теперь все в порядке. Мы прошли сквозь время.

Он заставляет ее вспомнить свой первый год, затем первое десятилетие, прошлый месяц, последнюю неделю, вчерашний день, последний час. Затем считает от десяти до нуля, сообщив, что на нуле она откроет глаза, ничего не вспомнит, но сеанс благоприятно подействует на нее.

Лукреция открывает глаза. В зале редкие аплодисменты. Она хлопает глазами.

— Вот видите, ничего не получилось, — говорит она, возвращаясь в сознание.

Паскаль Феншэ берет ее за руку, чтобы ей зааплодировали погромче. Удивленная Лукреция подчиняется. Он благодарит ее. Она садится за столик.

— Вы были великолепны, — говорит Исидор.

— Но ведь ничего не получилось? Да? Получилось? И что произошло? Я совсем ничего не помню.

— Он заставил вас пережить ваше рождение. Была небольшая заминка, но он справился с ней.

— Какая заминка?

— Когда вы выходили из живота вашей матери. Вы как будто задохнулись. Он вас успокоил. Вы снова пережили это событие, но в лучших условиях.

Лукреция решительно поднимает воротник своего свитера и очень медленно опускает его. Проделав это несколько раз, она объясняет:

— У меня была в некотором роде фобия. Когда я надеваю свитеры, я всегда тороплюсь побыстрее протолкнуть голову. Это где-то глубоко в подсознании. Простое неудобство, но оно меня раздражало. А теперь я, кажется, излечилась от этого.

Она снимает и надевает свитер.

Гипнотизер приглашает последнего добровольца для более деликатного эксперимента. К сцене подходят трое военных и очень громко зовут четвертого своего товарища. Сначала отказавшись, он все же поднимается, не желая показаться трусом.

Паскаль Феншэ быстро усыпляет его с помощью своего хрустального маятника и говорит:

— Услышав слова «синяя магнолия», вы сосчитаете до пяти, потом снимите правый ботинок, дважды ударите им в дверь и рассмеетесь.

Он несколько раз повторяет это указание, будит подопытного, и, когда тот возвращается на свое место, небрежно бросает: «Синяя магнолия». Солдат застывает, считает про себя, снимает правый ботинок, идет к двери, дважды ударяет по ней и громко смеется. Зал подхватывает его смех и неистово аплодирует. За этим жестом скрывается желание взять солдата на руки, но, поскольку времена изменились, люди просто хлопают в ладоши.

Взволновавшись, солдат перестает хихикать и нервно обувается.

— Такова, — произносит гипнотизер, — сила мысли. Если бы я подобрал простейшие ключевые слова, например «кофе с молоком» или «солнечный луч», самые обычные, они бы вызвали проблемы в повседневной жизни. Но я сказал «синяя магнолия». В разговоре их можно услышать крайне редко.

Так как ключевые слова снова названы, подопытный, который уже завязывал шнурок, опять замирает на мгновение, дважды стучит в дверь снятым ботинком и разражается смехом.

Аплодисменты усиливаются. Солдат еще больше смущается, ругаясь, трясет головой и бьет себя по макушке, словно хочет таким образом избавиться от отравы в своем черепе.

Гипнотизер прощается. Занавес.

Журналисты не успели покончить с закуской, а официант уже принес им основные блюда — они не сразу заметили это.

— Гипноз... Об этом мы не подумали. А если кто-то заложил ключевое слово в голову Феншэ?

— Ключевое слово... но какое? «Синяя магнолия»?

Лукреция задумывается, и вдруг ее осеняет:

— Ключевые слова вроде «я люблю тебя» заставили его сердце остановиться, — с воодушевлением предлагает она. — Наташа Андерсен произнесла их в решающий момент, и это вызвало спазм.

— И это вы только что сказали мне, что фраза «я люблю тебя» в определенных условиях может стать смертельной?! — удивляется Исидор.

Лукреция заводится и соединяет кусочки мозаики, чтобы получить целую картинку.

— Нет, не спазм: остановку сердца. Кажется, вы говорили, что с помощью мозга можно управлять сердцем?

— Я видел, как это делают йоги. Но я не думаю, что можно вызвать полную остановку. Должны быть автоматические механизмы для выживания.

Она быстро ищет другой вариант.

— В таком случае представим, что его запрограммировали рассмеяться после этих слов? — предполагает Лукреция. — Рассмеяться до смерти, услышав слова «я люблю тебя»!

Довольная своей идеей, она восстанавливает все произошедшее:

— Полагаю, дорогой Исидор, я сказала последнее слово в этом деле. Феншэ убил его брат Паскаль, загипнотизировав его. Он внушил ему ключевую фразу. Самую неявную. «Я люблю тебя». Наташа Андерсен произнесла ее в момент оргазма. Сердце остановилось, и чемпион мира по шахматам скончался. Таким образом, она решила, что убила его. Это идеальное убийство: преступника нет на месте преступления, никакого оружия, ран, лишь один свидетель, который считает себя причиной смерти! Не говоря уже о том, что, как вы сказали, все достаточно пикантно, чтобы никто не стал серьезно расследовать дело. Секс все еще табу. Это действительно идеальное преступление.

Вдохновленная своими доводами, журналистка с аппетитом доедает остатки курицы.

— А мотив?

— Зависть. Паскаль не так красив, как Самюэль. У Самюэля была невеста топ-модель, к тому же он выиграл в шахматы у компьютера. Богат, красив, сделал хорошую партию, знаменит — это просто невыносимо. Сгорая от зависти, брат воспользовался своим талантом гипнотизера и сделал так, чтобы Самюэль умер как развратник; а Паскаль как бы и ни при чем, потому что тот скончался в объятиях своей невесты.

Она отлистывает несколько страничек назад в своей записной книжке и просматривает предыдущие записи.

— Это можно добавить как еще один мотив. Пятый: обязанность, шестой: зависть.

Налиму, что лежал посреди овощей в тарелке Исидора, повезло больше, нежели курице Лукреции; он провел несколько недель на свободе, прежде чем его поймали в сети.

— Зависть? Слишком узко.

— Расширим до всех эмоций, которыми мы не в состоянии управлять, потому что они сильнее нас. Зависть, месть... в общем, гнев. Да, все это можно объединить в пункт шесть: гнев. Он еще сильнее обязанности. Обязанность возбуждает в людях желание нравиться другим и вливаться в общество, а гнев — разжечь революции и изменить общество.

— А еще он побуждает к... убийству.

Она быстро записывает его объяснение, чтобы не забыть.

— Хорошо, — говорит Лукреция, — вот что такое ловко проведенное дело. Я признаю, что вы правы, и эта смерть необычна, но теперь я нашла убийцу и мотив. Мы с вами установили рекорд по скорости расследования преступления. Ну вот, все и кончено.

Она поднимает стакан, чтобы чокнуться, но Исидор свой не берет.

— Гм... И это меня вы называете мифоманом?

Лукреция с презрением окидывает его взглядом.

— Зависть... — произносит она. — И вы тоже завидуете. Тому, что я моложе вас, я женщина, и однако именно я нашла разгадку, разве не так, мистер Шерлок Холмс?

Они оба доедают свой ужин. Исидор собирает соус ломтиком хлеба, а Лукреция кончиком ножа отодвигает то, что она есть не хочет. Остатки курицы погребены под листиком лаврушки.

Люди вокруг комментируют представление. Со всех сторон доводы тех, кто верит в гипноз, и тех, кто в него не верит, и каждый стоит на своем. «Это актеры, — слышится голос. — Они притворялись». — «Девушка выглядела вполне естественно». — «Нет, она переигрывала».

Официант приносит список десертов. Лукреция заказывает растворимый кофе без кофеина в большой чашке и кувшин горячей воды, а Исидор берет мороженое с лакрицей.

— Вы только выдвинули гипотезу, и все.

— Завистник.

— Счастье, что вы не работаете в полиции. Чтобы завершить дело, недостаточно разработать теорию, какой бы привлекательной она ни была. Нужны улики, доказательства, свидетели, признания.

— Отлично, пойдемте, зададим несколько вопросов Паскалю Феншэ! — восклицает Лукреция.

Она просит счет, расплачивается и спрашивает у хозяина ночного клуба, где гримерка гипнотизера. Они трижды стучат в дверь с надписью «ГОСПОДИН ПАСКАЛЬ ФЕНШЭ». Вместо ответа дверь резко открывается, и, прежде чем они сумели что-либо предпринять, гипнотизер вылетает из своей гримерки и убегает из клуба в мокром халате; за ним вдогонку несутся трое военных с тем, подопытным, во главе.

— Синяя магнолия? — бросает Лукреция, словно ожидая, что эта фраза остановит бегущего на всех парах солдата.

Но они уже слишком далеко.

20

Жить или умереть?

Здоровый глаз Жана-Луи Мартена был по-прежнему открыт. Тысячи мыслей мелькали в его голове, мешая принять решение. Ему казалось, что от него что-то скрывают. Он был убежден, что ему уже ничего не поможет, но врач тем не менее как будто знал, что делать.

Аргументы в пользу «да» и в пользу «нет» в его мозгу сливались в два направления и существенно влияли на его решение.

Жизнь? На внутреннем экране Жана-Луи Мартена возникли сотни слайдов с изображением приятных моментов прошлого. Семейные каникулы, когда он был маленьким. Открытие для себя шахмат. Занятия живописью. Встреча с женой Изабеллой. Начало работы в банке. Брак. Первые роды жены. Первые каникулы с дочерьми. А вот он впервые смотрит передачу «Забирай или удвой».

Забирай или удвой...

Или смерть? Он видит себя со всех сторон, одинокого, неподвижно лежащего на кровати. И проходящее время; сначала это часовая стрелка, которая вертится все быстрее. Затем — через окно: солнце и луна сменяют друг друга. Все вокруг развивается быстрее, словно блики, загорающиеся то на солнце, то на луне и тут же гаснущие. Дерево, которое он видит из палаты, покрывается листвой, она опадает, вместо нее появляется снег, потом распускаются почки — и снова листва. Проходят годы, десятилетия, а он, как пластиковый манекен, лежит на кровати с одним глазом, который безнадежно моргает, когда никого нет рядом.

Надо было решать.

Веко очень медленно опускается.

Один раз.

И все.

Самюэль Феншэ улыбается:

— Значит, вы хотите жить... Думаю, вы приняли правильное решение.

Лишь бы я не ошибся.

21

Налево или направо? Исидор и Лукреция оказываются на перекрестке. Потеряв солдат из виду, они ищут их, козырьком приставив руку ко лбу.

— Куда они делись?

Исидор, который все еще переваривает пищу, шумно и с трудом дышит. Лукреция в полном порядке, залезает на машину и с высоты осматривает окрестности.

— Вон они, — говорит девушка.

Она пальцем указывает на пляж.

— Бегите, Лукреция, вы быстрее меня, я вас догоню.

Она уже и не слышит его, она мчится туда.

Ее сердце на полной скорости гонит кровь в артерии, переходящие в артериолы, а затем в капилляры икроножных мышц. Пальцы ног ищут сцепления с землей, чтобы лучше выталкивать тело вперед.

Паскаль Феншэ бежит на последнем издыхании. Он устремляется на пустынный пляж, едва освещенный луной. Там его настигают трое военных и валят на землю.

— Синяя магнолия... — неуверенно пробует гипнотизер.

Но солдат затыкает себе уши. Он велит:

— Ты должен вытащить это из моей головы! И сейчас же. Я не собираюсь всю жизнь, как идиот, стучать ботинком при каждой встрече с теми, кто видел представление или слышал о нем!

Гипнотизер осторожно поднимается.

— Откройте уши... я сейчас все сделаю.

— Только без обмана, ладно?

Солдат убирает руки с ушных раковин, но, если что, он готов тут же снова поднять их.

— Абракадабра, освобождаю вас от «синей магнолии». Отныне, — Паскаль Феншэ делает жест рукой, — вы не реагируете на «синюю... магнолию».

Удивленный солдат застывает в ожидании, словно в нем что-то сдвигается.

— Давайте повторите. Проверим, — просит он.

— Синяя магнолия.

Ничего не происходит. Солдат улыбается, радуясь, что освободился от этой порчи.

— Так просто? — удивляется он.

— Это как жесткий диск компьютера. Можно записать запрограммированный приказ, запускаемый всего лишь словом. И таким же образом можно его стереть, — уныло пытается объяснить гипнотизер, словно исследователь дикарям, которые впервые увидели магнитофон.

— А почему «абракадабра»? — все еще недоверчиво спрашивает солдат.

— Фольклор; люди больше верят, когда произносишь подобные вещи. Это глубоко в голове.

Солдат смеряет его взглядом.

— Ну ладно, хорошо. Но я не хочу, чтобы такое произошло с кем-нибудь еще, — добавляет он и, закатав рукава, сжимает кулаки.

Двое других держат артиста, а бывшая жертва начинает бить его в живот. Но вдруг на фоне луны вырисовывается силуэт.

— Три здоровяка на одного тщедушного человечка — как просто, — подсмеивается Лукреция Немро.

Солдат оборачивается.

— Послушайте, дамочка, поздновато уже, и гулять ночью одной опасно. Видите ли, здесь такие люди, скажем, немного странные.

Он еще раз бьет гипнотизера кулаком: «Приказываю тебе: спи!» Лукреция Немро бросается на него и с силой ударяет ногой в промежность.

— Приказываю тебе: пищи!

Солдат издает сдавленный крик. Один из его друзей бросает гипнотизера, чтобы прийти на помощь.

Лукреция принимает воинственную стойку — эта стойка из тэквандо. Она сгибает пальцы крючком, словно это ее дополнительное оружие, как два резца мыши. Солдат выбрасывает ногу, Лукреция ловит ее, толкает назад и прыгает сверху. Они катятся по берегу, и вот уже небольшие волны касаются их тел. Она поднимает изогнутые пальцы и сильно бьет солдата в лоб. Звук ударившихся друг о друга костей. Она снова бьет в промежность пришедшего в себя обидчика гипнотизера. Она уже в боевой стойке, ее пальцы тверды, как дерево. Третий солдат не решается вступать в бой. В конце концов все они поспешно ретируются.

Лукреция подходит к гипнотизеру, стоящему на коленях на песке.

— Вы в порядке?

Он потирает живот.

— Небольшие профессиональные неприятности. Это просто вражда против гипнотизеров.

— Вражда против гипнотизеров?

— Во все времена люди, имевшие некоторое представление об устройстве мозга, вызывали страх. Их обвиняли во всем. В колдовстве. В шарлатанстве. В психическом воздействии. Людей пугает то, чего они не могут понять, и они хотят это уничтожить.

Лукреция поддерживает его, чтобы убедиться, что он сможет идти.

— Чего они боятся?

Тот улыбается разбитым ртом.

— Гипноза, он заставляет отдаться власти воображения. Люди считают, что здесь замешана магия. В любом случае спасибо за ваше вмешательство.

— И вам спасибо. Благодаря вам я больше не боюсь надевать свитера.

Она втягивает голову в воротник, чтобы продемонстрировать, что теперь может держать ее там сколько угодно.

Появляется запыхавшийся Исидор.

— Ну как, Лукреция, поймали вашего «убийцу»? — иронизирует он.

Журналистка стреляет в него зелеными глазами, чтобы заставить его замолчать.

Гипнотизер спрашивает, кто это.

— Исидор Катценберг. Мы журналисты из «Геттёр модерн». Расследуем смерть вашего брата.

— Самми?

— Лукреция думает, что это вы убили его, из зависти, — уточняет Исидор.

При упоминании о брате гипнотизер грустнеет.

— Самми. Ах... Самми. Мы были очень близки. Между братьями это бывает не так уж часто. Он был серьезным, а я весельчаком. Мы дополняли друг друга. Помню, однажды я сказал ему: «Мы как Иисус Христос и Симон Маг, великий фокусник, друг Иисуса».

Паскаль Феншэ ненадолго замолкает, чтобы снова вытереть разбитую губу.

— Шучу. Я очень восхищался моим братом.

— Что вы делали в тот вечер, когда он умер? — спрашивает Лукреция.

— Выступал на сцене «Веселого филина», можете спросить хозяина. К тому же у меня целый зал свидетелей.

— Кто мог желать ему зла? — задает вопрос Исидор.

Они садятся на влажный холодный песок.

— Его успех был оглушителен. А благодаря победе над DEEP DLUE IV он стал известен широкой публике. Но во Франции успех всегда на плохом счету.

— Торчащий гвоздь привлекает молоток, — добавляет Исидор, никогда не скупящийся на пословицы.

— Как по-вашему, это было убийство? — спрашивает Лукреция.

— Он получал угрозы, я знаю. Хорошо, что вы расследуете его смерть.

Лукреция все еще не желает отказываться от своей теории.

— Возможно ли загипнотизировать на замедленное действие?

Паскаль Феншэ удрученно качает головой.

— Я знаю гипноз. Чтобы попасть под влияние, надо на время отказаться от своей воли и позволить кому-то решать за вас. На Самми невозможно было повлиять. Он ни от кого не зависел. Он стремился уменьшить страдания своих больных. Светский святой.

— Этот ваш «светский святой», по официальной версии, умер от удовольствия в объятиях топ-модели... — замечает Лукреция.

Паскаль Феншэ пожимает плечами.

— Вы знаете кого-нибудь, кто бы отказал ему? Его внешность стоила всех сеансов гипноза.

— Один мой друг утверждает, что воля мужчины состоит в том, чтобы найти женщину, которая будет решать за него, — говорит Лукреция.

Узнав свои слова, Исидор слегка краснеет.

— Может быть, — допускает Паскаль Феншэ.

— Думаете, она могла его убить? — спрашивает журналист.

— Я точно не знаю, кто его убил, но я бы сказал, что, в общем, это его храбрость. Самми в одиночку боролся со всеми архаизмами. То, что он предлагал, заставляло полностью изменить взгляд на ум, сумасшествие и сознание. В своей речи после шахматной победы он упоминает Одиссея, но Самми и сам был таким же искателем приключений. А, как известно, настоящие первопроходцы принимают все стрелы на себя, потому что они впереди всех.

Исидор достает мятные леденцы и предлагает гипнотизеру, чтобы тот успокоился. Паскаль Феншэ жадно глотает несколько конфеток.

— Помню, однажды я слышал, как он говорил, что чувствует угрозу. «Они мечтают, чтобы все люди в мире были одинаковыми. Тогда им будет легче сортировать их, словно клонированный скот, как кур перед резкой». «Они» — это администрация, перед которой он отчитывался. Еще он говорил: «Они боятся тех, кого считают сумасшедшими, но еще больше тех, кого считают гениями. Короче, они мечтают об однобоком мире, где слишком умных людей обяжут носить на голове каски, в которых будет звучать громкая музыка, мешающая им спокойно размышлять. Они наденут вуаль на самых красивых женщин и свинцовые жилеты на самых ловких мужчин. И все мы будем одинаковые: существа среднего рода».

Паскаль Феншэ оборачивается к Средиземному морю. Он указывает на слабый огонек вдали, который мог бы сойти за свет звезды, не будь он таким отчетливым.

— Вон там... Там происходят странные вещи. Уверен, что, так же как я сталкиваюсь с противниками гипноза, он сталкивался...

— О ком вы думаете?

— О его коллегах. Больных. Медсестрах. Обо всех, кто боится новшеств. Вам бы надо туда сходить.

Все трое смотрят на светящуюся точку, которая словно зовет их.

— Проблема в том, что в психиатрическую больницу так просто не попасть, — замечает Исидор, пытаясь рассмотреть остров; в лунном свете становятся видны кромки деревьев.

Паскаль Феншэ прощупывает языком, не расшатались ли его зубы.

— Умберто! Умберто с катера, который курсирует между островом Святой Маргариты и портом Канн. Он приходит ко мне каждую среду на коллективный сеанс расслабляющего гипноза.

Гипнотизер тяжело вздыхает и, нахмурив брови, смотрит на остров вдали, словно на врага, которого он хочет сразить.

22

На экране компьютера появляется мозг Жана-Луи Мартена в боковом разрезе.

Чтобы установить объем повреждений, доктор Феншэ сделал позитронную томографию. Благодаря новейшей технологии он мог видеть, что в голове Мартена работает, а что — нет.

Мозг был в виде бирюзового овала. Внутреннее море, где плавают мысли.

Самюэль Феншэ попросил Мартена закрыть глаз. Мозг стал полностью синим. Когда пациент открыл глаз, в затылочной долс, на противоположной от глаза стороне, появилось коричневое пятнышко. Остров в море.

Затем Самюэль Феншэ показал ему нарисованное яблоко. Коричневый островок немного увеличился и изменил конфигурацию. Открытка с видом Канн способствовала разрастанию пятна. Феншэ отметил, что зрение и визуальное восприятие внешнего мира функционируют.

С помощью аппарата он проверил слух больного. Позвонил в колокольчик. В теменной зоне появился новый островок, более вытянутый. От симфонической музыки всплыл архипелаг островков, напоминающий Индонезию.

Потом Феншэ проверил остальные чувства и обнаружил, что они атрофированы. Ни единого островка не появилось от укола иголкой, от лимонного сока на язык, от уксуса прямо под носом.

Доктор Феншэ проверил реакцию понимания. При слове «яблоко» коричневое пятнышко приняло точно соответствующую форму, как если бы Жан-Луи Мартен действительно видел яблоко.

Это было одним из недавних открытий, сделанных благодаря позитронной томографии. Было замечено, что, если думать о каком-нибудь предмете или явлении или видеть его, активируются одни и те же зоны мозга.

Доктор Феншэ оперировал простыми понятиями: «дождливое утро», «облачное небо»; затем — все более сложными: «надежда», «счастье», «свобода». Каждый раз появлялся один или несколько островков, обозначая таким образом, что данное слово возбуждало определенные зоны мозга Мартена.

В конце сеанса Феншэ захотел проверить чувство юмора своего пациента. Согласно его барометру чувство юмора было главным показателем качественного и количественного состояния здоровья мозга. Наилучший пульс сознания. Местоположение центра смеха впервые было обнаружено в марте 2000 года Йитжаком Фридом, который, разыскивая причину эпилепсии, открыл на уровне левой лобной зоны, прямо перед зоной языка, точку, ответственную за веселье.

— В райском саду Ева спрашивает у Адама: «Ты меня любишь?» Адам отвечает: «А у меня есть выбор?»

Глаз содрогнулся. Доктор Самюэль Феншэ в замедленном темпе проследил траекторию шутки в мозгу больного. Возбудитель показался в слуховой зоне, затем в языковой и исчез.

Ему не смешно. Возможно, это напомнило ему о своем собственном нелегком выборе. Если только не жену.

Тогда он рассказал другой анекдот, не настолько личный.

— Приходит человек к врачу и говорит: «Доктор, у меня провалы в памяти». — «Да? И давно у вас эти провалы?» — «Какие провалы?»

Глаз дрогнул по-другому.

Чтобы лишний раз убедиться, Самюэль Феншэ снова проследил траекторию шутки. В голубом море мозга появлялись и исчезали маленькие островки, сначала в зоне анализа и сравнения образов, затем — в зоне понимания. Наконец, возбудитель попал в левую лобную долю, в зону веселья.

А теперь он смеется. «Существует тридцать два способа рассмешить человека», — говорил Бергсон. Я нашел один из них. Его рассмешила история о другом больном.

Профессор Йитжак Фрид выяснил также, что шутка заставляет активизироваться особую зону, расположенную внизу префронтальной части коры головного мозга, которая обычно возбуждается, когда подопытный получает награду. Это было видно в течение нескольких микросекунд после того, как зона веселья прекратила свой танец.

Вот доказательство тому, что юмор — признак любви.

Глаз все еще вибрировал, расширяясь от спазмов.

Внутренний взрыв смеха.

Это продолжалось.

Самюэлю Феншэ очень нравился этот анекдот, но он не ожидал, что от него появится коричневое пятно таких размеров. Он подумал, что юмор — субъективная штука. Оттого что хотелось смеяться в таком месте и в такой момент, было еще в десять раз смешнее.

Возможно, именно тогда он полностью расположил к себе своего пациента. Он дружески похлопал его, чего тот не почувствовал.

— Ваш мозг работает прекрасно.

Здоровый ум… в мертвом теле… но хотя бы ум здоровый.

— Хотите, я приглашу вашу семью?

23

— И речи быть не может. Не настаивайте.

Высокий бородач в фуражке с надписью «КАПИТАН УМБЕРТО» качает головой в знак отказа.

— Нет, я не могу. Это судно только для больных, врачей и родственников больных. Журналистов никогда не приглашали на остров Святой Маргариты. У меня есть инструкции.

— Я от Паскаля Феншэ, — продолжает Исидор, который первым приехал в каннский порт.

— Это ничего не меняет.

Бородач упрям и уверен в своей правоте.

— Ну тогда к кому надо обратиться, чтобы попасть на остров?

— Ничем не могу помочь, приемное отделение находится внутри больницы. И они проводят политику сдержанности. Пошлите к ним гонца.

Исидор Катценберг подходит к судну и меняет тему разговора:

— Ваша лодка называется «Харон». В греческой мифологии Хароном звали перевозчика, который перевозил умерших на своей барке «Ахерон» через адскую реку.

— Только то судно соединяло мир мертвых с миром живых, а это — мир разума с миром безрассудства.

Он громко смеется и ерошит свою совершенно белую бороду.

Исидор подходит к моряку и шепчст:

— Кажется, мифологический Харон был не прочь взять с собой на барку тех, кто держал в зубах плату за перевозку.

Журналист вытаскивает три купюры по десять евро и зажимает между зубами.

Капитан Умберто невозмутимо смотрит на это.

— Я не продаюсь.

Тут прибегает Лукреция, закалывая на ходу волосы.

— Все в порядке, я не очень опоздала? Едем прямо сейчас? — как ни в чем не бывало спрашивает она.

Моряк не сводит с нее глаз.

Исидор замечает, какое впечатление произвела его подруга.

— Гм... ну вот, — произносит моряк, — я как раз объяснял вашему коллеге, что, к сожалению...

— К сожалению? — говорит она, приближаясь к нему.

Так близко, что до него доносится запах ее духов — «Eau» от Issey Miyake. Он чувствует также запах ее кожи.

Журналистка опускает солнечные очки и нахально смотрит на моряка своими миндалевидными изумрудными глазами.

— Вы ведь хотите помогать другим. Вы нам нужны и нам не откажете.

У нее уверенный взгляд, твердый голос и даже изгиб шеи — само убеждение.

На сурового моряка все это производит неотразимый эффект.

— Ладно, хорошо, вы же друзья Паскаля Феншэ, — решает он.

Мотор заводится, и капитан отдает швартовы.

— Нужда номер семь заставляет мсье действовать, — шепчет Лукреция, взглянув на своего компаньона.

Чтобы произвести впечатление на своих пассажиров, моряк прибавляет ходу. Нос судна слегка приподнимается.

Лукреция достает записную книжку и к шестому мотиву (гнев) добавляет седьмой: секс.

Исидор вынимает из куртки карманный компьютер размером с книжку и перепечатывает список. Стуча по клавиатуре, он отмечает имена людей, с которыми они встречались, а затем подключается к Интернету.

Он показывает Лукреции свою небольшую игрушку и описывает ее возможности. В Интернете журналисту удается отыскать досье Национальной безопасности на Умберто Росси: пятьдесят четыре года, родился в Гольф-Жуане.

На горизонте вырисовываются два Леринских острова. Крупнее — пристань острова Святой Маргариты с фортом слева. Чуть дальше — аббатство цистерцианских монахов на острове Сент-Онор.

«Харон» — не быстроходный глиссер, и от каннского порта до больницы Святой Маргариты плыть еще долго.

Умберто вытряхивает в морскую пену свою огромную трубку с вырезанными на ней обнимающимися сиренами.

— Ну и мир там внутри! У людей есть все, чтобы быть счастливыми, но куда им смириться со своей свободой — они постоянно задают себе множество вопросов. И в конце концов получаются запутанные узлы.

Он разжигает свою трубку и выпускает несколько завитков пряного дыма, который перемешивается с сильно йодированным воздухом.

— Как-то я встретил одного человека, он говорил, что способен не думать. Он был буддийским монахом. Он застыл, глаза подтверждали, что в его голове совершенно пусто. Я попробовал, это невозможно. Всегда о чем-нибудь думаешь. Хотя бы: «А, ну наконец-то я ни о чем не думаю».

Он смеется.

— Почему вы больше не работаете нейрохирургом в больнице Святой Маргариты? — спрашивает Исидор.

Моряк роняет трубку.

— О... О... Откуда вы знаете?

— Птичка на хвосте принесла, — загадочно отвечает журналист.

Лукреция радуется, что взяла с собой этого Шерлока Холмса от науки. Как все колдуны, он не раскрывает свою уловку, но ему нравится произведенный эффект; к тому же он понимает, что, рассекретив себя, потеряет преимущество.

— Вас ведь уволили, да?

— Нет. Это был нес... несчастный случай.

Взгляд моряка неожиданно мутнеет.

— Несчастный случай. Я оперировал мою мать, у нее был рак мозга.

— Вообще-то запрещено оперировать членов своей семьи, — припоминает Исидор.

Умберто снова овладевает собой.

— Да, но она не хотела, чтобы ее оперировал кто-либо другой.

Он сплевывает.

91

— Я не знаю, что произошло. Она впала в кому и больше не пришла в сознание.

Бывший нейрохирург снова сплевывает.

— Мозг — такая нежная штука, малейшее неправильное движение — и катастрофа. Не то что другие органы, где можно исправить ошибку. А мозг — один неточный миллиметр, и человек становится или калекой на всю жизнь, или сумасшедшим.

Он вытряхивает из трубки табак, постукивая ею о край руля, насыпает новый. Ему нелегко разжечь трубку на ветру, и он нервно встряхивает зажигалку.

— А потом я начал пить. Это было полным падением. У меня тряслись руки, и я решил больше не прикасаться к скальпелю. Я уволился. Хирург с трясущимися руками недееспособен, и из нейрохирурга я превратился в нищего пьяницу.

Они смотрели на остров Святой Маргариты, надвигающийся из-за горизонта. Рядом с приморскими соснами виднелись пальмы и эвкалиптовые деревья, которым нужен особенно мягкий климат этой части Лазурного Берега, чтобы чувствовать себя как в Африке.

— Естественно, что роботы заменят нас в операционных. У них, по крайней мере, никогда не дрожат руки. Кажется, сейчас начинают внедрять хирургов-роботов.

— Вы действительно были бродягой? — спрашивает Лукреция.

— Никто не поддержал меня. Я остался один. Собственное зловоние перестало смущать меня. Я жил на каннском пляже под покрывалом. И все свои вещи держал в хозяйственной сумке, которую прятал в надежном месте в Круазет. Говорят, под солнцем нищета не так тяжела. Вздор!

Судно немного сбавило ход.

— И вдруг однажды кое-кто пришел. Кое-кто из больницы Святой Маргариты. Он сказал: «Возможно, я могу сделать тебе предложение. Как насчет того, чтобы совершать водные рейсы между больницей и каннским портом? Раньше мы пользовались услугами частного общества, а теперь хотим иметь собственную лодку. Ты сумеешь водить небольшое судно между Святой Маргаритой и портом?» Вот так нейрохирург и стал моряком.

Лукреция достает записную книжку и отмечает дату.

— Вы не могли бы рассказать о внутренней жизни психиатрической больницы Святой Маргариты?

С беспокойным видом моряк всматривается в горизонт. Он наблюдает за черными облаками, гонимыми морским ветром, и за пищащими вокруг чайками, которые словно показывают им дорогу. Он поправляет свою куртку морского волка, хмурит густые брови. Затем его взгляд обращается на рыжую журналистку с зелеными глазами, и он забывает о своих опасениях, питая воображение этим свежим образом.

— Раньше это был форт. Форт Святой Маргариты. Его построил Вобан, чтобы защитить берег от атак берберов. Форт имел форму звезды, характерную для защитных сооружений того времени. Затем он стал тюрьмой. Здесь гнил человек по прозвищу Железная Маска. Телевизионщики снимали тут какую-то игру. В конце концов форт переоборудовали в психиатрическую больницу.

Он сплевывает.

— Солдаты, заключенные, телевизионщики, сумасшедшие — логическое развитие, правда?

93

Он снова громогласно смеется. Волны усиливаются, и судно еще больше раскачивается.

— Эту больницу хотели сделать экспериментальным учреждением. Но доктор Самюэль Феншэ все изменил. Сначала больница Святой Маргариты занимала только порт, а потом стала занимать весь остров.

Средиземное море принялось еще энергичнее раскачивать суденышко.

— Мы считаем, что Феншэ убили, — роняет Исидор.

— А как по-вашему, кто мог его убить? — добавляет Лукреция.

— Во всяком случае, убийца не из больницы. Его все любили.

Они уже достаточно приблизились к острову, чтобы различить высокие стены форта.

— Ах, Феншэ! Царствие ему небесное. Я не сказал вам, но именно он пришел ко мне, когда я был бродягой.

Умберто Росси подошел к журналистке.

— Если его действительно убили, я надеюсь, вы найдете того, кто это сделал.

Огромная волна внезапно качает лодку. Лукреция теряет равновесие. Умберто, ругаясь, хватается за руль. Поднимается ветер, и качка становится сильнее.

— Надо же, вон и Эол! — сообщает Умберто.

— Эол? — эхом повторяет Лукреция.

— Бог ветров. В «Одиссее», вы разве не помните?

— Опять Одиссей.

— Феншэ постоянно его вспоминал...

Умберто декламирует стихи Гомера.

— «Мех развязали они. И вырвались ветры на волю...»

Море совсем вздыбилось. Их начало мотать из стороны в сторону. Сверху вниз.

Во внутреннем ухе Лукреции работа идет полным ходом. За улиткой находится орган, рецептор движений — утрикул. Это сфера, она наполнена студенистой жидкостью, эндолимфой, в которой плавают маленькие камешки, отолиты. На нижней стенке сферы есть реснички. Когда лодку качает, утрикул, хорошо прикрепленный к черепу, отклоняется в сторону. Эндолимфа и отолиты остаются неподвижными, как бутылка, которую наклоняют, но ее конфигурация не изменяется. Эндолимфа сгибает реснички в глубине утрикула, и те передают сигнал, заставляющий тело принимать определенную позицию в пространстве. Однако глаза получают иную информацию, и два противоречащих друг другу сигнала смешиваются, что вызывает тошноту.

Лукрецию Немро выворачивает наизнанку. Исидор присоединяется к ней.

— Это ужасно! — жалуется она.

— Гм. Боли располагаются в следующем порядке: 1) зубная боль; 2) почечная колика; 3) роды; 4) морская болезнь.

У Лукреции мертвенно-бледное лицо.

— Если вы помните, Посейдон преследовал Одиссея бурями, а Афина успокаивала волны, дабы защитить странника, — говорит моряк.

Но Средиземное море вовсе не успокаивается.

Лукреция с трудом поднимает лицо, чтобы взглянуть на громадную темную крепость больницы Святой Маргариты.

24

Все они были здесь. Его жена Изабелла, его дочки, пес Лукулл, друг Бертран Мулино, несколько коллег по работе.

Самюэль Феншэ заметил, что у Жана-Луи Мартена текут слюни, и аккуратно вытер платком уголки его губ, прежде чем впустить пришедших.

— Он слышит левым ухом и видит правым глазом, но не может ни двигаться, ни говорить. Разговаривайте с ним, берите за руку, эмоционально он все воспринимает, — объявил врач.

Старая немецкая овчарка, пес Лукулл, который был ближе всех, бросился к хозяину, чтобы полизать его руку. Благодаря этому спонтанному проявлению любви атмосфера разрядилась.

Лукулл. Мой Лукулл.

Дочери поцеловали отца.

Как же я рад вас видеть. Мои дорогие. Мои обожаемые крошки.

— Как ты, пап?

Я не могу говорить. Прочитайте ответ в моем глазе. Я люблю вас. Я рад, что выбрал жизнь, потому что сейчас вижу вас.

— Папа! Пап, ответь!

— Доктор сказал, что он не может говорить, — напоминает жена Мартена Изабелла, целуя его в щеку. — Не волнуйся, милый, мы с тобой. Мы тебя не оставим.

Я знал, что могу на вас рассчитывать. Я в этом никогда не сомневался.

Бертран Мулино и коллеги с работы помахали принесенными дарами: цветами, шоколадками, апельсинами, книгами. Никто из них так и не понял, что такое этот Locked-In Syndrome. Они решили — это нечто вроде травмы, которую легко лечить, как и все остальные повреждения.

Жан-Луи Мартен постарался придать своему здоровому глазу бо́льшую выразительность. Как бы хотелось ему успокоить их и сказать, что он рад их видеть.

У меня, наверное, лицо как у покойника... Я ни разу не видел себя в зеркале с тех пор, как я здесь. Должно быть, я бледный, мертвенно-бледный, дикий. Страшный и усталый. Я даже и улыбнуться не могу.

Перепутав ухо, Изабелла прошептала ему в глухое:

— Я так рада, что ты...

Она чуть поколебалась:

— ...жив.

Доктор Феншэ сказал же «левое ухо», но это левое ухо с моей стороны, а с вашей оно — правое. Правое!

К счастью, его правое ухо стало гораздо более чувствительным, и он мог различать звуки, даже когда говорили в то, которое мертво.

Бертран быстро проговорил в то же ухо:

— Мы очень счастливы, что ты выкарабкался; в банке все ждут твоего возвращения на твердых ногах. Во всяком случае, я жду не дождусь следующей партии в шахматы, как только ты поправишься. Ты должен хорошенько отдохнуть, чтобы восстановить силы, не хитри, не пытайся выйти раньше, чем следует.

Без шансов.

Не будучи уверен, что тот его понял, Бертран показал, будто двигает шахматную фигурку, и дружески похлопал беднягу.

Жан-Луи Мартен успокоился. Единственное, что имело для него значение, — чтобы они его не забыли.

Ах, друзья! Я живу ради вас. Как важно мне сознавать это.

— Ты выздоровеешь, я знаю, — дохнула Изабелла возле его глухого уха.

— Да, папа, скорее возвращайся домой, — снова проговорили три девочки в то же ухо.

— По-моему, ты попал в лучший европейский центр неврологии, — сказал Бертран. — Человек, который впустил нас, в очках и с высоким лбом, кажется, большая шишка.

Но тут как раз вернулся доктор Феншэ и сообщил, что на сегодня хватит, не стоит так утомлять больного. Им лучше прийти послезавтра. Лодка придет за ними в одиннадцать.

Нет, пусть они еще побудут со мной. Мне необходимо их присутствие.

— Ну, пойдем, поправляйся скорее, — сказал Бертран.

Феншэ обернулся к единственному здоровому глазу своего пациента.

— У вас чудесная семья. Браво, мсье Мартен.

Больной LIS медленно опускает веко в знак согласия и благодарности.

— Ваше ухо и глаз — отправная база, на которой я рассчитываю восстановить всю нервную систему. Это вполне возможно.

Доктор Феншэ говорил с еще большей напряженностью.

— Вообще, все зависит от вас. Вы исследователь. Вы раскрываете неизвестную территорию. Собственный мозг. Это новое Эльдорадо третьего тысячелетия.

Завоевав пространство, человеку остается только завоевать свой мозг, самое сложное устройство во Вселенной. Мы, ученые, осматриваем с внешней стороны, а вы, вы будете экспериментировать со стороны внутренней.

Жан-Луи Мартен захотел поверить в эту возможность. Он захотел стать первым исследователем человеческого сознания. Стать героем современности.

— Вы можете добиться успеха, если у вас есть мотив. Мотив — вот ключ ко всем поступкам. Я постоянно проверяю это на моих больных, а также на моих лабораторных мышах и могу вам повторить: «Хотеть — значит мочь».

25

Капитан Умберто включает инфракрасный излучатель, две створки расходятся, и «Харон» проникает в небольшой канал, ведущий к причалу, сделанному под фортом в углублении утеса. Они швартуются у понтонного моста.

— Я подожду вас здесь.

В знак прощания он берет руку Лукреции, ласкает ее, целует и сует какой-то легкий предмет.

Она смотрит, что у нее в руке, и видит пачку сигарет.

— Я больше не курю, — говорит она.

— И все же возьмите. Это послужит вам отмычкой.

Лукреция пожимает плечами и прячет пачку. Она с удовольствием снова ставит ноги на твердую землю. Но они все еще дрожат.

Исидор поддерживает ее.

— Дышите глубже, Лукреция, дышите.

Умберто распахивает большую высокую дверь, и они попадают на территорию больницы. Он закрывает за ними тяжелый замок. Они едва сдерживают легкое содрогание. Страх психиатрической больницы.

Я не сумасшедшая, думает Лукреция.

Я не псих, думает Исидор.

Второй оборот тяжелого замка.

А если мне придется доказывать, что я нормальный, беспокоится Исидор.

Журналисты поднимают глаза. К скале с помощью цемента приделаны большие камни, служащие ступеньками. Они поднимаются. С трудом увеличивают шаг. Наверху тучный мужчина с узкой короткой бороденкой, с походкой учителя и в объемном хлопковом пуловере, подбоченившись, загораживает им дорогу.

— Эй вы! Чего вам здесь надо?

— Мы журналисты, — сообщает Лукреция.

Поколебавшись, мужчина представляется:

— Я доктор Робер.

Он ведет их по крутой лестнице, выходящей на площадку.

— Вы можете быстренько все осмотреть, но прошу вас сохранять сдержанность и не контактировать с больными.

Они находятся в центре больницы. Вокруг по лужайке бродят люди в городской одежде и разговаривают. До журналистов доносится разговор двух больных:

— Это я-то параноик? Неправда, кто-то распространяет слухи...

Другие сидят, читают газету или играют в шахматы. Чуть вдалеке играют в футбол, немного подальше — в бадминтон.

— Знаю, наша одежда может удивить. Феншэ запретил одевать больных в пижаму, а медсестрам — носить белые халаты. Таким образом он уничтожил пропасть между лечащими и лечимыми.

— А путаницы не возникает? — спрашивает Исидор.

— Я сам поначалу путался. Но это заставляет быть более внимательным. Доктор Феншэ приехал из Отель-Дье, что в Париже. Он работал с доктором Анри Гривуа, который привез во Францию новые методы канадской психиатрии.

Доктор Робер направляется к строению с надписью: САЛЬВАДОР ДАЛИ.

Стены внутри вместо традиционно белого больничного цвета расписаны красками от пола до потолка.

— Великая идея Феншэ была в том, чтобы напомнить каждому больному, что он может превратить свою инвалидность в достоинство. Он хотел, чтобы они признали свой так называемый сбой и использовали его как преимущество. Каждая комната — дань уважения определенному художнику, который добился успеха как раз благодаря тому, что отличался от остальных.

Они входят в палату Сальвадора Дали. Исидор и Лукреция осматривают стены, расписанные под Дали; это отличные репродукции его самых известных картин.

Доктор Робер ведет журналистов в следующее строение.

— Для параноиков: Мориц Корнелис Эшер.

Стены украшены изображениями всевозможных геометрических фигур.

— Эта больница — настоящий музей. Настенная живопись просто великолепна. Кто все это нарисовал?

— Чтобы достичь такой точности, мы призвали сумасшедших из строения «Ван Гог»; и увсряю вас, это абсолютные копии оригиналов. Ван Гог искал совершенный желтый цвет, рисуя тысячи подсолнухов, отличающихся друг от друга лишь легким оттенком, он пытался отыскать лучший вариант этого цвета; так и здешние больные могут очень долго подбирать цвета, пока не найдут именно тот, который нужно. Они перфекционисты высшего класса.

Они продолжают осмотр.

— Для шизофреников — фламандская живопись Иеронима Босха. Шизофреники очень чувствительны. Они ловят все волны, все вибрации, и это заставляет их страдать и делает гениальными.

Они обходят двор и проходят среди пациентов, большинство которых вежливо приветствуют гостей. Некоторые громко разговаривают с вымышленными собеседниками.

Доктор Робер объясняет:

— В чем мы похожи, так это в том, что нас волнует одно и то же, только каждого в разной степени. Взгляните на этого человека: он боится магнитных волн, исходящих от мобильных телефонов, и поэтому постоянно носит мотоциклетный шлем. Но кто не задумывался об их потенциальной вредности?

Несколько больных дорисовывают картину. Доктор Робер делает одобрительное выражение лица.

— Феншэ ввел новшества во все области, включая метод работы. Больных он осматривал, как никто до него. Смиренно. Без предубеждения. Он не считал их существами, у которых надо остановить способность к разрушению, или людьми, стесняющими окружающих, нет, он пытался заставить их ценить все лучшее, что в них есть, и усилить это. Для этого он обратил их внимание к лучшему, что создает человечество. К живописи, к музыке, к кино, к компьютерам. И он никогда не мешал им. Его пациенты естественным образом устремились к искусству, через которое могли выразить не только свои тревоги или опасения, но и свой язык. Вместо того чтобы запирать своих больных, Феншэ уделял им внимание. Вместо того чтобы разговаривать с ними о болезни, он говорил о красоте вообще. И у некоторых, в свою очередь, появилось желание творить.

— Легко это далось?

— Очень тяжело. Параноики не любят шизофреников и презирают истериков, которые платят им тем же. Но искусство стало для них чем-то вроде нейтральной территории, благодаря ему они даже смогли дополнять друг друга. Феншэ хорошо сказал: «Когда кто-нибудь вас в чем-то упрекает, он показывает то, что могло бы стать вашим преимуществом».

К ним подбегает старая женщина и торопливо хватает за руку журналистку, чтобы посмотреть на часы.

Лукреция замечает, что у нее есть свои часы на запястье. Но она так дрожит, что не в состоянии на них взглянуть.

— Двадцать минут седьмого, — говорит Лукреция.

Но женщина уже бежит в другую сторону. Доктор Робер шепчет журналистам:

— Болезнь Паркинсона. Ее лечат дофамином. В этой больнице лечат не только умственные расстройства, но и все заболевания нервной системы: болезнь Альцгеймера, эпилепсию, болезнь Паркинсона.

К ним подходит больной, кривляясь и размахивая небольшой линейкой.

— Что это? — спрашивает Исидор.

— Болезнемер. Измеритель боли в некотором роде. Когда больной говорит, что испытывает боль, сложно понять, нужен ему морфин или нет. Тогда его просят определить по градусам от одного до двадцати, насколько «мне больно». Таким образом они отмечают свою субъективную боль.

Двое рабочих закладывают мемориальную плиту с изображением Феншэ. Внизу выгравирован его девиз: «Возможности человека, у которого есть мотив, безграничны».

Больные собираются, чтобы посмотреть на плиту. Некоторые выглядят растроганными. Человек десять аплодируют.

— Его здесь все ценили, — говорит бородач. — Когда Феншэ сражался на турнире с DEEP DLUE IV, на главном дворе установили большой телеэкран, и стоило посмотреть, какое было оживление — прямо как во время футбольного матча. Все кричали: «Давай, Самми! Самми, вперед!» Больные называли его по имени.

Доктор Робер открывает дверь вивария и показывает целую этажерку с клетками, в которых сотни мышей.

— Вас это интересует?

Лукреция наклоняется над клетками и замечает, что у большинства грызунов обрит череп, а из их голов тянутся электрические проводки.

— Это подопытные мыши. Мы провоцируем эпилептический припадок и наблюдаем, каким образом лекарства с ним справляются. Феншэ был не только директором больницы, он все еще оставался ученым. Со своими помощниками он проверял новые пути исследований.

Мыши заинтересовались пришедшими и тянули носом сквозь решетки клеток.

— Они словно хотят что-то нам сказать, — тихонько замечает Лукреция.

— Они умнее обычных мышей. Так как их родителями были цирковые мыши, они от рождения легко переносят тесты. Потом мы поместили их в эти клетки с лабиринтами и игрушками, чтобы проверить, не ухудшился ли их интеллект.

Журналисты смотрят, как две мышки дерутся, ударяя друг друга маленькими лапками. В конце концов на мордочке одной из них появляется кровь.

— Как вы думаете, кто-нибудь здесь мог питать к нему неприязнь? — спрашивает Лукреция.

— Наркоманы. Они одни играют не по правилам. И надо всеми издеваются, включая Феншэ. Они его уже били однажды. Наркоманы не в состоянии соображать. Они готовы на все, ради того, чтобы достать хоть немного проклятого зелья.

— И даже на убийство?

Доктор Робер держится за подбородок.

— Они единственные не понимали ценности методов Феншэ. Впрочем, он решил со временем выгонять самых строптивых.

— Каким образом, по-вашему, наркоман мог убить Феншэ? — спрашивает Исидор.

— Например, подложить в его еду какое-нибудь вещество замедленного действия, — отвечает доктор Робер.

— Служба судебной медицины не обнаружила никаких токсичных продуктов.

— Некоторые из них невозможно выявить. Здесь, в химической лаборатории, у нас есть крайне токсичные вещества. Они могут подействовать, а затем мгновенно исчезнуть.

Лукреция отмечает этот новый вариант: заговор наркоманов, которые использовали невыявляемый яд.

— Можно осмотреть кабинет Феншэ?

— Ни в коем случае.

Тогда Исидор проявляет находчивость: вытаскивает сигареты из кармана своей коллеги и берет одну.

Мужчина проворно хватает ее.

— Сигареты нельзя приносить, но никто не запрещал курить тайком. Дело в том, что все мы спим здесь, а сходить за покупками на берег не часто удается. Спасибо.

Доктор Робер зажигает сигарету и закрывает глаза от наслаждения. Он резко вдыхает, чтобы побыстрее впитать никотин.

— Просто удивительно, сумасшедший дом без сигарет, — замечает Исидор. — Я бывал в других психиатрических больницах, и там все курили...

— Феншэ, кажется, курил во время матча с DEEP DLUE IV, — добавляет Лукреция.

— Это исключение. Во время матча напряжение было на пределе. Он мог сломаться.

Лукреция достает записную книжку и быстро отмечает: «Восьмой мотив... табак?»

Исидор, взглянув через ее плечо на запись, шепчет:

— Нет, надо расширить. Табак, алкоголь, наркотики. Скажем, одурманивающие вещества, вызывающие привыкание. Итак, перечислим: 5) обязанность; 6) гнев; 7) секс и 8) наркотики.

Внезапно появляется пожилая женщина, предположительно страдающая болезнью Паркинсона, в компании двух крепких мужчин, которые хватают доктора Робера. Поняв, что его поймали, доктор жадно вдыхает последнюю затяжку затухающего окурка.

— Ну что, Робер, снова хитришь!

Окурок вырвали и бросили на землю. Женщина смерила взглядом журналистов.

— Робер вас надул! В этом у него талант. Спорю, он прикинулся врачом. Вообще, он и есть врач, но он действительно болен. Одно другому не мешает. Робер — разносторонняя личность. Отличный вам урок: внешность обманчива.

Она знаком приказывает больному убраться. Смущенный, он уходит. Пожилая женщина поворачивается к Исидору и Лукреции.

— Вы ведь не из больницы; кто вы такие и что здесь делаете?

Они не сразу осознают, что их одурачили.

— Э... мы журналисты, — отвечает Лукреция.

Старуха взрывается от гнева.

— Что! Журналисты! Здесь не должно быть никаких журналистов! Вероятно, вас привез Умберто! На сей раз это будет последнее предупреждение, если он снова приведет чужаков, его выгонят!

— Можно задать вопрос?

— Сожалею, но у нас нет времени. Это больница. Дайте нам работать спокойно.

Она уходит, санитар ведет их к понтону.

В этот момент Исидор думает про себя, что надеется никогда не сойти с ума, но если это все же произойдет, он хочет, чтобы его лечил такой человек, как Феншэ.

26

Доктор Феншэ регулярно приходил к Жану-Луи Мартену, но у него были и другие больные.

На первых порах Мартена поддерживала семья. Друг Бертран и коллеги по работе также по очереди навещали его. Пес Лукулл постоянно сидел у его ног, чтобы защитить от случайного обидчика.

Все они знали, что больной их видит и слышит. Мартен со своей стороны изо всех сил старался, чтобы беседа состоялась: он говорил «да», закрывая глаз один раз, и «нет» — хлопая глазом дважды.

Жена Изабелла сообщила ему, что отнесла заявление в полицию, чтобы отыскать того, кто его сбил.

— Благодаря свидетелю, который все видел с балкона, известен номер машины.

Глаз Жана-Луи посветлел.

— ...Но к сожалению, автомобиль был взят напрокат по подложным документам.

А потом друзья стали навещать его все реже и реже.

Мартен пытался заставить себя поверить отговоркам, которые они давали. Первым свое безразличие к хозяину показал пес Лукулл. Без всяких извинений он просто перестал лизать его руку и отворачивался, словно эта неподвижная громадина под одеялом не имела ничего общего с хозяином. Она его не кормила, не бросала ему палку, не ласкала его, поэтому пес уже не видел нужды усердствовать.

В конце концов перестали приходить и коллеги. По сбивчивым словам друга Бертрана Мулино Жан-Луи Мартен понял, что его место в банке занято.

Даже сам Бертран опустил руки.

Семья упорно твердила ему об улучшении состояния. Дочери говорили о возвращении, о лечении в другой, не менее специализированной клинике. Однажды Изабелла удивленно произнесла:

— Они что, перевели тебя в другую палату?

Жан-Луи один раз хлопнул веком. Фсншэ действительно переселил его в палату побольше, чтобы он мог спокойно «общаться» с родными.

— В этой палате нет окна! — возмутилась Сюзанна, младшая дочь Мартена.

— А ему без разницы. Ему от этого ни жарко, ни холодно, — усмехнулась старшая.

— Я запрещаю тебе говорить такое!

Пораженная мать со всей силы залепила дочери пощечину.

Мартен дважды закрыл глаз.

Нет, нет, не ссорьтесь.

Но его жена уже исчезла, уведя детей, чтобы он не был свидетелем их склок.

27

На обратном пути море спокойно.

Умберто, хмурый и недружелюбный, больше с ними не разговаривает. Он постоянно сплевывает поверх леера, будто бы метит прямо на журналистов.

Очевидно, сотрудники больницы все же отчитали его.

— Но, в общем, нам повезло, что они так просто нас отпустили, — объявляет Исидор. — Помню, в 1971 году в Лос-Анджелесе проводили эксперимент. Десять журналистов решили проникнуть в психиатрическую больницу, чтобы провести там расследование. Каждый сходил к семейному врачу и пожаловался, что «слышит голоса в голове». Этого вполне хватило, чтобы их направили прямиком в психиатрические учреждения, где им диагностировали шизофрению. Итак, журналисты тщательно записали все, что происходило вокруг них. Но когда они решили, что их расследование закончено, некоторые не смогли выйти на волю. Им пришлось звать адвокатов, ведь ни один врач не хотел признать, что журналисты в здравом рассудке. Только сами больные заметили, что новички вели себя по-другому...

Волосы Лукреции развеваются по ветру, она дышит полной грудью, чтобы избежать тошноты.

— Врачи, должно быть, очень обиделись, что их обманули. Начиная с того момента, как журналисты получили диагноз «шизофреник», любое их действие расценивалось как типичное для больных.

Впереди показался Лазурный Берег со своими великолепными виллами, возвышающимися над бухтой.

— Я тоже слыхала о подобном эксперименте в Париже, — заговорила Лукреция, не желая оставаться в долгу. — С согласия школьной администрации, социологи наобум раздали ученикам хорошие и плохие рекомендации перед переходом в другой класс. Преподаватели об эксперименте не знали. В конце года ученики с хорошей рекомендацией имели хорошие оценки, а те, у кого были независимые рекомендации, получили плохие оценки.

— Вы считаете, что нас формируют окружающие? — спрашивает Исидор.

В этот момент телефон Лукреции начинает вибрировать. Она слушает, затем выключает аппарат.

— Это был профессор Жиордано. Он что-то обнаружил. Он сообщил, что ждет меня в морге.

— Ждет «меня»? Он ждет «нас», — поправляет Исидор Катценберг.

— Он просил приехать только меня.

Взгляд Исидора становится острее.

— Я бы хотел поехать с вами.

Ты всего лишь мерзкая маленькая девчонка, которой еще учиться и учиться этой профессии.

— А я бы хотела поехать одна.

Поигрывая своей фуражкой, украшенной витым узором из золотых нитей, капитан внимательно смотрит на них. Теперь он вспомнил, почему решил остаться холостяком.

— Должен признать, мне это очень неприятно, — вздыхает Исидор.

— Тем хуже, — отвечает она.

— Неужели?

— Неужели!

Сверкающие изумрудные глаза прощупывают карие, которые стараются быть бесстрастными.

Довольно холодно простившись с проводником, журналисты добираются до мотоцикла с коляской. Исидор не хочет говорить, но слова вырываются сами собой.

— Все-таки я думаю, что нам лучше оставаться вместе. При малейшей неприятности... — настаивает он.

— Я большая девочка и могу за себя постоять. По-моему, я вам это уже доказала.

— И тем не менее позволю себе настаивать.

Она быстро надевает шлем и широкий красный плащ.

— Отель совсем близко, дойдете пешком! — бросает Лукреция.

Затем приподнимает очки, садится на мотоцикл, притягивает руками его голову к себе и целует в лоб. Потом хватает его за подбородок.

— Пусть между нами все будет ясно, дорогой коллега. Я не ваша ученица, не последовательница, не дочь. Я делаю что хочу. Одна.

Он выдерживает ее взгляд и говорит:

— Мы начали это дело вместе, и я его предложил. Поверьте, лучше вместе и оставаться.

Она надевает очки и устремляется по вечерней улице, оставляя своего коллегу одного.

28

Все окончательно бросают его.

Дочери навещают все реже. В конце концов они даже перестают извиняться.

Только жена Изабелла все еще приходит. Она все время повторяет, как мантру, слова: «Мне кажется, тебе немного лучше» и «Я уверена, ты выкарабкаешься». Возможно, она старается убедить в этом саму себя. Вскоре она тоже начинает придумывать неправдоподобные отговорки, а потом перестает приходить совсем. Глаз, двигающийся над пускающим слюну ртом, и правда зрелище не слишком приятное.

Жан-Луи Мартен впервые проводит день без единого контакта с внешним миром. Он думает, что он самый несчастный человек на свете. Даже у бродяги, даже у заключенного, даже у приговоренного к смерти более завидная доля. По крайней мере, они знают, что их мучение когда-нибудь кончится. А он всего лишь существо, «приговоренное к жизни». Он знал, что навсегда останется неподвижным, как растение. Даже хуже. Растение вытягивается. Он же походит на машину. Кусок железа. С одной стороны, ему подают энергию посредством перфузии, с другой — следят за пульсом, но в чем разница между стулом и механизмом, который не дает этому стулу исчезнуть? Он — первый человек, ставший машиной и сохранивший способность думать.

Будь проклята эта машина. Ах! Попадись мне этот тип, из-за которого я теперь в таком состоянии!

Этим вечером он подумал, что ничего хуже с ним произойти уже не может.

Он ошибался.

29

Лукреция Немро чудом не сбила пешехода. Чтобы ехать быстрее, она решает свернуть на тротуар. Но мотоцикл напарывается на бутылочный осколок, и переднее колесо испускает вздох.

— Черт!

Она с трудом снимает запаску, прикрепленную сзади мотоцикла. Сверху начинает накрапывать. Несколько молодых людей предлагают ей свою помощь, но Лукреция со злобой отказывается.

Запаска тоже оказывается дырявой; Лукреция смертельно устала.

Она с силой бьет ногой по мотоциклу.

Дождь усиливается. Вдалеке гроза задает трепку кораблям.

Покопавшись в коляске, она находит баллон антипрокола и присоединяет его к клапану.

Я всегда всего добивалась без чьей-либо помощи. У меня никогда не было родителей. Или же они так быстро исчезли, что я не успела их увидеть. Я училась сама, читая книги, мне не помогали преподаватели, я стала журналисткой, хотя не училась в школе журналистики. Теперь я меняю колесо без помощи механика, и я не хочу ни от кого зависеть. Ха! Знал бы кто, как я думаю об этих наивных бедняжках, которые только и хотят выскочить замуж, чтобы муж решал их проблемы! Сказки о феях принесли много вреда нашему поколению.

Лукреция проверяет давление: еще недостаточно; она снова нажимает на баллон.

Ох уж мне все эти Золушки, Белоснежки и прочие Спящие Красавицы!

Останавливается грузовик, и водитель предлагает помочь. В следующую секунду его уносит поток ругательств. Дождь становится холоднее, день постепенно угасает.

Наконец мотоцикл в порядке. Не обращая внимания на дождь, Лукреция садится, пытается завести мотоцикл. Тот не заводится.

Она несколько раз ударяет по нему ногой.

В конце концов раздается глухое урчание, которое все яснее начинает звучать в вечернем воздухе.

Спасибо, машинка.

Из-за дождя Лукреция не может ехать быстро.

Когда она прибыла в каннский морг, было уже десять часов. Она достает фотоаппарат и вешает его через плечо.

В это время на входе, кроме консьержа, никого нет. Антилец все еще погружен в чтение «Ромео и Джульетты».

При виде журналистки он знаком показывает ей, что прохода нет, и стучит по часам на своей руке, имея в виду, что уже слишком поздно.

Она вытаскивает толстый бумажник, прикрепленный цепочкой к ее штанам, и, внимательно изучив содержимое, с отвращением протягивает ему двадцать евро.

Без единого слова он засовывает деньги в карман, снова углубляется в «Ромео и Джульетту» и нажимает кнопку, чтобы открыть стеклянную дверь.

Кабинет Жиордано заперт на ключ, но комната автопсии открыта. Она пуста. На столах лежат шесть тел, накрытых белыми простынями. Лукреция замечает, что дверь в зал рентгеновского облучения приоткрыта и оттуда просачивается красный свет.

— Профессор Жиордано? Профессор Жиордано, вы здесь?

Внезапно все освещение гаснет.

30

— Зачем ты выключаешь свет? — спросил младший санитар.

— Он же овощ. Он не может ни говорить, ни двигаться. Со светом или без — ему все равно. Благодаря такой вот заботе, может быть, однажды удастся залатать дыры в бюджете соцзащиты, — пошутил второй.

Молодой санитар пробурчал:

— Ты жесток.

— Я уже тридцать лет выполняю эту работу. Это рабский труд. Теперь-то я развлекусь. Значит, нельзя играть с клиентами! Ну же, не волнуйся. В любом случае он даже пожаловаться не сможет.

— А если придет Феншэ и увидит, что свет выключен?

— Феншэ приходит в полдень, надо будет всего лишь снова включить свет без десяти двенадцать.

Вот так для Жана-Луи Мартена начался период без света.

В почти постоянной темноте им не преминул завладеть страх. Ему мерещились чудовища, часто с телом дракона и лицами двух санитаров, которые самовольно выключали лампу.

Когда свет снова зажигался, было почти мучительно его переносить. Слово санитары держали. За десять минут до прихода Феншэ они нажимали на выключатель.

Когда проходило первое ослепление, сквозь яркий свет постепенно вырисовывался потолок. Белый. А в центре этого белого потолка было совсем маленькое пятнышко, которое сразу же заинтересовало больного LIS. Он рассмотрел это пятнышко до мельчайших деталей. Он знал в нем каждый перелив серого цвета, каждую неровность. В его глазах это пятно приобрело метафизический размер. Это была целая вселенная, на которую был нацелен его взгляд.

Жан-Луи Мартен не знал ни плана квартала, в котором жил раньше, ни расположения стенных

116

шкафов в собственном доме, но великолепно представлял каждый миллиметр этого пятнышка размером в квадратный сантиметр, которое он так внимательно изучал. И в этот момент его посетила мысль. Видеть было само по себе огромным удовольствием. И не важно, что именно видеть. Пусть даже простое пятно.

Пришел доктор Феншэ. Мартен хотел бы дать понять ему, как его мучают санитары. Но врач всего лишь провел необходимые терапевтические процедуры. Едва он ушел, санитары выключили свет.

Темнота. Еще одно визуальное апноэ.

Жан-Луи Мартен боролся с чудовищами, а потом, по истечении часа, обнаруживал, что в темноте хорошо слышит то, что не замечал, когда у него был свет: громкое дыхание больного через стенку, машинный насос, разговор медсестер в коридоре.

«Странно, — говорил он себе, — *стоит лишиться какого-нибудь чувства, как замечаешь, насколько оно необходимо*».

Раньше он мог ощущать, но не обращал на это внимания. Теперь перед ним как будто открывался новый мир. Мир пятна на потолке и миллионов захватывающих звуков на периферии.

После этого открытия страх темноты отступил. Но поскольку восхищение пятном длилось всего лишь несколько мгновений, тоска от пребывания во тьме казалась бесконечной. Он дошел до мысли, что в темноте мог бы умереть и даже не заметить этого. От этого ему стало невероятно жаль себя. И в кромешной тьме никто не видел, как из его глаза вытекла чуть кисловатая слеза.

31

Она тщетно пытается включить свет.

Вероятно, предохранитель перегорел.

Горят только зеленые и белые лампочки запасного выхода, потому что у них автономный аккумулятор.

Лукреция замечает коробок спичек и зажигает одну.

Она входит в зал рентгеновского облучения. Спиной к ней, развалившись в кресле, сидит судмедэксперт в белом халате.

— Доктор Жиордано?

Перед ним — банка с надписью «Самюэль Феншэ». Лукреция замечает, что теперь мозг, словно яблоко, разделен на две половинки.

— Доктор Жиордано...

Она трогает его за руку. Судмедэксперт не двигается. Она поворачивает кресло, чтобы он посмотрел на нее. Слабый всполох спички освещает лицо медика. На нем застыла гримаса ужаса, словно он увидел нечто отвратительное. У него все еще открыт рот.

Девушка вскрикивает и роняет спичку. И скорее зажигает другую.

Одно из тел позади нее начинает шевелиться. Из-под простыни показывается пара ботинок.

Придя в себя, Лукреция приближает спичку к лицу и осматривает жертву.

Чья-то рука шарит по столу, находит скальпель, хватает его и разрезает материю на уровне глаз. Затем она завязывает кусок покрывала на голове так, чтобы получилась маска.

Лукреция все еще стоит спиной. Она щупает пульс Жиордано. Человек в простыне зажимает скальпель в кулаке, словно кинжал.

Огонь обжигает пальцы Лукреции, она бросает спичку и остается в темноте. Она пытается отыскать коробок. Когда она зажигает новую спичку, человек в простыне уже совсем рядом. Но она не замечает его. Журналистка изучает бумаги на столе.

Спичка гаснет.

Она зажигает другую, но из-за поспешности ломает ее. В коробке остается последняя спичка. Лукреция слышит шум и быстро оборачивается.

— Кто здесь?

Огонь щиплет ей пальцы. Тем не менее она пытается просмотреть бумаги на столе. Человек в простыне теперь еще ближе.

— Черт, черт, черт! — ругается Лукреция. Она слышит шелест материи за спиной. Нащупав свой фотоаппарат, она включает вспышку и направляет в сторону шелеста. Если спичка относительно долго освещает узкое пространство, то вспышка, хоть и на секунду, освещает всю комнату в деталях.

Лукреция ясно различает человека, укутанного в простыню, со скальпелем в руке. Она быстро прячется за столом. Она думает о том, что надо бы еще раз воспользоваться вспышкой, но на перезарядку требуется время. Придется ждать, пока красный огонек станет зеленым.

Готово, зеленый.

Вспышка. Журналистка видит, что мужчина ищет ее правее. Свет ослепляет его. Она выигрывает несколько драгоценных секунд. Но и он уже знает, где она прячется, и бросается в ее сторону. Она успевает укрыться за другим столом.

Они во тьме выслеживают друг друга.

В темноте я теряюсь. Выйти отсюда.

Дверь закрыта. Лукреция дергает ручку. Мужчина набрасывается на нее и валит на пол. Затем, сдавив ногой ее шею, целится скальпелем.

Струя адреналина тут же наполняет ее кровеносные сосуды, добегает до конечностей и разогревает мышцы. Она пытается высвободиться.

Ее глаза постепенно привыкают к полумраку, и она различает острый нож.

Страх. Вся кровь приливает к мышцам ее рук, чтобы оттолкнуть ногу, сдавливающую шею.

Внезапно раздается сильный грохот. Дверь вышибается ударом плеча. Карманный фонарик ослепляет незнакомца и его жертву. Поколебавшись, нападавший бросает Лукрецию и пытается убежать.

Лукреция с трудом говорит сдавленным голосом:

— Исидор! Не дайте ему уйти!

Журналист бросается к выходу, чтобы заблокировать его. Но мужчина более ловок. Он отталкивает Исидора и убегает вместе со скальпелем.

Лукреция понемногу восстанавливает дыхание.

Исидор внимательно осматривает шею судебного эксперта.

— Ни единой раны. Скальпелем к нему, безусловно, не прикасались. Жиордано умер от страха.

Исидор продолжает ощупывать тело.

— Удивительно. Он постоянно жил среди смерти и полностью отключился, как только сам оказался в опасности!

— Только не начинайте с этим вашим снисходительным видом: «Надо было меня слушать»!

— Я ничего не сказал.

Он находит электрощиток и включает электричество. Лукреция щурится, затем вынимает записную книжку.

— Жиордано, должно быть, страдал какой-то фобией, — замечает она. — У него был маниакальный страх смерти. Когда он увидел скальпель, его мозг предпочел саморазрушиться.

В изнеможении она садится и начинает грызть ногти.

— О, я поняла. Каким-то образом убийца узнает фобию своих жертв.

— Если у человека фобия, реальная опасность разрастается до панического страха, который может вызвать смерть. Я читал в энциклопедии такую историю: моряк, запертый в холодильнике, умер от холода, потому что верил, что замерзает. Он описал свою агонию, куском стекла вырезая на стенах свои ощущения. Он якобы чувствовал, как замерзают его конечности. Однако по прибытии, когда обнаружили его труп, установили, что система охлаждения была отключена. Моряк верил, что замерзает, и это убеждение его убило.

— Гм... Сила мысли, способность воздействовать на себя.

Лукреция перечитывает свои заметки.

— Надо определить фобию Феншэ, и тогда мы узнаем, как его убили.

Исидор рассматривает подбородок Жиордано.

— С той небольшой разницей... — добавляет он.

— Какой, Шерлок Холмс?

— В лице. У Жиордано оно застыло в абсолютном страхе, в то время как лицо Феншэ выражало скорее... абсолютный восторг.

121

32

С каждой секундой становилось все больнее.

После кошмарного сна Жан-Луи Мартен был грубо разбужен обоими санитарами. Старший открыл его сухое веко и посветил в глаз фонариком, чтобы удостовериться, что сетчатка реагирует.

— Надеюсь, этот овощ засунут в холодильник, — пробормотал он.

— Что за холодильник? — спросил другой.

— Специальное отделение, куда отправляют таких, как он, чтобы они больше никому не мешали, — снова заговорил старший. — Но его надо еще сильнее изувечить, чтобы его сочли совершенно «увядшим».

Правый глаз Жана-Луи Мартена округлился от ужаса. На мгновение он подумал, что санитары собираются отключить его от аппаратов.

— Тебе, наверное, уже надоело лежать в темноте? Старший заменил обычную лампу лампой в сто ватт.

Потолок стал ослепительным. В ярком свете пятно исчезло. Жар от лампы иссушал роговицу Жана-Луи Мартена. Веко не было достаточной защитой против столь мощной силы. Слезы текли не переставая.

Глаз горел. Спустя время оба санитара явились вновь.

— Ну что, овощ, теперь ты начинаешь понимать, кто устанавливает правила? Ответь, один раз — «да», два — «нет».

Два.

— А! Господин строит из себя храбреца. Отлично. Ты наказан еще только наполовину. У тебя работают лишь два органа: глаз и... ухо. Почему бы не покарать тебя еще и через ухо.

Они нахлобучили на него наушники, из которых звучала одна и та же песня, последний хит Греты Лав «Чтобы ты меня полюбил».

В этот момент Жана-Луи Мартена охватила ненависть. Впервые этот порыв был обращен против других, а не против него самого. Жан-Луи Мартен был в бешенстве. Ему захотелось убить. Первым делом этих двух санитаров. А потом Грету Лав.

На следующее утро глаз и ухо горели. Остатками разума, не замутненными гневом, Жан-Луи Мартен пытался понять, почему эти два типа, которых он не знал, причиняют ему столько зла. Он решил про себя, что такова природа человека — не любить ближнего своего и получать удовольствие от его страданий. И в это мгновение он превозмог свою ненависть и захотел изменить все человечество в целом.

Через день «неумелые» санитары уронили Жана-Луи Мартена на линолеум, и перфузии, воткнутые в его предплечья, натянулись и лопнули. Истязатели поставили несчастного вертикально.

— Ну и негодяй же ты! — сказал младший из санитаров.

—Я считаю, что всех их надо умертвить. «Овощи» дорого обходятся обществу, они занимают постели, которые можно было бы использовать для более перспективных больных. Именно так. Раньше таких людей оставляли умирать, но теперь, с «движением прогресса», как они говорят, их жизнь поддерживают. Даже несмотря на то, хотят того они сами или нет. Я уверен, если бы этот бедняга мог высказаться, он бы попросил смерти. Да, мой дражайший овощонок? Тебя пожарить или сварить?

Санитар потянул его за волоски в ушах.

— Кроме того, кому он нужен? Даже его семья к нему больше не приходит. Этот тип всем только мешает. Но мы ведь живем в социуме всеобщей трусости, в котором предпочитают оставить паразита в живых, нежели отважиться от него избавиться.

Он снова сделал неловкое движение, и Жан-Луи Мартен с глухим шумом упал лицом вниз.

Дверь отворилась. Появился доктор Самюэль Феншэ, который в этот раз пришел пораньше. Он сразу же понял, что происходит. Доктор бросил сухо:

— Вы уволены! — Затем повернулся к своему пациенту. — Думаю, что у нас есть о чем потолковать, — сказал он, укладывая больного.

Спасибо, доктор. Не знаю, должен ли я вас поблагодарить за то, что вы спасли меня теперь, или упрекнуть за то, что вы не сделали этого раньше. Что же касается того нашего разговора...

— Вам всего лишь надо ответить «да» или «нет», опуская веко один или два раза.

Наконец-то врач задавал ему правильные вопросы. Отвечая только «да» и «нет», Мартену удалось «рассказать» о том, как его мучили.

33

— Какой мотив был у Самми? Хороший вопрос.

Говоря это, гипнотизер из «Веселого филина» поигрывает морковкой перед белым кроликом. Кролик хочет схватить морковку, но Паскаль Феншэ каждый раз отдергивает ее в последний момент.

— Вот какой мотив у всех: самореализоваться в своем пристрастии. Все мы обладаем каким-нибудь особым талантом; его надо выявить и, работая над ним, развивать. Это превратится в пристрастие. Оно управляет нами и придает смысл нашей жизни. Без этого деньги, секс, слава всего лишь мимолетное возмещение.

Увлеченная Лукреция вытаскивает свою записную книжку и отмечает:

«9) личное пристрастие».

— Самми говорил, что депрессии в основном вызываются отсутствием личного пристрастия. Те, кто увлекается покером, бриджем, шахматами или музыкой, танцами, чтением, или же плетением корзинок, макраме, филателией, гольфом, боксом, или изготовлением глиняной посуды, не страдают депрессией.

Говоря это, гипнотизер продолжает дразнить морковкой своего кролика, который становится все более заинтересованным в ней, не получая вознаграждения.

— Зачем вы заставляете кролика играть в эту игру? — спрашивает рыжая журналистка.

Артист посылает животному воздушный поцелуй.

— Как он будет счастлив, когда я наконец дам ему эту морковь! В утолении сильного желания тоже заключается счастье. Сначала я вызываю чувство неудовлетворенности, я создаю желание, поддерживаю его, усиливаю, а затем утоляю. Гм... я рассчитываю улучшить мой номер с помощью этого кролика. Я спрячу его в шляпе. Вы когда-нибудь задумывались о том, насколько самоотвержен кролик или голубь, чтобы дождаться конца номера, не пища и не воркуя? Жизнь этих животных протекает в сжатом состоянии в коробке или в кармане. А кто осмелится говорить об одиночестве кролика, ожидающего финала номера? Но, чтобы заставить его быть таким терпеливым, надо сначала его приучить. Он должен полюбить меня за то, что я удовлетворяю его желания. Нужно, чтобы я стал для него богом. Он забудет, что я и есть причина его мучений, и вспомнит только, что я способен их прекратить.

Паскаль Феншэ продолжает управлять морковкой.

— Но поскольку я не могу загипнотизировать кролика словами, я программирую его автоматически реагировать на некоторые возбудители. Когда он увидит морковь в следующий раз, он захочет лишь одного: повиноваться мне.

— Вы подготавливаете его к мучениям.

— Не более чем наше общество, которое готовит нас к тому, чтобы терпеливо, как сардины, набиваться в метро в часы пик. С той лишь разницей, что вместо морковки мы получаем зарплату. Вы, парижане, должно быть, это знаете.

Белый кролик уже переполнен желанием. Уши торчком, усы дрожат, он со все большей выразительностью выказывает свою жажду заполучить морковь. Он даже посматривает на Исидора и Лукрецию, словно хочет попросить их вступиться за него.

— Все мы приучены и все мы приучаемы...

— Если только мы потеряем бдительность, — заявляет Лукреция. — Исидор меня обманул, вы тоже, но теперь я буду внимательна, и у вас ничего не получится.

— Ах так? Ну, посмотрим, повторите десять раз слово «пилка».

Она недоверчиво повинуется. Наконец Паскаль метко спрашивает ее:

— Так чем едят суп?

— Вилкой, — четко произносит она, словно для того, чтобы показать, что еще раз не скажет «пилка».

Затем, поняв свою ошибку, она пытается изменить свой ответ:

— Гм... Я хотела сказать ложкой, конечно... Черт! Вы меня надули.

— Вот вам небольшой пример быстрой психологической обработки. Всех можно обмануть. Можете проверить это на окружающих.

Исидор осматривает комнату. Вся обстановка связана с темой мозга. Коллекции маленьких китайских игрушек, составленных из пластиковых мозгов, с лапками, которые подпрыгивают, когда оттягиваешь пружинку. Гипсовые мозги. Механические чудовища из научной фантастики, у которых мозг виден на просвет.

Белый кролик начинает вести себя более напористо, чтобы успокоить его, Паскаль сажает кролика в клетку. Тот начинает метаться из угла в угол.

— Мой брат молчал много лет, — говорит Паскаль Феншэ. — Из-за нашего отца. Самми был очень чувствительным. Дело в том, что отец был алкоголиком, и, когда он напивался, у него появлялась склонность к самоубийству. Помню, однажды, только чтобы произвести на нас впечатление, он схватил со стола нож и вскрыл себе вены на запястье. Он спокойно смотрел, как его кровь стекала в тарелку.

— И что?

— Моя мать прекрасно отреагировала. Она налила супу прямо в кровь и спокойным тоном спросила, хороший ли день у него был. Отец пожал плечами, разочарованный, что не удалось нас шокировать, и пошел перевязывать запястье. Мама была образцом доброты и понимания. Она умела обращаться со своим мужем и знала, как защитить нас от отцовских шалостей. Мы так любили его. Иногда отец приводил в дом нищих пьяниц и требовал, чтобы мы относились к ним как к его друзьям. Наша невозмутимая мама вела себя так, словно они были просто гостями. Возможно, именно благодаря этому мой брат впоследствии так же хорошо умел говорить с самыми несчастными. После поездки в Бангладеш, где отец был врачом-волонтером, он, я имею в виду отца, впал в зависимость от наркотиков, перестал работать, лгал, не проявлял больше к нам ни малейшей любви. Он был в своем роде исследователем мозга, но шел темной стороной, очарованный безднами, которыми испещрен путь к центру разума. И ему нравилось проходить по этому пути, не держа равновесия.

Вспомнив о своем родителе, Паскаль издает слабый печальный смешок.

— Думаю, именно от него у нас этот вкус к игре с нашими собственными мозгами и с мозгами других. Жаль, что он разрушил себя, у него была потрясающая интуиция, он делал удивительно точную диагностику. Ах, будь он подлецом, было бы легче, его ненавидели бы, и все дела.

— А что с молчанием вашего брата?

— Все началось вечером того дня, когда отец вскрыл себе вены за столом. После ужина родители быстро послали нас спать. Ночью мой брат, ему тогда было шесть лет, услышал хрипы. Он испугался, что с отцом что-то случилось, побежал в комнату родителей и неожиданно увидел, как папа с мамой занимаются любовью. Полагаю, именно контраст между предыдущей стрессовой ситуацией и этой сценой, которая показалась ему зверской, спровоцировал шок. Он стал как немой. И очень долго не говорил. Его поместили в специализированный центр. Я навещал его. Брата окружали настоящие аутисты. Помню одного врача, который мне советовал: «Прежде чем его навещать, вам бы желательно укрепить свою психику, чтобы не подвергать его стрессам внешнего мира. Он все так глубоко переживает».

Лукреция делает заметки. Аутизм может стать темой еще одной статьи.

— Как ему удалось выйти из этого состояния?

— Ему помогли дружба с одним мальчиком в центре и интерес к мифологии. Этого мальчика по имени Одиссей Пападопулос родители заперли в погребе. Вначале Самми просто садился рядом с ним, и они не разговаривали друг с другом. Затем они начали общаться знаками, потом — с помощью рисунков. Это было неожиданно. Они изобрели свой собственный язык, который был понятен только им одним. Две души, объединившиеся по ту сторону языка. Могу вам сказать, их одновременный подъем был действительно трогательным. Мой отец, винивший во всем себя, после того случая прекратил свои попытки саморазрушения. Возможно, Самми спас его в конечном счете. Хотя отец отказывался навещать его в больнице. А вот мама ходила туда каждый день. Что касается меня, я не выносил всех этих сумасшедших вокруг него. Именно потому я и не стал психоаналитиком. Для меня существуют психоаналитики, с одной стороны, и спириты — с другой.

— Спириты?

— Спириты, люди, интересующиеся духовностью. Мой интерес к гипнозу идет оттуда. Думаю, это путь к духовности. Однако я не совсем уверен, я прощупываю...

Лукреция откидывает назад свои длинные рыжие волосы.

— Вы упомянули о мифологии?

— Другой молчун, тот замечательный Одиссей Пападопулос, был греком. Он показывал брату книги с
легендами своей страны. О Геркулесе, Энсс, Тесее, Зев-
се и больше всего о своем тезке, Одиссее. Мифы по-
рождали мечты у обоих. Они цеплялись за эти истории. А потом умер отец. От гепатита. Его печень хра-
нила память о спиртном и наркотиках и выдавала ему
счет с опозданием. Мой брат и его друг Одиссей шеп-
тались на похоронах. Именно там я впервые осознал,
что Самми выздоровел. Дети лечили друг друга лучше,
чем это мог сделать какой бы то ни было врач.

Исидор просматривает заметки, сделанные им на
карманном компьютере.

— Что стало с вашей матерью?

— После кончины отца она словно уволилась из
собственной жизни. Однажды мой брат спросил ее,
что могло бы доставить ей удовольствие. Она ответила: «Будь самым лучшим, превзойди всех своим интеллектом».

Исидор теребит маленькую пластиковую игрушку в виде мозга.

— И с тех пор он чувствовал, что у него есть мотив... — догадывается он.

— Может быть, именно потому он многого добился в учебе. Как только возникало какое-нибудь испытание, он должен был преодолеть его, и чем выше
была планка, тем больше он воодушевлялся. Однажды утром мама не проснулась. Но мне кажется, мысль
о ней не давала ему покоя...

Паскаль Феншэ дает кролику морковку. Тот резцами грызет ее с характерной кроличьей суетливостью.

— А как там продвигается ваше расследование? —
спрашивает Феншэ.

— Теперь мы знаем, что кому-то мешаем, мы перед лицом настоящего убийцы и располагаем вещественным доказательством.

Кролик съел морковку и с благодарностью смотрит на гипнотизера.

— Я помогу вам, чем смогу, в раскрытии этого дела.

Паскаль Феншэ открывает свой холодильник и вытаскивает банку с мозгом его брата.

— Его хранил судмедэксперт, а полиция вернула нам. Как вы меня и просили, я сообщил о вашей просьбе на семейном совете. Все согласились доверить мозг вам, но по окончании расследования вы должны вернуть нам его.

34

Он потер виски, чтобы расслабиться. Не время для мигрени...

Доктор Самюэль Феншэ упрекал себя в том, что один из его больных пострадал. Жестокие санитары свирепствовали за его спиной. Жана-Луи Мартена надо было срочно переместить.

— В общей палате вы будете лучше защищены. А чтобы не было скучно, я поставлю вам телевизор.

В течение последующего часа ему определили койку в корпусе для гебефреников. Там было шесть вялых больных, просыпавшихся время от времени и питавшихся через перфузию.

Самюэль Феншэ велел установить телевизор перед здоровым глазом своего пациента и дал ему наушник, чтобы тот мог слушать, не беспокоя своих соседей. Мартен был рад, что у него снова есть телевизор. Какое богатство стимулов!

Как раз шло шоу «Забирай или удвой». Тревога игрока, готового потерять весь свой выигрыш, автоматически привлекла его внимание и успокоила, но он не мог сказать почему. Его порадовали и провал игрока, и его раздосадованный вид. Программа позволила ему немного забыться. Затем последовали новости. В нарезке было: президент Французской Республики замешан в деле о коррупции; голодовка в Судане, поддержанная северными племенами; массовое убийство королевской семьи в Непале; победа сборной Франции по футболу; исследование сверходаренных учеников, которые мучаются в школах, не соответствующих их талантам; биржа, которая снова поднимается; переменчивые метеопрогнозы; репортаж о пирсинге, который чреват инфекцией, и под конец драматический эпизод об отце, убитом при попытке защитить своего умственно отсталого сына от насмехавшихся над ним детей.

В конце концов Жан-Луи Мартен перестал думать о себе. Если морфий прекрасно утолял боль телесную, телевидение оказалось отличным болеутоляющим для ума.

В этот самый момент Феншэ в задумчивости разгуливал по пустынным коридорам. Увольняя двух санитаров, он выступал против собственных порядков, не говоря уже о профсоюзах.

Страх изменения присущ человеку. Он предпочитает знакомую опасность любым переменам в своих привычках.

Доктор Самюэль Феншэ решил, однако, что ему надо заново пересмотреть устройство своей больницы не только как управляемого административного учреждения, но и как утопического городка.

Прежде всего необходимо удалить побуждения к смерти. Ведь больные так чувствительны. Все преуве-

132

личивают. Это может привести к несоизмеримым последствиям.

Он свернул в пустой коридор. Вдруг позади него возник пациент и с воплями вцепился в его горло. Врач не успел среагировать, воздух в его легкие уже не поступал.

Я сейчас умру.

Хватка больного была сильна. Его глаза закатились, зрачки расширились.

Феншэ узнал напавшего. Это был наркоман, который уже доставил ему немало хлопот.

Неужели героин, разрушивший моего отца, косвенным путем погубит и меня?

Больной продолжал сжимать горло. Феншэ задыхался, другие больные чуть ли не прыгали на одержимом, чтобы заставить его ослабить хватку. Но тот не выпускал своей добычи. Он обладал неслыханной силой, удесятеренной бешенством.

Началась суматоха. Все новые больные спешили на помощь доктору.

Мне страшно? Нет. Думаю, меня больше волнует, что будет с ними, когда меня не станет.

Наркоман встряхнул его так, словно хотел сломать позвоночник.

Мне больно.

Наконец, погребенный под кучей больных, наркоман убрал руки.

Феншэ стал дышать, кашлять, отплевываться.

Главное — не показывать, что меня огорчило это нападение.

Он поправил свой пуловер.

— Все продолжают выполнять свои обязанности, — произнес он охрипшим голосом.

Четыре санитара потащили напавшего в изолятор.

35

Исидор и Лукреция отдыхают в отеле «Эксельсиор».

Розовые половинки мозга Феншэ, покрытые серыми волокнами, плавают в банке.

Засунув кусочки ваты между пальцами ног, чтобы твердой рукой перекрасить ногти в карминный цвет, Лукреция не отрывается от беседы. Сцена походит на церемонию, где каждый палец по очереди, независимо от соседей, представляется для покрытия лаком.

Исидор придвигает ночник, берет лупу и хватает большую книгу.

— Тот, кто убил Феншэ, и тот, кто пытался убить вас, знают о мозге что-то, чего не знаем мы.

— Что это за книжка?

— Она была на столе Жиордано. Он изучал ее, когда его убили.

Исидор Катценберг просматривает страницы, останавливается на двух цветных картинках и сравнивает рисунок с тем, что видит. Он погружает руку в пакет со сладостями, дабы снабдить топливом свою собственную мозговую котельную.

Лукреция Немро придвигается, подняв пальцы ноги, чтобы они не касались пола.

— Это будто новая страна, — говорит ее коллега. — Неизвестная планета. Мы вместе посетим ее. У меня такое чувство, что, когда мы поймем, как работает наш мозг, мы поймем, кто убийца.

Она не может подавить гримасу отвращения. Он продолжает:

— 1450 кубических сантиметров серого, белого и розового вещества. Наша «машина для думания». Именно там все и создается. Простое желание может повлечь за собой рождение ребенка. Обыкновенное недовольство — спровоцировать войну. Все драмы и вся эволюция человечества сначала записываются в маленькую вспышку где-то в одной из извилин этого куска плоти.

Лукреция, в свою очередь, берет лупу и осматривает мозг с более близкого расстояния. Она уже настолько приблизилась к нему, что ей кажется, будто она шагает по розовой планете из каучука, покрытой кратерами и расселинами.

— Здесь, сзади, — говорит Исидор, — вот этот кусочек, что потемнее, — мозжечок. Именно там постоянно анализируется положение тела в пространстве и согласовываются жесты.

— Это благодаря мозжечку мы не падаем на ходу?

— Возможно. А если мы двинемся вперед, по направлению ко лбу, окажемся в первичной визуальной зоне, ответственной за восприятие цвета и движений. Прямо перед ней вторичная визуальная зона, где изображения интерпретируются путем сравнения с уже известными изображениями.

— В чем разница между первичной зоной и вторичной?

В первичной зоне воспринимается необработанная информация, а во вторичной ей придается смысл.

Журналист ходит вокруг банки.

— Поднявшись еще, мы найдем чувствительную зону: здесь распознаются прикосновения, вкус, боль, температура.

— Вот как?

— Продвинемся ко лбу еще немного. Вот здесь слуховая зона: восприятие и распознавание звуков.

— А это что за темно-розовая штука?

— Ммм... не будем спешить. Продолжим, тут зона краткосрочной памяти. А за ней первичная двигательная зона, которая управляет нашими мышцами.

— А где зона речи?

Исидор смотрит на изображение.

— Там, сбоку, в темснной доле.

Лукреция постепенно привыкает к виду мозга Феншэ.

— А что внутри?

Исидор переворачивает страницу.

— Сверху поверхностный слой, это кора. Там создается мышление, речь.

— Это ведь всего лишь тонкая кожа...

— Тонкая, но очень витая и вся в складках. Кора мозга отвечает за все высшие функции организма, и во всем животном мире именно у человека она самая плотная. Проникнем внутрь мозга. Под корой — лимбическая система, резиденция наших эмоций: страсть и гнев, страх и радость, там они и нежатся. В этой книге ее также называют нашим «мозгом млекопитающих», в отличие от коры, которая считается «типично человеческим мозгом».

Лукреция наклоняется, чтобы лучше рассмотреть лимбическую систему.

— Значит, именно там у Феншэ произошло нечто странное.

— А также, возможно, у Жиордано. В лимбической системе существует устройство под названием «морской конек». Там хранится наша личная история. «Морской конек» сравнивает каждое новое ощущение с теми, что уже у него в памяти.

Лукреция заворожена.

— Красивое название — «морской конек». Видимо, ученые так назвали эту зону потому, что она походит на эту подводную зверушку...

Исидор листает научную книгу, затем снова разглядывает содержимое банки.

— Оба полушария связывает мозолистое тело, это беловатое вещество, благодаря которому наша логическая мысль соединяется с мыслью поэтической.

— Похоже на большой кусок бараньего жира.

— Два крупных пурпурных шара снизу — это таламусы, контрольный пункт всей нервной системы в целом. А еще ниже находится гипоталамус, самый главный контролер. Он управляет нашими внутренними биологическими часами, которые регулируют ритм жизни сутки напролет, следят за тем, хватает ли нашей крови кислорода и воды. Именно гипоталамус вызывает чувство голода, жажды или насыщения. У мужчин он отвечает за половую зрелость, а у женщин регулирует месячный цикл и оплодотворение.

Лукреция начинает понимать, что в банке нечто большее, чем кусок плоти, и говорит про себя, что это, скорее, великолепный органический компьютер. В нем есть таймер, центральный процессор, материнская плата, диск памяти. Компьютер из плоти.

— И наконец, еще ниже гипофиз, исполнитель желаний гипоталамуса. Эта маленькая шестимиллиметровая железа выбрасывает в кровь бо́льшую часть эмоциональных гормонов, которые заставляют нас реагировать на положительные или отрицательные внешние возбудители.

Лукреция снова просматривает список мотиваций. Вообще, говорит она себе, то, что в самом начале, служит удовлетворению первой части мозга, мозга пресмыкающихся, мозга сохранения жизни: прекратить боль, страх и питаться, размножаться, быть в безопасности. Последующие мотивы служат для удовлетворения второй части мозга, мозга млекопитающих, мозга волнений, гнева, долга, сексуальности и т.д. И наконец, третья часть, кора полушарий, типично человеческая, служит для удовлетворения третьей группы мотивов, исходящих из нашей способности фантазировать: к примеру, потребность в личном пристрастии...

Они молча рассматривают мозг этого исключительного человека.

— Жиордано увидел что-то внутри, из-за чего он захотел нас позвать...

Исидор снова берет лупу.

— Там есть множество маленьких дырочек, которыми пестрят некоторые зоны.

Внезапно разбуженный собственными внутренними часами, Исидор поспешно бросает взгляд на наручные часы, словно у него была срочная встреча, а затем включает телевизор, чтобы посмотреть новости.

— Извините, пора.

— Вы хотите смотреть новости в разгар нашего расследования?

— Вы прекрасно знаете, что это моя единственная страсть.

— Я думала, что это сладости.

— Одно другому не мешает.

Исидор уже погружен в прослушивание новостей.

Сперва говорят о национальных событиях. Раздор между президентом и премьер-министром в результате обвала на бирже. Похоже, такое резкое падение было усилено автоматическим действием компьютеров, запрограммированных на продажу акций, когда курс достигнет какого-то минимального предела. Премьер-министр требует, чтобы за программным обеспечением компьютеров тщательно следили, дабы они перестали искусственно преувеличивать «хорошие» и «плохие» счета мировых биржевых рынков.

Парламентские выборы. Один политик из оппозиции объявляет: «Проблема нашей страны в том, что больше нет мотивации. Каждый думает непосредственно о своем собственном мелком удобстве. Мы перестали биться за то, чтобы быть первыми, мы пытаемся только не слишком быстро стать последними». Он добавляет: «Но и это еще не все! Пошлины и бумажная волокита лишают менеджеров стимула, производители богатства теряют заинтересованность из-за налогов, у нас сделано все для того, чтобы все одинаково проигрывали».

Международные новости: Генеральный секретарь ООН попросил Сирию, где детей учат, что концентрационных лагерей никогда не существовало, изменить свои школьные учебники по истории.

— Вот видите, не только вы теряете память. Все человечество страдает от небольших «потерь». Скоро будем голосовать, поднимая руку, чтобы решить, имела ли место Первая мировая война, и, возможно, все перепишем в зависимости от того, что выберет большинство.

— Для меня, право же, неутешительно оказаться в забытьи в мире, потерявшем память.

У Исидора изможденный вид.

— Что случилось, коллега?

Лукреция Немро протягивает Исидору бумажный платок, он берет его.

— Я все переживаю, и все меня разрушает, жестокость — как трусость.

— Вам все еще мало? Это просто-таки невероятно, вы, способный обратить в бегство сумасшедшего убийцу, сдаетесь после просмотра новостей.

— Извините меня.

Он сморкается.

— О черт. Если это доводит вас до такого состояния, больше не слушайте сводку! Я вовсе не против, чтобы новости были вашим наркотиком, но надо, чтобы вы, по крайней мере, получали от него хоть немного удовольствия.

Она выключает телевизор. Он снова включает.

— Я хочу знать, что происходит.

— Иногда об этом лучше не знать.

— Ясность ума — самый сильный наркотик.

— Тогда станьте равнодушным!

— Хотелось бы.

— Ох, как бы вы ни причитали перед телевизором, все меняется! — Она шепчет ему на ухо: — Ганди говорил: «Когда я прихожу в отчаяние, я вспоминаю, что на протяжении всей истории голос правды и любви торжествовал. В этом мире есть тираны и убийцы, и временами они могут казаться нам непобедимыми. Но в конце концов их всегда свергают».

Тем не менее журналист не успокаивается.

— Да, но Махатма Ганди был убит. И здесь и сейчас говорят только о симптомах подъема национализма, фанатизма, тоталитаризма. Я бы хотел быть бесчувственным. Точное определение — «беспечный». В мозгу ведь должен существовать гормон беззаботности. Жидкость, которая бы делала так, чтобы все воспринималось легко, чтобы трагедии, обрушивающиеся на других, тебя не касались. Это должно существовать...

— Это называется успокоительные средства. Они прогоняют тревоги, заставляя забыть о реальности. Сорок пять процентов населения принимают их, по крайней мере раз в месяц.

Она протягивает ему конфеты.

— Вы слишком чувствительны, Исидор. От этого вы сперва кажетесь... обаятельным, но в дальнейшем — малообщительным.

— На что нам самая развитая в животном мире кора мозга, если мы такое вытворяем? Никакое животное не осмелилось бы поступить со своей добычей так, как мы поступаем с себе подобными! Если бы вы знали, как мне хочется быть... «глупым».

Она рассматривает обе половинки мозга, плавающие в прозрачной банке.

Исидор прибавляет громкость.

Светская хроника. Билли Андервуд, знаменитый французский рокер, шестнадцатый раз женится; счастливая избранница моложе его на сорок лет.

Лукреция замечает, что простое изложение этой не трагичной новости (кроме как для бывших подруг певца) повергает Исидора в прежнее состояние.

Наука. На основе гормона свиньи создано новое лекарство, продлевающее человеческую жизнь. Если надежды, возложенные на этот продукт, оправдаются, ученые надеются расширить границы человеческой жизни в среднем до ста двадцати лет вместо восьмидесяти, как в настоящее время.

Лукреция отворачивается от телевизора и вновь придвигается к мозгу в банке. Она чувствует, что решение заключается в этом бледном куске плоти.

В конце сообщают, что знаменитая топ-модель Наташа Андерсен, косвенно причастная к убийству Самюэля Феншэ — впрочем, она сама обвинила себя в убийстве, хотя речь идет о смерти от «любви», — только что была освобождена, так как «любовь» не фигурирует в Уголовном кодексе в качестве оружия ни первой, ни второй, ни третьей категории.

Жестокие японские мультфильмы для детей, реклама, выпуск телемагазина, нахваливающего хозяйственные принадлежности, реклама, невыполнимые кулинарные рецепты, реклама, программа гимнастических упражнений, за которыми невозможно поспеть, реклама, игра «Забирай или удвой», реклама, телсжурнал в час дня, посвященный региональным новостям, реклама, спортивная программа, реклама, реалити-шоу со специально отобранными людьми, представителями среднего класса, реклама, снотворный немецкий фильм, реклама, тележурнал в восемь часов вечера, посвященный национальным и международным новостям, реклама, прогноз погоды, реклама, полнометражный американский «экшн», реклама, аналитическая программа об общественности, реклама, нарезка лучших моментов на телевидении, реклама, программа об охоте и рыбной ловле.

Вот это, с небольшими изменениями, каждый день забивало голову Жана-Луи Мартена. Семь дней в неделю.

Сначала больной LIS дорожил телевидением, как дорожат другом детства. Но затем он почувствовал скрытые умыслы ведущих, составителей программ. Он понял, что телевидение стало средством объединения. Оно оказывало влияние на зрителей, дабы внушить им три подсознательных указания: будьте спокойными, не волнуйтесь, старайтесь накопить как можно больше денег, чтобы иметь возможность приобрести товары по последней моде, которыми можно поразить своих соседей.

Но он ощущал и еще одно подсознательное действие телевидения: объединяя в малом, оно разобщало людей. И очень ловко.

Телевидение подталкивало детей осуждать консервативных родителей, а родителей — своих глупых детей. Из-за него больше нет застольных разговоров. Оно вселяло веру в возможность обогатиться, просто вспомнив в викторине дату исторического сражения.

В конце второй недели Жан-Луи Мартен уже не переносил этой вещи, постоянно забивающей его голову сообщениями, до которых ему не было дела.

Он познал однообразие темноты, однообразие света, и теперь перед ним было однообразие идей.

Он объяснил это Феншэ.

Тогда психоневропатолог предложил ему самому выбрать канал, моргнув один или два раза при перечислении каждого.

Веко снова зашевелилось. Он выбрал канал научно-документальных передач.

Отныне Жан-Луи Мартен проглатывал в день до шестнадцати часов науки. Наконец-то он нашел стимул, которым не мог насытиться. Существовало столько разных наук, столько странных, необъяснимых на первый взгляд открытий, столько знаний, которые надо было усвоить!

Этот канал стал сущим пиром для ума. Поскольку у него на это было время, поскольку он хотел этого, Жан-Луи Мартен, бывший служащий юридического отдела регионального банка, изучал одновременно все науки. Так как ничто и никто его не беспокоил, внимание больного было целиком сосредоточено на передаче, от начала и до конца. Он запоминал каждое изображение. Он запоминал каждое слово и обнаружил, что возможности его собственного мозга широки до бесконечности.

За время этого самообучения наукам Жан-Луи Мартен впервые сказал себе: «В конце концов, все не так уж плохо». Он уже меньше боялся завтрашнего дня. Чем больше он узнавал, тем больше ему хотелось узнать. Столкнувшись с медициной, он захотел изучить биологию и физику.

Он помнил, что еще до него Леонардо да Винчи, Рабле или Дидро стремились познать все науки своего времени. Жан-Луи Мартен раскрыл в себе то же устремление.

Наука обновлялась чаще, чем какие-либо другие формы выражения человеческого интеллекта, и ее эволюция была быстрой, словно несущийся поезд, постоянно ускоряющий движение. Больше никто не мог его догнать. И Мартен имел привилегию — у него было время следить за всеми этапами прогресса.

Естественно, более всего он увлекался тем, что имело отношение к мозгу и нервной системе.

Отныне он сделал свой выбор — ему захотелось понять внутренние механизмы мысли. Когда он слышал, как ученый объясняет свои исследования, он всегда задавал себе один и тот же вопрос: «Что же на самом деле происходит в его мозге? Что побуждает его к действию?»

37

Что побуждает нас к действию?

АКТ 2
БУРЯ В ГОЛОВЕ

Ветер.

Мистраль веет в оливковых деревьях и подгоняет желтый снег — хлопья мимозы. Подобно подвесным грушам, кипарисы сгибаются и снова выпрямляются, не боясь порывов ветра. По темно-синему небу проходят облака в серую и фиолетовую полоску. Солнце окончательно скрывается за морем, когда мотоцикл Лукреции Немро паркуется перед величественной виллой Кап-д'Антиб. Через решетку на входе виднеется дом. Задуманное в виде корабля, здание из черного мрамора украшено коринфскими столбцами и кариатидами из алебастра. В парке, опоясанном высокой стеной, несколько греческих статуй; на вид словно вытащенные с обломков утонувшего корабля, они следят за тем, кто выходит и входит. Рядом со звонком на решетке скромно написаны два имени: Феншэ — Андерсен.

Лукреция Немро нажимает на кнопку. Нет ответа. Она нажимает еще несколько раз.

— Моя мама говорила мне: «Первое — осведомиться. Второе — подумать. Третье — действовать». Начнем с осмотра мест, — объявляет Исидор Катценберг.

Они обходят имение. Им не удается обнаружить никакого прохода, но в углу они замечают перегородку пониже.

Лукреция взбирается наверх. Оказавшись наверху, она помогает своему коллеге, которому подняться намного труднее.

Журналисты беспрепятственно пересекают парк. Никакая сигнализация не срабатывает. Собака за ними не гонится. Статуи не двигаются, но как будто смотрят на них.

Лукреция негромко стучит, затем отступает, достает отмычку и начинает вскрывать замок. Тот в конце концов поддается. Они осторожно проходят вперед, зажигают фонарь и шарят лучом на входе.

— Мама говорила, что в детстве я часто все делал наоборот. Сначала действовал. Это приводило к катастрофе. Потом я думал: как ее скрыть? А затем осведомлялся, как ее исправить.

Лукреция в последний момент, уже на лету, ловит фарфоровую статуэтку, которую ее компаньон столкнул по невнимательности. Они освещают коридор, ведущий в небольшую гостиную. На стенах развешаны картины, все подписанные одним и тем же художником.

— Итак, наш доктор очень любил Сальвадора Дали.

— Я тоже очень люблю Дали, — говорит Исидор, — он гений.

Жилище Феншэ огромно. Они пересекают гостиную, показанную в теленовостях в день его кончины. Видят барный шкафчик с бесценными бутылками. Шкатулку для сигар. Витрину, заставленную пепельницами, привезенными из отелей всего мира.

— Дорогие вина, сигары, шикарные отели, ваш «светский святой» и его подруга умели жить! — замечает Лукреция.

Они проходят в другую комнату. Это комната игр. Там тоже копии с картин Дали, но на этот раз тема полотен — оптические иллюзии. Их название и год создания выгравированы снизу на медных пластинках: «Великий Параноик», масло, холст, 1936 год — если хорошенько присмотреться, среди толпы постепенно проявляется странное лицо; «Бесконечная загадка», масло, холст, 1938 год — собака и конь посреди озера; «Лицо Мэй Уэст (использованное в качестве сюрреалистической комнаты)», газетная бумага, темпера, 1935 год. На этажерках — все виды китайских головоломок и игр на сообразительность.

Рядом библиотека. Слева полки с книгами о великих исследователях. Иллюстрированные альбомы, видеодиски, скульптуры. Справа угол, посвященный Древней Греции. Весь центр полностью забит книгами об Одиссее. Анализы символики «Одиссеи», «Улисс» Джеймса Джойса, карта, на которую нанесен вероятный путь греческого моряка.

— Одиссей, снова Одиссей, вы считаете, что это наваждение могло бы быть симптоматическим?

— Возможно, но тогда у нас было бы слишком много подозреваемых: Циклоп, Лестригоны, Калипсо, Цирцея, сирены...

...не говоря о Пенелопе.

Они поднимаются по лестнице и попадают в четвертую комнату, обтянутую красным бархатом, посреди которой стоит круглая кровать с балдахином, покрытая мятыми простынями, с десятками подушек. Над кроватью висит зеркало.

— Это спальня?

Они осторожно входят.

Лукреция открывает стенной шкаф и обнаруживает несколько комплектов пикантного белья, а в выдвижных ящиках — подборку предметов для воплощения сложных сексуальных фантазий.

— Похоже, седьмой мотив их очень занимал, — подшучивает Лукреция, теребя забавную гибкую штучку, применение которой ей не совсем понятно.

Затем она склоняется над туфлями на тонких каблуках.

— Это мне пошло бы?

— Без ничего вам пойдет, Лукреция.

Она корчит рожицу.

— Нет, я слишком маленькая.

— Вы просто комлексуете.

— По поводу роста — да.

Исидор берет фотоальбом. Лукреция смотрит на фотографии через его плечо.

— Тенардье хотела фотографию обнаженной Андерсен, — шепчет она. — Надо привезти эти. На обложке они произведут фурор.

— Это была бы кража, Лукреция.

— Ну и что? Я была взломщицей до того, как стала журналисткой.

— А я был полицейским до того, как стал журналистом. Я не позволю вам унести их.

Они замечают снимки с праздника и сверху аббревиатуру: НЕБО.

— НЕБО? Вы где-то уже об этом слышали?

— Должно быть, это местная ассоциация. Видите, здесь есть расшифровка: Международный клуб эпикурейцев и распутников*.

---

* По-фр. «небо» — ciel, в романе расшифровывается как Club International des Epicuriens et Libertins.

Исидор продолжает рассматривать фотографии. На некоторых из них Наташа Андерсен и Самюэль Феншэ на фестивале НЕБА.

— Видимо, это что-то, связанное с сексом, клуб обмена партнерами или нечто в этом духе. Да, седьмой мотив решительно силен.

— А вы, Лукреция, какой мотив у вас? — ни с того ни с сего спрашивает Исидор.

Она не отвечает.

Они подскакивают от пронзительного звонка. Телефон. Оба журналиста застывают. Рядом с ними начинает что-то шуршать. Словно снимают простыню. Они и не заметили, что под кучей громоздившихся на кровати покрывал и подушек кто-то лежит.

Топ-модель просыпается. Они бросаются за дверь. Наташа Андерсен, ругаясь, прижимает к ушам подушки, чтобы больше не слышать звонка. Тем не менее телефон не умолкает. Молодая женщина покоряется и встает.

— Спать. Я так хотела поспать. Все забыть. Больше не иметь памяти. Спать. Не могут дать мне поспать! Черт побери!

Она набрасывает шелковый пеньюар и тащится к телефону. Вынимает из ушей ватные шарики и прижимает трубку к щеке. Когда она снимает трубку, звонок затихает.

— Первое — осведомиться. Второе — подумать. Третье — действовать, вы говорили? Мы недостаточно осведомлены, — шепчет Лукреция.

— Она, видимо, глотает транквилизаторы, чтобы восстановить силы. Смотрите, на ночном столике целый набор упаковок.

Журналисты прячутся в платяном шкафу. Наташа Андерсен ворча проходит перед ними и рассматривает себя в зеркале.

— Свет мой зеркальце, скажи, я по-прежнему краше всех?

Она нервно смеется и идет в ванную. Открывает краны, наливает пену и закалывает волосы. Затем раздевается и пробует воду пальцем ноги. Слишком горячо. Она морщится и увеличивает напор холодной струи. Пока ванна наполняется, она принимает различные позы перед зеркалом.

Обнаженная, она извивается всем телом, словно задумала испытать его гибкость, затем протирает лицо льдом. Покончив с этим, она рассматривает свои ягодицы, чтобы удостовериться, что у нее все еще нет целлюлита, и немного приподнимает груди, представляя, как они будут смотреться в новом лифчике.

— Я думала, ваш главный мотив — разгадывать загадки, — шепчет Лукреция.

— Один мотив не мешает другому.

Наташа Андерсен снова проверяет воду и, найдя температуру подходящей, растягивается в ванной. С полки она хватает большой заточенный нож.

Исидор уже готов вмешаться. Но с помощью оружия женщина всего лишь режет огурец на тонкие кружочки, которые небрежно кладет себе на щеки и на глаза.

— Бежим, — говорит Лукреция.

Только они начинают вылезать из своего тайника, как телефон вновь начинает звонить. Они тут же прячутся за дверь.

Наташа выходит из ванной, заворачивается в махровый халат и идет снимать трубку.

— Да. Ах, это ты... ты звонил только что? Нет, я приняла снотворное, чего ты от меня хочешь?.. Почтить память? Это очень любезно, конечно, но... конечно, я знаю, что... Ммм... Ладно, где это будет, в НЕБЕ, я полагаю? То есть я стараюсь не слишком показываться... Ммм... Гмм... конечно, конечно. Да, я тронута. Да, думаю, Самми это бы доставило удовольствие... Хорошо... когда и в котором часу? Подожди, я схожу за записной книжкой.

Топ-модель отправляется на нижний этаж. Лукреция и Исидор все еще не могут убежать.

Лукреция наклоняется к уху своего сообщника.

— НЕБО... распутник, я понимаю, что это такое, но... кто такой эпикуреец?

— Тот, кто разделяет мысль греческого философа Эпикура.

— А кто был этот Эпикур?

— Человек, чей девиз: «используй каждый момент до конца».

39

Его лишили телевидения! Он не спал? Доктор Феншэ только что отнял у него телевидение! Мартен беспокойно моргал. К счастью, Феншэ объяснил ему, что он принес кое-что взамен. И какую вещь...

— Это компьютер с глазным интерфейсом вместо мыши.

Самюэль Феншэ установил возле кровати монитор и камеру на треножнике, прямо перед его глазом.

Сначала Мартен не совсем понял, какая ему польза от этой машины. Но Феншэ объяснил, что это прототип, которым до сих пор пользуется только с десяток людей в мире. Камера записывает движения его глаза и тут же воспроизводит их на экране компьютера. Благодаря этому курсор перемещается. Глаз посмотрит вправо — стрелочка скользнет направо, глаз посмотрит наверх — стрелочка поднимется и т.д. Чтобы щелкнуть, достаточно моргнуть. Чтобы щелкнуть дважды — надо два раза моргнуть.

Доктор Феншэ включил компьютер.

Поначалу Жан-Луи Мартен действовал очень неловко. Стрелочка вертелась налево или направо, бегала по диагонали, и ему было весьма трудно ее зафиксировать. И щелкать тоже было нелегко. Он часто и раздраженно моргал, неминуемо открывая программу, которую потом надо было снова закрывать.

Но за несколько часов ему удалось совладать со своим глазом. В этом ему помогла собственная военная хитрость: он представил, что из его зрачка исходит лазерный луч, который попадает в экран и управляет курсором.

Жан-Луи Мартен просмотрел, какие программы были в компьютере. Он обнаружил, что можно вывести на экран клавиатуру, а это позволяло ему, зафиксировав курсор на клавишах, печатать тексты. Словно его ум, некогда заключенный в небольшую тюрьму черепа, мог протянуть руку через решетку.

На следующий день, когда пришел доктор Феншэ, Жан-Луи Мартен вывел на экран текст, который составил и напечатал сам. В начале было огромное «СПАСИБО», набранное крупным 78-м кеглем, шрифтом Times New Roman, повторенное на трех страницах. Затем: «Доктор Феншэ, вы сделали мне подарок, о котором я и мечтать не мог! Раньше я мог только думать, теперь я могу высказаться!»

Доктор Феншэ прошептал ему на ухо:

— Жаль, что я не подумал снабдить вас этим раньше.

Жан-Луи Мартен открыл текстовый файл и начал писать. Задача была трудна, и он часто нажимал не туда. Его глаз был влажен от возбуждения.

«Можем поговорить?»

— Конечно, — произнес заинтригованный врач.

«Долго мне еще жить?» — крутясь, спросил глаз.

— Ограничений нет. Все зависит от вашего желания жить. Если вы откажетесь психологически, полагаю, вы будете слабеть очень быстро. Вы хотите жить, Жан-Луи?

«Теперь... да».

— Браво.

«Я хочу рассказать миру о том, что испытываю. Это так... так...» Стрелочка бегала во все стороны, словно от волнения Мартен больше не мог управлять глазными мышцами.

В тот вечер Жан Луи Мартен начал писать автобиографическую новеллу, которую озаглавил: «Внутренний мир».

В ней он признался, что, приговоренный к бесконечным размышлениям, он осознал огромную силу мысли.

«Существуют лишь три вещи: действия, слова и мысли. Вопреки общепризнанному мнению, я считаю, что речь сильнее действия, а мысль сильнее речи. Строить или разрушать — это действия. Однако в безграничности времени и пространства они не имеют большого значения. История человечества не что иное, как вереница памятников и развалин, воздвигнутых с воплями и слезами. А мысль, созидательная или разрушительная, может без конца распространиться сквозь время и пространство, возводя множество памятников и развалин».

Его ум как будто танцевал, бежал, прыгал в этой тюрьме.

«Идеи самостоятельны, словно живые существа. Они рождаются, растут, размножаются, сталкиваются с другими идеями и в конце концов умирают. А если у идей, как и у животных, была собственная эволюция? Вдруг идеи производили отбор, уничтожая самых слабых и репродуцируя наиболее сильных? Я слышал по телевидению, что профессор Давкен употреблял понятие "идеосфера". Красивое понятие. Идеосфера существовала бы в мире идей, как биосфера в мире животных. Например, Бог. Понятие Бога — идея, которая, родившись однажды, постоянно изменялась и распространялась, подхваченная и приукрашенная словом, а потом музыкой и искусством; священники каждой религии воспроизводили и интерпретировали ее так, чтобы приспособить эту идею к пространству и времени, в которых они жили. Но идеи перемещаются быстрее, чем живые существа. Например, идея коммунизма, порождение разума Карла Маркса, распространилась в пространстве за очень короткое время и затронула половину планеты. Она изменилась, мутировала и в конечном счете свелась к тому, что количество людей, которые ею интересовались, стало уменьшаться, подобно животным в процессе исчезновения. Но в то же время она заставила измениться идею "старого капитализма". Из битвы идей в идеосфере возникают наши слова, затем действия. Так строится вся наша цивилизация».

Мартен перечитал написанное. Глаз забегал по экрану компьютера, и у него появилась еще одна идея.

«В настоящее время компьютеры придают идеям ускорение. Благодаря Интернету идея может мгновенно распространиться в пространстве, что ускоряет возможность встречи с антиидеями или похитителями идей. Человек обладает непомерной способностью творить идеи исходя из простого воображения. Затем он должен развить их и сам исключить, если они негативные или потенциально разрушительные».

Своим единственным глазом он оглядел других больных вокруг него.

Бедняги. Возможно, человек когда-то был телепатом, но из-за жизни в обществе он утратил эту способность.

Ухо, усовершенствованное периодом, проведенным во тьме, слышало, как вдалеке беседуют санитары. Они говорили об отсутствующем человеке, которого они сильно критиковали.

Они даже не осознают, насколько досягаемы их слова. Иначе они бы не пускали их по ветру.

Жан-Луи Мартен произвел много идей на тему идей.

Спустя несколько недель рукопись составляла около восьмисот страниц. Доктор Феншэ прочитал ее, ему понравилось, и он послал ее некоторым парижским издателям. Они, однако, ответили, что тема уже устарела. В 1998 году парижский журналист Жан-Доминик Боби, получивший травму сосудов, написал книгу «Скафандр и бабочка» о болезни LIS. А написал он ее, прерывая на нужной букве секретаршу, которая перечитывала алфавит. Метод был более красочен, чем у Жана-Луи Мартена с его информационным глазным интерфейсом.

Жан-Луи Мартен удивился, обнаружив, что даже в больших несчастьях, если ты не первый, никому нет до тебя дела.

40

НЕБО расположено в верхних Каннах, в десятке километров от мыса Круазет. Снаружи здание походит на старую провинциальную ферму в окружении рощиц инжира и олив. Здесь приятно пахнет гаригой с примесью шалфея и лаванды. Вход из шероховатого дерева и предупреждение «Осторожно, злые собаки». На медной дощечке надпись: «НЕБО. Международный клуб эпикурейцев и распутников».

Лукреция тянет за цепочку, привязанную к колокольчику. Прежде чем маленькое окошко открылось, они слышат шаги издалека.

— По какому вопросу? — спрашивает голубой глаз.

— Мы журналисты, — сообщает Лукреция.

Большая сторожевая собака лает, словно понимает ее слова. Человек с той стороны с трудом сдерживает пса.

— У нас частный клуб. Нам не надо рекламы.

В последний момент Исидор произносит:

— ...мы сами хотели бы войти в ваш частный клуб.

Тишина. Лай утихает. Собаку увели. Снова слышатся шаги, и замки поочередно открываются.

Внутри очень шикарно и просторно. Перенасыщенное убранство, много позолоты, зеркал, картин. Вход украшает мебель из дорогого дерева. Прохладно.

Человек, открывший им дверь, высокий худой брюнет, его длинное овальное лицо обрамляет седая борода.

— Сожалею, но мы стараемся избегать огласки, — говорит он. — Мы не доверяем журналистам. О нас уже наговорили столько лжи.

Огромная мраморная статуя Эпикура возвышается над входом. Внизу выгравирован знаменитый девиз: «Carpe diem»*.

Мраморный Эпикур странным образом походит на принимающего их человека. Такой же заостренный нос, такой же длинный подбородок, такая же серьезная физиономия, даже завитая борода.

Хозяин протягивает им руку.

— Меня зовут Мишель. Чтобы записаться, заполните этот бланк. Где вы узнали про наш клуб?

— Мы были друзьями Самюэля Феншэ, — бросает Лукреция.

— Друзья Самми! Почему вы не сказали этого раньше? Друзья Самми всегда будут дорогими гостями в НЕБЕ.

Мишель берет Лукрецию за руку и ведет ее к залу в глубине помещения, где уже почти накрыты столы.

— Самми! Как раз в субботу мы организуем большой праздник в его честь. Его смерть была для нас так...

— Тяжела?

— Нет, показательна! Его кончина теперь для всех нас, эпикурейцев, — цель, к которой надо стремиться: умереть, как Самми, умереть от восторга! Разве можно мечтать о более необычном конце, чем у него? Последнее счастье и — занавес. Ах, святой Самми, ему всегда так везло... Счастлив в профессии, счастлив в любви, шахматный гений и апофеоз — его смерть!

---

* Лови мгновение; пользуйся сегодняшним днем (*лат.*).

— Мы можем осмотреться? — перебивает Исидор.

Хозяин эпикурейцев бросает подозрительный взгляд на крупного журналиста.

— Этот господин — ваш муж?

Последнее слово он произносит так, словно это грубость.

— Он? Нет. Это... это мой старший брат. У нас разные фамилии, так как я сохранила свою от моего первого мужа.

Исидор не решается противоречить своей партнерше и берет конфету, чтобы воздержаться от разговора. Президент Клуба эпикурейцев удовлетворен.

— А? То есть вы оба... холосты. Я спрашиваю вас об этом, поскольку должен признать, что у нас много холостяков, и им не очень нравятся супружеские пары, которые ведут себя слишком... по-мещански. Здесь мы требуем свободы. Это знаменитое «L» Неба. Эпикурейцы и распутники.

Говоря это, он посматривает на молодую журналистку.

— И для этого тоже мы хотели сюда записаться... господин... Мишель, — шепчет она.

— Господин Мишель! Великие боги! Зовите меня Мишá. Все здесь зовут меня Мишá.

— Вы не могли бы показать нам ваш клуб, господин... Мишá? — повторяет Исидор.

Тогда хозяин заведения ведет их к двери с надписью «МЕД»*:

Международный музей Эпикурейства и Распутства.

---

* По-фр. «мед» — miel, в романе расшифровывается как «Musée international de l'épicurisme et du libertinage».

— Эпикурейство — это философия. Так же как распутство — манера поведения, — говорит он. — Жаль, что эти понятия приняли непристойную окраску.

Он подводит их к первому экспонату музея: скульптуре из прозрачной смолы, изображающей клетку человеческого тела.

— До того как я стал директором этого клуба, я преподавал философию в лицее Ниццы.

Лукреция и Исидор осматривают клетку.

— Моя теория в том, что все имеет конечной целью удовольствие. Удовольствие есть жизненная необходимость. Даже простая клетка действует через удовольствие. Для нее оно состоит в том, чтобы получать сахар и кислород. Клетка устраивается так, чтобы постоянно впитывать в себя больше сахара и кислорода. Все остальные удовольствия исходят из этой первичной потребности.

Они обходят скульптуру вокруг.

— Удовольствие — вот единственный мотив всех наших действий, — снова заговаривает Мишá, обращаясь к Лукреции. — Я только что видел, как ваш брат украдкой вынул из своего кармана конфету. Это прекрасно. Это эпикурейский жест. Он дает своим клеткам излишек быстрорастворимого сахара, который радует их. И в то же время он не считается с призывами дантистов, которые вдалбливают: «Осторожно, кариес».

Посетители подходят к картине, на которой видят Адама и Еву, поедающих яблоко.

— Фрукты! Сладкий подарок Бога. Это изображение уже само по себе доказательство того, что Бог задумал нас как «существ удовольствия». Кушать —

автоматический акт. Если бы не было удовольствия от вкуса еды, стали ли бы мы прилагать столько усилий, залезая на верхушки деревьев, чтобы собрать фрукты, а затем надрываться, сажая семена, поливая их, пожиная плоды?

Мишá ведет к другим картинам. На минуту он останавливается перед изображением Ноя и его детей.

— Если бы заниматься любовью не было удовольствием, пришла бы мужчине мысль прилагать все эти усилия, чтобы соблазнить женщину, убедить ее раздеться, позволить себя коснуться? Согласилась бы она позволить в себя проникнуть?

Картины и скульптуры становятся все более и более игривыми. Исидор и Лукреция видят изображения средневековых сцен. Мишá комментирует:

— Вопреки тому, что думают, в прошлом человек был более раскован, чем человек современный. Перелом произошел в XVI веке. Религиозные войны и показная добродетель отдалили людей друг от друга. Средние века, эпоха, которую благодаря историку Мишле считают темной, были, однако, намного более чувственными, нежели Ренессанс. До XVI века секс считался нормальной естественной потребностью.

Мишá указывает на изображение кормилицы.

— В те времена некоторые кормилицы имели привычку делать маленьким детям мастурбацию, чтобы успокоить их и помочь заснуть. Гораздо позднее стали считать, что мастурбация провоцирует болезни и даже умопомешательство. Чтобы не было эрекции — это полагалось хорошим тоном в мещанских семьях, — крайнюю плоть окружали металлическим кольцом.

Он предъявляет им металлические кольца. Лукреция замечает, что их концы повернуты внутрь.

— Раньше бургомистры некоторых французских городов финансировали открытие публичных домов для «равновесия своих сограждан и воспитания молодежи».

На гравюрах — внутренние помещения злачных мест.

— Монахи не были обязаны воздерживаться, был запрещен только брак, чтобы не подрывать церковные устои.

Далее — сцены в общественных банях.

— В парильнях — разновидностях турецких бань — мужчины и женщины купались обнаженными. Чтобы дискредитировать эти заведения, церкви понадобилась уловка, что там якобы передаются холера и чума. В конце концов к 1530 году все бани были закрыты.

Далее шли изображения альковов. Миша́ указывает на гравюру:

— В семье люди чаще всего спали голыми. Постели были достаточно широкими, чтобы пригласить на них еще и служанок или проезжих. Предполагают, что тела соприкасались, пусть даже только для того, чтобы согреть друг друга. Но вот в XVI веке появляется первый элемент, противный удовольствию: ночная рубашка.

Он достает ночную рубашку того времени.

— С возникновением этой бесполезной одежды люди теряют привычку спать голыми, соприкасаться кожей, ласкать друг друга, собираться вместе. Герцогиня Бретани сообщает даже, что знатные женщины, чтобы заниматься любовью, носили ночные рубашки с круглой дырой на уровне половых органов. А над дырой были вышиты изображения святынь. С ночной рубашкой появляется целомудренность, а затем становится стыдным показывать свое тело! Люди даже купались и мылись в ночной рубашке.

Следующие предметы — вилка и платок, помещенные под стеклянный колпак.

— В эту же эпоху появляются две другие антиэпикурейские беды: платок и вилка. С первым люди прекратили касаться своих собственных носов, со вторым — продуктов. Осязание больше не требовалось. Удовольствие становилось запретом.

Они останавливаются перед литографией, изображающей святого, пожираемого львами.

— А вот и противник. Он очень рано начал наносить удары. Противоположное эпикурейству — стоицизм.

Миша́ морщится, произнося это слово.

— Стоики извратили стремление к удовольствию. Эпикурейцы хотят удовольствия здесь и сейчас. Стоики же воображают, что боль в настоящем гарантирует им удовольствие в будущем. Они убеждены, что чем больше страдают сейчас, тем больше будут вознаграждены завтра. Это нерационально, но таков драматизм человеческого извращения.

Миша́ подводит их к фотографии, на которой гора и человек, показывающий свои отмороженные пальцы.

— А альпинист, взбирающийся на Эверест, почему же он совершает этот подвиг, как вы думаете? Ему холодно, он страдает, но делает это потому, что полагает, что потом его полюбят намного сильнее. Ах, как я ненавижу героев!

— Некоторые поступают так из романтических побуждений, — медлит Лукреция.

— Романтизм — главный аргумент, чтобы узаконить антигедонизм. Невозможная любовь, может, и романтична, но лично я предпочитаю любовь возможную. Когда девушка мне отказывает, я иду к другой. Будь я Ромео из шекспировской пьесы, я бы тут же заметил, что с родителями Джульетты будут проблемы и, дабы не морочить себе голову, ушел бы и закадрил другую.

— Вы не любите стоиков, не любите героев и романтиков — корочс, вы нс любите ничего, что составляет красивые истории, — подчеркивает Лукреция.

— Зачем страдать? Ради чего отказываться от удобств и наслаждения? Уверяю вас, битва за удовольствие непроста, и ее нельзя выиграть заранее. Эпикур в свое время говорил: «Смысл жизни в том, чтобы убегать от страдания». Но посмотрите на всех этих людей, которые причиняют себе столько боли и находят дурные причины, чтобы провоцировать и поддерживать свою депрессию.

— Возможно, все это ради другого удовольствия: жаловаться, — сдержанно бросает Исидор.

Мишá указываст на надпись: ГАЛЕРЕЯ ПОДВИГОВ. Там висят фотографии смельчаков, пробующих мясо на вертеле у кратера вулкана, мужчин, которых массируют миловидные азиатки.

— Удовольствие — это еще и мизансцена, — уточняет Мишá. — Иногда, чтобы лучше оценить изысканное блюдо, члены нашей организации в течение двух дней воздерживаются от пищи. А еще, как вы видите на этих фотографиях, мы взбираемся на вершины послушать музыку или занимаемся любовью под водой, взяв баллоны для ныряния. Желание удовольствия — это также источник изобретательности.

Они проходят перед изображениями великих любителей удовольствия: Бахуса, Диониса. Гравюра с изображением Рабле в молодости, под которой стоял его девиз: «Делай, что пожелаешь». Лабрюйер: «Смеяться надо прежде, чем стать счастливым. Из страха умереть без смеха».

— Великие эволюционисты XIX века, такие как Герберт Спенсер и Александр Бэн, хорошо это поняли, для них способность к удовольствию — часть естественного отбора биологических видов. Уже в то время они ввели понятие «выживает самый веселый», оно проницательней, чем «выживает сильнейший».

Мишá показывает им большую библиотеку, в которой в ряд выстроились тома с яркими названиями, объединенными в столбцы: «Простые удовольствия», «Сложные удовольствия», «Одиночные удовольствия», «Групповые удовольствия».

— Мы попытались составить исчерпывающий список того, что дает нам особенное удовлетворение. Начиная с почесывания укуса комара и кончая полетом на челночном космическом аппарате, не считая чтения газеты в кафе, прогулки по берегу реки, купания в молоке ослицы или метания гальки. Нужно иметь скромность признать, что удачная жизнь — всего лишь совокупность мгновений удовольствия.

— Возможно, самый большой противник понятия удовольствия — понятие счастья, — вдруг философски объявляет Лукреция.

Директор НЕБА проявляет живой интерес к этому замечанию.

166

— Действительно. Счастье — это абсолют, которого мы надеемся достичь в будущем. Удовольствие же относительно, его можно получить немедленно.

Миша́ подводит журналистов к бару, где дворецкий в ливрее по его требованию подает им светящуюся зеленую массу, которую окружает розовая масса, а в ней — желе охряного цвета.

— Что это?

— Попробуйте.

Кончиком острого язычка Лукреция касается краешка массы. Определенного вкусового сигнала нет. Обычно кончик языка воспринимает только сахар, и его должно быть по меньшей мере 0,5 процента, чтобы появилось ощущение.

Лукреция корчит гримаску сомнения, но Миша́ настаивает. Тогда она берет ложечку и, словно готовясь к тому, чтобы принять обязательное лекарство, одним махом глотает немалое количество этого цветастого и подозрительного продукта. Ее губы вновь закрываются, чтобы прочувствовать вкус. Дабы лучше понять, она закрывает глаза. Язык ее покрыт маленькими розовыми бугорками, сосочками. Внутри каждого сосочка находится скопление яйцевидных нервных клеток, большая часть которых пробуравлена порами. Посылаемые мозгу сигналы распознаются согласно вкусу продукта: сладкий, соленый, кислый или горький. Кончик языка лучше чувствует сладкое и горькое. Соленое и кислое ощущают боковые части языка.

Лукреция различает сразу всего понемногу, сперва соленое, затем появился сладкий вкус. Потом горький. Затем кислый.

— Вкусно, — признает она. — Что это?

— Японское пирожное на основе красной фасоли. Я был уверен, что вам понравится.

Исидор же, любитель классических сладостей, заказывает фисташковое мороженое со взбитыми сливками.

— Любите взбитые сливки? Это нормально. У этих сливок вкус материнского молока. Мы постоянно стремимся вернуться назад, чтобы снова стать детьми. Ибо таким образом мы сливаемся в одно целое с матерью, в одно целое со Вселенной. Мы сверхмогущественны. До девяти месяцев ребенок воображает, что он — это все. Мы храним воспоминание об этом иллюзорном моменте. И вновь находим его частичку во взбитых сливках.

Исидор теребит свое мороженое, пока оно не превращается в аппетитную кашу из взбитых сливок и фруктов.

— Фенш... гм... Самми часто говорил о мотивации, — бросает Исидор.

— Почему о мотивации? Давайте поговорим об удовольствии, — отвечает Мишá. — Прекращение боли — удовольствие. Исчезновение страха — тоже удовольствие. Есть, спать, пить, заниматься любовью — все это удовольствия. Самми не был сторонником мотивации. Он был ценителем удовольствий. Но слово «удовольствие» настолько подозрительно в наши дни, что он не мог, не рискуя, произносить его. Однако я убежден, именно это слово он имел в виду, повторяя термин «мотивация» после своей победы над DEEP DLUE IV. Его смерть — последнее тому доказательство. И должен сказать вам, что выражение «феншэризировать себя» снова вошло в наш жаргон — теперь оно означает убивать себя экстазом во время акта любви.

— То есть, вы думаете, он умер от любви? — спрашивает Лукреция, замечая позади себя еще один плакат: «Лучше грех, чем лицемерие».

— Конечно. Именно фантастический оргазм разрушил его мозг!

— Я слышу, говорят об оргазме, мне ведь можно присоединиться к разговору?

К ним походкой английского денди приближается человек. У него черные с проседью волосы, щегольские остроконечные усы, правый ус он подкручивает рукой. На нем льняной костюм, белая рубашка, а вокруг шеи небрежно повязан шелковый платок. Лицо слишком загорелое, даже для жителя Лазурного берега, жесты несколько жеманные, но грациозные.

— Представляю вам Жерома, завсегдатая нашего клуба.

— Надо же, Миша́, ты скрыл от меня, что у нас появились новые приверженницы, тоже «пробужденные чувствами».

Человек, названный Жеромом, целует руку Лукреции.

— Жером Бержерак. К вашим услугам, — говорит он и протягивает визитную карточку, на которой действительно написано: «Жером Бержерак, миллиардер-бездельник». Идея кажется Лукреции довольно забавной.

— А что значит «миллиардер-бездельник»? — спрашивает она.

Жером усаживается рядом с ними, подносит свой монокль к правому глазу и морщит щеку, чтобы лучше его закрепить.

— Как-то раз я проводил время на своем двадцатипятиметровом паруснике в компании трех call-girls,

169

рыжей, блондинки и брюнетки. Они были загорелые, словно теплые круассаны, самой старшей — всего двадцать два. Я только что позанимался любовью с каждой по очереди и со всеми тремя одновременно и смаковал бокал шампанского, смотря вдаль, на острова, покрытые кокосовыми пальмами, на бирюзовое море и оранжевый закат. И я сказал себе: «Хорошо, а что я делаю теперь?» У меня был сильнейший приступ хандры. Я осознал, что я на вершине всего того, что могло мне предложить человеческое общество, и что подняться выше я уже не могу. Как ученики, которые получают двадцать баллов из двадцати и потому не имеют возможности сделать больше. Осознание этого обескуражило меня, и тогда я стал искать то, что выше вершины, и нашел НЕБО!

Мишá достает бутылку шампанского, и все они произносят тост.

— За НЕБО!

— За Эпикура!

— За Самми...

Жером задерживается.

— Я хорошо знал Самми, — говорит Жером. — Это был великодушный человек. Ему везло в битве за благородное дело: оценку качеств человека, который всегда превзойдет машину. Он не был тем глуповатым эпикурейцем, путающим эпикурейство и эгоизм, каких можно видеть здесь, если ты мне позволишь, Мишá. Самми действительно считал, что эпикурейство — путь к мудрости, не так ли?

Он покрутил свой стакан.

— Мы помянем его в субботу на празднике, — сообщает Мишá. — Наташа тоже пообещала мне явиться.

— И мы тоже можем прийти? — спрашивает Лукреция.

— Конечно, вы ведь теперь члены...

Жером Бержерак нехотя отходит в сторону, не преминув послать едва уловимый воздушный поцелуй.

41

Доктор Самюэль Феншэ был изумлен, что книгой Жана-Луи Мартена никто не интересуется. Чтобы утешить его после провала в издательском мире, Феншэ привел программиста, который добавил еще одну техническую новинку: Интернет.

Таким образом, Жан-Луи Мартен мог не только получать сообщения напрямую, но и посылать их, не нуждаясь в посреднике.

Его разум, запертый в больнице, наконец-то получил возможность преодолеть стены. Выражаясь образно, за кистью последовала вся рука, пройдя сквозь решетку, чтобы подобрать оставшуюся информацию.

Зафиксировав на поисковике «болезнь LIS», он обнаружил сайт, посвященный этой болезни. Другое ее название было «синдром заживо заточенного». Определенно, врачи владели искусством создания потрясающих формулировок. Странное проклятие привело его в то же самое место, в форт Святой Маргариты, где некогда был заключен Железная Маска.

А еще Мартен узнал об американце по имени Уоллес Каннингем, который страдал от того же, что и он, но получил новое лечение.

В 1998 году невропатологи Филипп Кеннеди и программистка Мелоди Мор из университета Эмори вживили в кору его головного мозга датчики, способные улавливать подаваемые мозгом электрические сигналы и преобразовывать их в радиоволны, превращаемые в язык программирования. Таким образом, всего лишь силой мысли Уоллес Каннингем управлял компьютером и общался со всем миром.

К своему большому удивлению, Мартен обнаружил, что, благодаря мозговым имплантатам, американец мог плавно набирать текст и писать практически со скоростью речи.

Французский и американский LIS общались на английском.

Но как только Мартен сообщил, что болен той же болезнью, Уоллес Каннингем ответил, что у него нет желания продолжать этот разговор. В самом деле, он признал, что предпочитает говорить только о здоровых. Он считал, что в том и есть преимущество Интернета: там не судят по виду. Тем более у него не было желания создавать виртуальную деревню инвалидов. «К тому же ваш псевдоним, Овощ, вас выдает. Он показывает, каким вы сами себя представляете. Я же называю себя Суперменом!..»

Жан-Луи Мартен не нашел что ответить. Он вдруг понял, что тюрьмы бывают не только физические, но еще и тюрьмы предубеждений. По крайней мере, Каннингем заставил его осознавать свои пределы.

Он поговорил об этом с Феншэ. Его проворный глаз бегал по экрану, чтобы выбирать буквы алфавита, которые он использовал для составления слов.

«Мне кажется, наша мысль никогда не свободна», — написал он.

— Что вы хотите этим сказать? — спросил врач.

«Я не свободен. Я обесценил себя. Мы живем в системе предубеждений. Мы поддерживаем в действительности предвзятые мнения и устраиваемся так, чтобы реальность подтверждала эти мнения. Я начал об этом говорить в своей книге, но далеко заходить не стал».

— Продолжайте, мне интересно.

Феншэ терпеливо ждал, пока Мартен разовьет свою мысль. Возникающие предложения были длинными.

«Школа, родители, окружающие внушают нам предвзятые подходы к взгляду на мир. Мы смотрим на все через эти искажающие призмы. Результат: никто не видит, что происходит в действительности. Мы видим лишь то, что хотим увидеть сначала. Мы без конца переписываем мир, чтобы он подтверждал наши предубеждения. Наблюдатель изменяет наблюдаемое им».

Замечание позабавило Феншэ, который смотрел на это по-другому.

«Для меня быть больным — это поражение. Быть инвалидом, по-моему, стыдно. Когда я общаюсь с другими, я бессознательно прошу их напомнить мне об этом. И не могу от этого удержаться».

Ученый был впечатлен результатами Жана-Луи Мартена. Он печатал быстро, как секретарь. Со скоростью чуть ниже нормальной речи. Обязанность создает средство. Время, проведенное за написанием книги, не принесло ему писательской славы, но придало удивительную живость.

— Осознание этого уже есть шаг к освобождению от предрассудков, — ответил он.

«В самом деле, мы не позволяем реальности существовать. Мы приходим в мир с убеждениями и, если реальность противоречит им, сделаем все для того, чтобы понять ее превратно. Например, если я уверен, что люди будут меня отталкивать, потому что заметят, что я инвалид, а они не станут этого делать, я начну неверно воспринимать малейший их намек, чтобы можно было сказать: "Вот видите, они меня отталкивают, поскольку я инвалид"».

— Это принцип паранойи. Страх создает опасность.

Самюэль Феншэ вытер слюну, которая снова потекла.

«Это еще хуже. Мы нападаем на реальность. Постоянно изобретаем реальность, удобную только для нас, и, если эта реальность не согласуется с реальностями других, мы их отрицаем!»

Глаз Жана-Луи Мартена выражал гнев или, скорее, энтузиазм, который никто не смог бы сломить. «Думаю, мы все сумасшедшие, доктор. Потому что деформируем реальность и не способны принять ее такой, какая она есть. Люди, которые кажутся остальным самыми симпатичными, — это те, кто способен лучше скрывать свое восприятие реальности, чтобы создавать впечатление, что они принимают реальности других. Раскрой мы все, о чем думаем в действительности, мы бы только и делали, что спорили».

Он остановился.

«Возможно, это самое ужасное, что я осознал: я считал себя физическим инвалидом, а, поразмыслив как следует, замечаю, что я инвалид умственный. Я не способен постичь мир».

Доктор Феншэ помедлил с ответом.

«Существует ли хоть кто-то, способный принять реальность такой, какая она есть, не желая додумать ее?» — настаивал Жан-Луи Мартен.

— Мне кажется, это и есть цель жизни здорового человеческого разума. Принять реальный, действительный мир, возможно, отличный от того, каким мы его желаем видеть.

«По-моему, это мы изобретаем реальность. Ведь это мы определяем свое место в мире. И именно наш мозг превращает нас в шесть миллиардов богов, едва сознающих свои возможности. Итак, я собираюсь определить свое мировоззрение и разрушить рамки обстоятельств. И отныне решаю считать себя отличным парнем в захватывающем и неизведанном мире, против которого у меня нет никакого предубеждения», — написал тогда Жан-Луи Мартен.

Самюэль Феншэ стал по-другому смотреть на своего больного. Куда подевался скромный служащий юридической службы ниццкого банка? Мартен был как кокон, превращающийся в бабочку, хотя не тело, а разум развертывал свои разноцветные крылья.

— Вы начинаете меня поражать, Мартен.

«Этой ночью я видел сон, — написал больной. — Мне снилось, что есть шикарный салон, где все радуются. И вы, не знаю почему, были там в самой середине с огромной головой, гигантской, три метра высотой».

Самюэль Феншэ взял его за руку.

— Сон — как раз единственный отрезок времени, когда мы свободны. Во сне мы позволяем нашим мыслям делать, что им хочется. Ваш сон ничего не означает, разве что, возможно, вы меня переоцениваете.

42

Полдень, и НЕБО в полном возбуждении. Возле сельского домика, резиденции Клуба Эпикурейцев, один за другим паркуются муаровые лимузины. Из них выходят роскошные люди. Женщины в платьях от кутюр раскрывают веера и поправляют шляпы. Тепло.

Исидор и Лукреция останавливают свой мотоцикл с коляской. Они снимают каски, очки и плащи красного и черного цвета, из-под которых виднеются вечерние туалеты. На Лукреции пурпурное платье с разрезом, на Исидоре зеленый пиджак и просторная рубашка из бежевого поплина. Лукреция переобувается. Вместо мотоциклетных сапог на ней черные лодочки на каблуках-шпильках и модные чулки в сеточку. Исидор остается в мокасинах. Он смотрит на свою подругу, которую никогда ранее не видел в такой одежде. Теперь это уже совсем не девчонка, она определенно выглядит как роковая женщина. Длинные рыжие волосы, ниспадающие на пурпурное платье с разрезом, еще больше подчеркивают изумрудно-зеленые глаза, чуть подведенные черным карандашом. Блестящая губная помада придает ее лицу сияние. Благодаря высоким каблукам она стала на несколько сантиметров выше.

— Эти туфли новые, и они мне жмут. Давайте побыстрее зайдем, чтобы я от них освободилась, — с беспокойством признается Лукреция.

Оба журналиста присоединяются к тем, кто ждет, чтобы пройти на праздник, а в это время из громкоговорителей раздается симфоническая музыка.

Жером Бержерак в кашемировой куртке с моноклем в руке подходит их поприветствовать. Он предлагает им посмотреть на его «Киску».

— Это ваша подруга?

Миллиардер ведет их за дом. Там, в центре поля, они замечают то, что было названо «Киской». Это воздушный шар, постепенно приобретающий объем благодаря потоку теплого воздуха. На пока еще приспущенной сфере изображено лицо Самюэля Феншэ в три метра высотой.

— Это в честь Самми. Он по-прежнему рядом с нами. Шар надувается долго, но думаю, что к концу праздника «Киска» сможет послужить апофеозом, не так ли?

Жером снова целует ручку красивой журналистке.

— Ну а вы, как всегда, богатый бездельник?

— Как всегда.

— Если у вас слишком много денег, я с удовольствием вам помогу.

— Это была бы медвежья услуга. Когда денег нет, кажется, что они — решение всех проблем, а когда они есть, как в моем случае, обнаруживаешь большое зияние. Хотите, расскажу вам о самом лучшем? На прошлой неделе я взял лотерейный билет — так, лишь для того, чтобы показаться «бедным», — и выиграл! Так уж устроен мир, дело только за тем, не нужно ли нам чего-нибудь. К примеру, сейчас я хотел бы, чтобы мне не были нужны вы...

Исидор выказывает нетерпение.

— Послушай, сестричка, полагаю, праздник уже начинается. Не стоит пропускать начало.

Они входят и видят Мишá, который дает указание охраннику, чтобы тот их впустил.

Пара садится за позолоченный стол. Лукреция пользуется тем, что длинная скатерть скрывает ее ноги, и сбрасывает туфли. Она массирует пальцы, изболевшиеся в слишком тесной обуви. Она вспоминает китаянок, которых обязывали перебинтовывать стопу, чтобы ножки были маленькими, и думает о том, что современная мода заставляет женщин страдать ничуть не меньше. Она веером растопыривает пальцы с накрашенными ногтями и гладит их, дабы утешить за то, что пришлось им навязать во имя красоты и грации.

Мажордом раздает карточки с программой: еда, речи, сюрпризы.

Все сели, двери закрываются. Звучит ода «К радости» Бетховена, тем временем сцена освещается. На эстраду поднимается Мишá, держа в руке свои записи, он становится лицом к столу и начинает краткий доклад на тему удовольствия.

Президент НЕБА напоминает, что удовольствие — долг каждого человека. «Возлюби себя, и познаешь небеса и богов», — декламирует он, перефразируя Сократа, который призывал: «Познай себя». Он осмеивает стоиков, романтиков, героев, мучеников и мазохистов, которые не поняли, что мгновенное удовольствие — главная движущая сила жизни.

— Богу нравится видеть нас радостными, — заключает он.

Аплодисменты.

— Спасибо. Пируйте. Если вам нравится: ешьте руками! И не забывайте: грех лучше лицемерия.

Слуги в ливреях приносят блюда с икрой и шампанское; на бутылках указан год урожая. Маленькие рыбьи яйца лопаются на зубах, сок их растекается во рту. Шампанское заливает зародышей, заключенных в икре, и спирт высвобождает вкус нескольких сортов белого винограда, который поднимается к задней части нёба, и обонятельные сенсоры начинают улавливать аромат.

Мишá напоминает, что вечер посвящен памяти доктора Самюэля Феншэ.

— ...Но помимо того восхищения, которое мы испытываем к Феншэ как к психиатру-реформатору, талантливому невропатологу, гениальному шахматисту, Феншэ — это образцовый эпикуреец, чему я хотел бы воздать здесь честь.

— ...Друзья мои, друзья мои! Повторяю, мы тут не для того, чтобы жить несчастными, и уж тем более не для того, чтобы умереть несчастными. Да будет облик Самюэля Феншэ маяком, который ведет нас. Умирать счастливыми. Умирать от удовольствия. Умирать, как Феншэ!

Снова овация.

— Спасибо. И еще. Мы имеем большую честь видеть среди нас Наташу Андерсен.

Топ-модель встает под звуки оды «К радости». Овации усиливаются. Аплодируя вместе со всеми, Лукреция Немро наклоняется к Исидору Катценбергу.

— По-моему, она ледяная. Я никогда не понимала, почему мужчин так привлекают эти высокие скандинавские блондинки.

— Может быть, потому, что они вызывают желание состязаться? Как раз потому, что они кажутся нечувствительными, хочется заставить их взволноваться. Вспомните Хичкока, он любил только холодных блондинок, так как утверждал, что, когда те делают что-то, слегка выходящее за рамки обычного, это сразу же кажется необыкновенным.

Наташа Андерсен склоняется к микрофону:

— Добрый вечер. Самюэлю понравилось бы здесь, среди вас, на этом празднике. Незадолго до смерти, когда мы разговаривали в машине, он сказал мне: «Думаю, мы переживаем переходный период, все становится возможным, нет больше технических границ в расширении человеческого разума, единственное, что замедляет это расширение, — наши страхи, архаизмы, наши блокировки и предубеждения».

Аплодисменты.

— Я любила Самюэля Феншэ. Это был светлый ум. Вот все, что я могу сказать.

Она садится, и праздник продолжается. Слуги приносят большие подносы с холодными и горячими блюдами. Свет гаснет. Бетховена сменяет Гендель. Он лучше способствует пищеварению.

Исидор и Лукреция незаметно подкрадываются к Наташе Андерсен.

— Мы расследуем смерть Феншэ.

— Вы из полиции? — спрашивает топ-модель, не удостоив их даже взглядом.

— Нет, мы журналисты.

Наташа Андерсен смотрит на них с пренебрежением.

— Мы думаем, это убийство, — произносит Исидор.

Она растягивает рот в разочарованной улыбке.

— Я видела, как он умирает в моих объятиях. В комнате больше никого не было, — говорит она, отворачиваясь, чтобы посмотреть, нет ли кого, беседа с кем была бы ей приятнее.

— Наши чувства порой нас обманывают, — настаивает Лукреция. — Судебный эксперт, делавший ему вскрытие, был убит, когда собирался добавить к расследованию новый факт.

Наташа Андерсен сдерживается и очень медленно произносит:

— Предупреждаю, если вы расскажете что бы то ни было, бросающее тень на меня или на моего бывшего друга, я пошлю к вам своих адвокатов.

Металлически-голубые глаза топ-модели с вызовом смотрят в изумрудные глаза журналистки. Обе молодые женщины напряженно, без улыбки, изучают друг друга.

— Мы здесь, чтобы помочь вам, — мягко говорит Исидор.

— Знаю я вас, вас и вашу породу. Вы здесь, чтобы попытаться воспользоваться моим именем и написать скандальную статью, — отрезает Наташа Андерсен.

Тут появляется Мишá, дабы представить вновь прибывших бывшей подруге Феншэ. Лукреция и Исидор отходят.

— Она вам не нравится? Это нормально. Красивых девушек всегда ненавидят, — забавляется Исидор.

Лукреция пожимает плечами.

— Знаете, чего бы мне в эту секунду хотелось больше всего?

43

«...Такой же имплантат в мозгу, как у Каннингема». Феншэ взглянул на своего больного.

— Сожалею, но это очень дорогая операция. В больнице мне и так каждый день сокращают кредиты. По-моему, чиновники предпочитают отдавать деньги в тюрьмы, поскольку это успокаивает «мещанина-налогоплательщика-избирателя». О сумасшедших же предпочитают забыть.

Глаз Мартена блестел. Недавняя гимнастика для глаз дала свои плоды.

«А если я найду средства обогатить эту больницу?»

Врач наклонился к больному и прошептал ему на ухо:

— В любом случае у меня нет сноровки. Трепанация — штука тонкая. Малейшая ошибка может повлечь серьезные последствия.

«Я готов рискнуть. Вы согласны произвести это вмешательство, если я сумею превратить вашу больницу в процветающее предприятие?»

Когда Самюэль Феншэ давал согласие, он все еще сомневался.

Лицо Мартена не могло выразить убежденность, но он написал так быстро, как мог:

«Вспомните, Самюэль, вы сказали мне, что хотите углубить реформы. Я готов помочь вам».

— Вы не отдаете себе отчета, насколько здесь трудно сдвинуть что-либо с места.

«А вам не кажется, что трудно бывает потому, что мы ничего не делаем. Доверьтесь мне».

Феншэ кивнул.

Жан-Луи Мартен надеялся быть на высоте своего вызова.

Он рассмотрел проблему со всех сторон. Сперва разыскал примеры в истории.

У древних греков была церемония, в течение которой недееспособных людей бросали в море во имя искупления грехов сообщества. В Средние века к деревенским дурачкам относились терпимо, но осуждали и сжигали как колдунов тех, кого считали одержимыми.

В 1793 году, когда Французская революция раздула смуту на парижских улицах и во всех сферах общественной жизни гулял ветер перемен, доктор Филипп Пенэль, молодой врач, друг Кондорсе, стал директором больницы Бисетр, самого большого дома для умалишенных во Франции. Он увидел, в каком положении были сумасшедшие того времени. Они были заключены в темные камеры, где не было ни одного свободного квадратного метра, сидели связанные и избитые — с сумасшедшими обращались как с животными. Чтобы угомонить их, им пускали кровь, погружали в ледяные ванны, заставляли глотать слабительное. После того как разрушили Бастилию, Филипп Пенэль предложил открыть новые психиатрические больницы. Во имя свободы опыт был предпринят.

Жан-Луи Мартен рассказал историю Филиппа Пенэля Самюэлю Феншэ и предложил ему продолжить дело этого реформатора.

— А что случилось потом?

«Большинство освобожденных Пенэлем потребовали, чтобы их снова поместили в больницу».

— Значит, эксперимент провалился.

«Филипп Пенэль недалеко зашел. Сумасшедшим все равно, где быть, снаружи или внутри, это ничего не меняет, важно то, что они делают. Пенэль отстаивал мнение, что сумасшедшие — нормальные люди. Нет, они не нормальные, они другие. Значит, их надо не приравнять к нормальным, а убедить в их специфичности. Я уверен, что недостатки больных можно превратить в преимущества. Да, они опасны, да, некоторые предрасположены к самоубийству, они нетерпимы, раздражительны, они разрушители, но как раз эту отрицательную энергию и надо направить в нужное русло, чтобы она превратилась в положительную. Неисчерпаемую энергию безумия».

44

Исидор залпом выпивает свой стакан.
— И что бы доставило вам удовольствие?
— Сигарета!

Лукреция Немро встает, направляется к одному из гостей и возвращается с ментоловой сигаретой «ультралайт». Она с наслаждением затягивается.

— Лукреция, вы курите?

— Все эти эпикурейцы в конце концов убедили меня в справедливости лозунга: «Carpe diem». Как вы это переводили? «Пользуйся каждым моментом, словно он последний». Кроме того, что-нибудь ужасное с нами может произойти в любой момент. Если в эту секунду в меня ударит молния, я скажу себе: «Какая жалость, что я так больше и не покурила».

Она медленно вдыхает и держит дым в легких как можно дольше, прежде чем выпустить его через ноздри.

— Давно вы бросили?

— Три месяца назад. Ровно три месяца. Но это ничего не значит. Я выбрала очень напряженную профессию, при которой так или иначе буду вынуждена падать снова и снова, так же, как здесь, в храме распущенности.

Исидор вытаскивает свой карманный компьютер и что-то записывает. Лукреция нечаянно выпускает немного дыма ему в лицо, и он кашляет.

— Растения изменили наше общество. Табак, а также утренний кофе, который нас будит, шоколад, от которого некоторые люди полностью впадают в зависимость; чай, виноград и забродивший хмель, позволяющие нам достигнуть опьянения; затем конопля, марихуана, производные макового сока, из которых получают наркотики. Растения берут свой реванш. Восьмая потребность...

Лукреция закрывает глаза и отключается, чтобы испытать полное удовольствие от каждой дозы никотина. Дым касается ее нёба, проходит через горло, оставляет тонкую пленку раздражающей пыли на чистой слизистой оболочке, затем спускается в трахею. Наконец он попадает в альвеолы ее легких. Там все еще содержится смола трехмесячной давности, которая с восторгом встречает неожиданно явившийся токсичный пар. Никотин быстро поступает в кровь и поднимается к мозгу.

— Ради этой секунды стоило отказываться от курения. Ах, если бы вы знали, как мне дорога каждая затяжка, думаю, я докурю эту сигарету до фильтра. Ничего мне не говорите. И не отрывайте меня, дайте посмаковать момент.

Исидор пожимает плечами.

А что, собственно, я могу ей сказать. Что, кури она постоянно, это разрушит систему регуляции сна, настроения и вес? Что отныне она будет рабыней никотина и смолы, рискуя потерять нормальный сон и стать сварливой? Что она полностью засорит свои легочные альвеолы, вены и клетки? В любом случае курильщики никого не слушают, они считают, что удовольствие даст им полное право.

Он пытается избавиться от этих мыслей и смотрит по карточке, что дальше в программе празднеств. Слева от них полный пожилой мужчина целует взасос очень тонкую девушку. Видимо, они не нашли темы для разговора, но отсутствие диалога их особо не стесняет.

Лукреция как будто насытилась своей сигаретой. Она тушит ее.

После табака у меня остается привкус грязи и горечи. Почему я курю?

45

В последующие недели Жан-Луи Мартен погрузился в историю психиатрии, анализируя собственное положение. Он занялся составлением схем, таблиц, диаграмм. Приняв в расчет силу сопротивления администрации, он включил в уравнение вялость больных. Поскольку общество возвело их в ранг неполноценных, они сами имели о себе ничтожное представление. Мартен, таким образом, осознал, что надо восстановить их самоуважение, придать им значимость и предложить стать активными участниками своей судьбы. Он учел, что никто так просто не станет играть в эту игру, но для начала ему была необходима небольшая группка активистов. Он знал, что потом это расплывется, как капля масла.

Мы всячески уважаем свободную волю больных. Надо, чтобы из них выходила энергия.

Жан-Луи Мартен поделился размышлениями с доктором.

Возможно, он разрешил мою задачу, подумал про себя восхищенный Феншэ. *Он прав, сумасшествие — созидательная энергия, как и другие. И как при других видах энергии, достаточно придать ей направление, чтобы двигатели заработали.*

Им удалось воскресить идею Филиппа Пенэля. Спустя несколько недель они дошли до практического применения. Самюэль Феншэ дал указания позволить больным работать. Первый толчок был дан. Они сумели убедить зарубежных партнеров. За несколько месяцев деньги стали прибывать. Больница давала прибыль.

Теперь Самюэль Феншэ должен был сделать то, что обещал Жану-Луи Мартену. Он связался с американской бригадой медицинского центра университета

Эмори в Атланте. Американские ученые следили через Интернет за последовательными этапами операции, которую Самюэль Феншэ доверил лучшему нейрохирургу больницы. Согласно инструкции с помощью своих ассистентов он отсканировал мозг Мартена, чтобы определить наиболее активные зоны коры, когда пациент думал. Затем, не открывая череп полностью, лишь просверлив в нем две маленькие дырочки, в мозг ввели два двухмиллиметровых полых стеклянных конуса, каждый в одну из областей, отраженных на сканере. В конусах был электрод, покрытый нейротрофическим веществом, взятым из тела Мартена, — оно помогало ткани регенерироваться и привлечь нейроны.

Итак, нейроны, протягивая свои окончания в мозгу, вступали в контакт с обоими электродами. На руку сыграло то, что нейроны походят на ползучий плющ, ищущий, к чему бы прицепиться, с чем соединиться и где восстановиться. Спустя несколько дней произошла встреча. Дендриты нейронов, обнаружив электроды, соединились с ними, и вскоре нейроны вросли в тонкую медную нить. Вокруг стеклянных конусов вырос настоящий куст нейронов-ежевик. Удивительное слияние органики и электроники!

Сами электроды были соединены с передатчиком, помещенным между черепной костью и кожей, под волосяным покровом. Предварительно надо было вживить под кожу плоскую батарею для питания передатчика.

Снаружи хирург поместил электромагнит, поддерживающий батарею, и радиоприемник, принимающий испускаемые мозгом сигналы. Последние усиливались и переводились в понятные компьютеру данные. Самым трудным была калибровка. Каждый вид мысли надо было перевести в соответствующее движение на экране компьютера. Через несколько дней Жан-Луи Мартен, приковав глаз к экрану, сумел достичь мыслью той же скорости движения курсора, что и глазом посредством камеры. Но превзойти ее ему не удалось.

Самюэль Феншэ спросил об этом американскую бригаду, которая объяснила, что надо просто добавить электродов. Чем большее количество активных зон коры головного мозга можно было определить и чем больше электродов вживляли в них, тем выше становилась скорость выражения мысли. У Каннингема их было четыре. Несколькими днями позже хирург опять вскрыл череп своего пациента и добавил два новых электрода, а чуть позже — еще два. Теперь мозг Жана-Луи Мартена был начинен шестью маленькими стеклянными конусами. Мысли текли все более и более плавно.

«Работает! — написал больной. — Надо бы изобрести новый глагол, чтобы описать то, что я делаю. Все, что я думаю, автоматически записывается на экране по моему желанию. Как бы это назвать: мыслепись?»

Я мыслепишу, ты мыслепишешь, он мыслепишет?

«Да. Красивый неологизм».

За словами последовали фразы — как будто постепенно открывали кран, из которого текли мысли.

Самюэль Феншэ первым подивился успеху эксперимента.

У Жана-Луи Мартена было такое ощущение, словно во время первого подключения к компьютеру его разум вышел из черепа, затем — при подключении к Интернету — вышел из больницы, а теперь, благодаря имплантатам, достиг Мировой информационной сети.

Глаз, переставший выписывать кренделя в поисках букв, мог, наконец, сосредоточиться на экране. Мартен выдал фразу: «Маленький шаг в моем мозгу — большой шаг для человечества, не так ли, доктор?»

— Да, несомненно... — ответил Самюэль Феншэ.

И в то же мгновение, покоренный скоростью выражения мыслей своего пациента, он спросил себя, не превратился ли он в подобие доктора Франкенштейна и сохраняет ли по-прежнему превосходство над этим изумительным неподвижным больным, чья мысль оказалась столь творческой.

«Полагаю, электроника усилит могущество мозга так же, как инструмент сделал руку сильнее».

Когда он это писал, дендриты нейронов под его черепом продолжали накапливаться на конце конусов электродов, подобно ползучим растениям, обнаружившим источник воды.

46

В огромном зале НЕБА приглашенные танцуют вальс Штрауса. Развеваются шелковые и муслиновые платья, безупречно выглядят мужчины в своих черных смокингах. Люди смеются и улыбаются. Никакого стресса. Приятная беззаботность эпикурейства.

А что, если бы реализация общественной деятельности была такой: изысканная еда, молодые и красивые женщины в модных платьях, веселая музыка? Зачем все время грустить? Зачем страдать?

Исидор рассматривает удивительно спокойного человека. У него нет ни одной морщинки. Эпикурейство как будто идет ему на пользу. И с ним столь же безмятежная женщина... Пара без лжи, без волнений, которая предпочитает ценить момент, не думая о других и о будущем.

Как это, должно быть, приятно не принимать все близко к сердцу и жить только для того, чтобы пользоваться хорошими вещами и лишь для самого себя, забывая об остальных. Но вот способен ли на это я?

Пара танцует. А Исидор думает, что они породят детей, на плечи которых тоже не будет давить тяжесть мира. Поколения спокойных людей.

К ним присоединяется Жером Бержерак с бутылкой шампанского в руке. Он наливает нектар в узорчатые фужеры.

Вдруг зал сотрясается от сильного грохота.

Входная дверь выбита, неожиданно вваливаются десятка два молодых людей, одетых в черную кожу, с черными мотоциклетными касками на голове, с черными щитами и дубинками.

— Это что, аттракцион? — спрашивает Исидор.

Жером Бержерак морщит бровь.

— Нет. Это Стражники добродетели...

47

Благодаря новому сверхскоростному интерфейсу Жан-Луи Мартен мог видеть, чем занимаются его жена и дети. Стоило только подключиться к камерам наблюдения, установленным в школе и в кабинете его жены. Несмотря на то что они оставили его, он продолжал думать о них. «Замечательный человек», он простил и по-прежнему любил свою семью. Он чувствовал себя ободренным, как будто вновь держал свою судьбу в своих руках.

Изабелла, его супруга, говорила об агентстве, где была взята напрокат машина, сбившая его. Будучи в прошлом опытным серфером в Интернете, Жан-Луи Мартен отыскал сайт агентства по аренде и обнаружил номер водительских прав, а затем и настоящее имя убийцы: Умберто Росси, бывший врач Святой Маргариты. Оказывается, мир тесен и некоторые встречи, возможно, тому доказательство. Но Росси уволили. Он поискал адрес и обнаружил, что у того больше нет дома.

Наконец он нашел его в полицейской картотеке, в списке людей без определенного места жительства. Оставив больницу, Умберто Росси опустился на самое дно. Теперь он был жалким нищим, отсыпающимся после попоек на каннском пляже, пока полиция не забирала его, чтобы вычесать вшей или отправить на принудительную дезинтоксикацию. В полицейском досье отмечалось, что Росси хранил свои вещи под третьей скамьей на Круазет. Благодаря городской видеокамере, коими Канны были хорошо обеспечены, Мартен мог увидеть его. Экс-нейрохирург, бородатый и вшивый, шел нетвердой походкой с бутылкой дешевого розового вина в руке.

Мартен внимательно всматривался в этого нищего. Так, значит, из-за этого несчастного он больше не может пользоваться своим телом... Его охватило желание уничтожить бродягу.

Благодаря могуществу своего разума, глазами которого были тысячи цифровых камер во всем мире, а руками — механизмы жестких дисков, связанные с роботами, он знал, что теперь может это сделать. Он мог раздробить его в автоматической двери. Он мог составить полицейское досье, в котором Росси был бы выставлен как опаснейший извращенец. Его палач был доступен его разрушительной воле.

Но тут Мартена посетила одна мысль.

Мой разум слишком велик, и мне нужен столь же великий моральный дух.

Он долго беседовал с Феншэ. В результате этого диалога было решено, что, возможно, было бы разумно обогатить мозг Мартена программой искусственного интеллекта, которая позволила бы ему не только думать быстрее и вместе с тем глубже, но также и помогла бы выработать «новую мораль» для человека будущего.

Больной LIS выбрал программу искусственного интеллекта, которой пользуются авиадиспетчеры, чтобы избежать перекрещивания траекторий полета самолетов. Это была самая совершенная на сегодняшний день программа. Затем Феншэ и Мартен вместе перепрограммировали компьютер, снабдив его системой, включающей «человеческие ценности». Они начали с того, что ввели в основную память десять заповедей Ветхого Завета: не убий, не укради, не завидуй и т.д.

«Странно, — заметил Самюэль Феншэ, — это не императив. Как если бы Ветхий Завет возвещал пророчество: однажды, когда ты станешь умнее, ты больше не захочешь убивать, воровать или завидовать».

Однако они исключили заповеди, связанные с повиновением Богу. Понятие «Бог» пока было за пределами компетентности компьютеров. Они заменили его человеческими ценностями.

К заповедям Ветхого Завета они добавили заповеди Нового: возлюбите друг друга. Затем, чтобы усилить систему, они переписали *Тай Цзы-цюань*: согнутый выпрямится, пустой наполнится, изнуренный восстановится. Внесли также поэму Редьярда Киплинга «Если»:

> ...И если ты готов к тому, что слово
> Твое в ловушку превращает плут,
> И, потеряв крушенье, сможешь снова —
> Без прежних сил — возобновить свой труд, —
> И если ты способен все, что стало
> Тебе привычным, выложить на стол,
> Все проиграть и все начать сначала,
> Не пожалев того, что приобрел...
>
> . . . .
>
> И если будешь мерить расстоянье
> Секундами, пускаясь в дальний бег, —
> Земля — твое, мой мальчик, достоянье.
> И более того, — ты человек! [*]

Из потоков мысли пяти континентов они взяли понятия, которые сочли наиболее разумными.

В результате программное обеспечение искусственного интеллекта превратилось в собрание мудрости. Мартен и Феншэ прибавили и несколько личных постулатов для человека будущего: правила раскрытия разума, законы принятия разницы, принципы любопытства перед новым, правила высказываний в диалоге.

Столь обогащенная программа стала электронным бессознательным Мартена. Самюэль Феншэ предложил назвать ее Афиной, как богиню мудрости, советчицу Одиссея.

---

[*] Перевод С. Маршака. — *Примеч. ред.*

Итак, со своей «компьютерной моралью» больной LIS вернулся к Умберто Росси. Ему не надо было больше определять свою проблему, Афина уже подсказала ему совет, мягкий, как перышко, ласкающий кору его головного мозга: «Если тебе кто-то навредил, сядь на берег реки и жди, пока не увидишь, как проплывает его труп», — говорил Лао Цзы.

Жан-Луи Мартен знал, что жизнь наказала его обидчика гораздо лучше, чем он сделал бы это сам.

Он вдруг осознал, что наказание Умберто Росси было хуже смерти. Талантливый прежде врач стал отбросом, который стыдится самого себя, для которого каждая секунда жизни стала болью.

«Я больше не желаю ему смерти. Алкоголь, возможно, еще большее горе, чем болезнь LIS. У меня, по крайней мере, с головой все в порядке. У меня есть воля, которую я могу выразить. По крайней мере, я в состоянии мыслить и сумел сохранить свое достоинство. Я достойный человек».

Его видение расширялось.

Он долго размышлял над выражением: «Достойный человек».

Афина, скажи мне: как поступил бы достойный человек в моем положении?

Она ответила.

Хорошо. Я его прощаю, смог он произнести мысленно.

Но этого было недостаточно в соответствии с новым образом себя самого, который он хотел иметь.

А если быть лучше «достойного человека»?

Добродетельная машина завелась и уже не могла остановиться.

Что бы сделал тот, кто выше достойного человека?

Ему было бы мало просто простить. Он бы сделал больше. Он... он... Он как будто боялся выразить эту мысль. Он... спас бы того, кто причинил ему зло.

Нет. На это я все-таки не способен. Это слишком.

Он вновь подумал о Феншэ. О его фразе: «Знаете, вы меня впечатляете». Он производит на него впечатление. Но надо идти дальше. Произвести на него еще большее впечатление. Простить. И... спасти своего злейшего врага. Это было бы поистине впечатляющим.

«Если тебе кто-то навредил, сядь на берег реки и жди, пока не увидишь, как проплывает его труп», — говорил Лао Цзы. «...Но если он еще в агонии, вытащи его из воды», — дополнил Феншэ.

Все смешалось у него голове, разум Афины, объединенный с его собственным разумом.

«Спасение Умберто Росси будет доказательством того, что я способен управлять своим гневом, мстительностью и эмоциями. После этого прощения я стану хозяином себя самого, господином своей судьбы», — мыслеписал он.

Жан-Луи Мартен поговорил об Умберто Росси с Феншэ.

Надо бы найти ему работу. Все же он был хорошим нейрохирургом. Он хватил горя, он потерял достоинство, потерял смысл. Может быть, на его совести даже преступление. Прошу вас, сделайте что-нибудь для него, Самми.

Самюэль Феншэ не стал выяснять подробности, но понял, что эта просьба имела большое значение.

С тех пор, освобожденный от тяжести мести, Жан-Луи Мартен, который отныне считал себя «сверхдостойным человеком», решил стать исследователем разума. Одержав победу в области эмоций, теперь он хотел произвести на Феншэ впечатление, сразившись с ним в его собственной области — в познании самой красивой и самой тонкой драгоценности природы: человеческой мысли.

48

Рев.

Дубинка стремительно взлетает и проламывает надбровную дугу охраннику, который пытается вытолкать пришедших.

Стиснутые кулаки.

Крики.

Ругательства.

Отрыжки.

Вмешиваются прочие охранники НЕБА и силятся остановить захватчиков.

— Стражники добродетели?

Жером Бержерак выглядит спокойным. Он намазывает тост маслом, сверху кладет хороший кусок копченого лосося.

— Это молодые люди из прекрасных семей, в большинстве своем студенты юридического факультета Ниццы, не так ли?

Миллиардер продолжает подливать им шампанское.

— Они нас ненавидят, потому что мы делаем то, на что они не осмеливаются. Их главарь называет себя Deus Irae, гнев Божий. Это мистик. Он регулярно ездит в Толедо, в Испанию, для самобичевания во время религиозных процессий кающихся черных грешников. Да, да, такое все еще существует. Но это не

196

самое плохое. Мы, конечно, не избежим его небольшой нравоучительной речи.

Действительно, верзила взбирается на стол, скидывает все со скатерти и тут же окликает свои войска.

— VADE RETRO SATANAS! — кричит он, поднимая кулак на Мишá.

Мишá съеживается в углу, окруженный работниками службы безопасности.

— Я овчарка, явившаяся покусать вас за икры, так как вы заблудились. Бараны, возвратитесь в овчарню, — провозглашает Deus Irae, — здесь вы погибнете. Удовольствие не может быть целью в жизни! Единственная цель в жизни — добродетель. Мы — Стражники добродетели!

— Замолчи, убирайся! Каждый делает то, что ему нравится, — возражает один из гостей.

— Я пришел предупредить вас, пока вы не подверглись еще большей опасности: Вам бы следовало меня поблагодарить. Конечно, я бы предпочел быть в другом месте. Но это мой долг.

— Кажется, шесть процентов населения не умеют правильно синтезировать нейромедиаторы удовольствия. Виной тому дефицит дофамина и норадреналина, — вздыхает Исидор.

Добродетельный оратор произносит слова медленно, словно преподаватель, обучающий сварливых учеников.

—СПИД — первое предупреждение тем, кто предается греху сладострастия.

Он тычет пальцем в обнимающуюся парочку.

— Бешеная корова — второе предупреждение тем, кто предается греху чревоугодия.

Он швыряет в воздух кушанье в соусе.

197

— Вскоре последуют другие. Бойтесь гнева Божьего!

Некоторые эпикурейцы как будто и впрямь заинтересовались его речью.

— Вас это, похоже, не волнует, — замечает Лукреция, обращаясь к миллиардеру.

— Это нормально, стоит направить действие в одну сторону, в другой стороне возникнет противодействие. Даже удовольствие — понятие спорное. Церковь вознеслась на чувстве вины и воспоминании о боли мучеников. Она построила свои соборы благодаря деньгам дворян, которые покупали себе место в раю в 999 году, боясь перехода в новое тысячелетие. Это же колоссальное состояние! Деньги из страха апокалипсиса. Направленные отнюдь не на то, чтобы люди вроде нас осмелились развлекаться безнаказанно. Посмотрите на современное общество, оно действует только через запреты.

Люди в черном принимаются крушить все вокруг.

Часть эпикурейцев предпочитают уехать, в то время как другие хватают стулья в качестве оружия. Обе группы сталкиваются: эпикурейцы против Стражников добродетели.

По сигналу Deus Irae Стражники нападают на гостей, размахивающих стульями, словно копьями о четырех концах.

— И какова их мотивация?

— Deus Irae последователь Оригена.

— Гомер, Эпикур, Ориген. Решительно, Древний мир сохранился и поныне, — говорит Исидор, которого мало интересует сражение.

— Кто такой Ориген? — спрашивает Лукреция.

Жером Бержерак продолжает мирно мазать маслом свои тосты, в то время как в зале кричат от боли и бешенства.

— Ориген жил в III веке нашей эры и был епископом Антиохским. Он был блестящим толкователем Библии. Однажды он ушел в пустыню, чтобы встретить Бога. Но никого не нашел. Тогда он провозгласил, что Бога нет, и стал жить в разврате. Потом, через несколько месяцев всевозможных излишеств, он решил дать Богу второй шанс проявить себя. Он вернулся в пустыню и через какое-то время сказал, что наконец нашел Его. Тогда Ориген составил список того, что мешает человеку следовать Божественным путем, и изобрел понятие «смертных грехов». Он насчитал их шесть. Позже Церковь добавит седьмой.

— Так это он выдумал семь смертных грехов?

— Совершенно верно. В конце концов, дабы уклониться от искушения, он себя кастрировал.

Жером Бержерак, довольный своим маленьким докладом об этом удивительном персонаже, роется в сладостях, чтобы извлечь несколько пирожных в шоколадной глазури.

— Так что же это за семь смертных грехов?

Исидор и Жером вместе пытаются вспомнить их, но без особого успеха.

— Сладострастие и чревоугодие, сейчас вспомню еще. Вспоминать о грехах настолько антиэпикурейски, не так ли?

Драка в зале достигает апогея. Люди в черном опрокидывают стойку с пирожными.

— Ну почему все приятное в жизни оказывается либо незаконным, либо безнравственным, либо приводит в бешенство ворчунов? — вздыхает Лукреция.

— Иначе было бы слишком легко, правда? — предполагает Жером Бержерак.

— Военные против гипноза, студенты-реакционеры против удовольствий... А что, если ваш Deus Irae замешан в смерти Феншэ? В конце концов, Феншэ был символом победы эпикурейцев. Вот у этих людей действительно был мотив действовать против него. Я собираюсь у них спросить...

— Давайте я на вас посмотрю, — подбадривает ее Исидор, устраиваясь на стуле поудобнее, словно перед спектаклем.

Журналистка бросается в схватку.

Исидор берет пирожное с тарелки Бержерака.

— Такое уже не первый раз происходит, — сообщает праздный миллиардер. — Иногда я себя спрашиваю, не дело ли рук Мишá вся эта суета, дабы придать вечеру немного пикантности и заставить эпикурейцев лучше осознать дело?

— Так и есть? — спрашивает журналист, набив рот.

— Нет. Эти — настоящие активисты Стражников добродетели.

— Они выглядят вполне решительными.

— Несчастные люди не выносят, когда другие развлекаются. Они хотели бы, чтобы все были, как они. Разделить страдание, нежели удовольствие...

Исидор и Бержерак выпивают, пока Лукреция крутится в драке, нанося удары двумя пальцами, словно вилами. Из-за высоких каблуков она бьет только коленями.

— Слушайте, а она здорово дерется, — комментирует миллиардер.

— Она научилась этому в приюте. Она так и зовет свое боевое искусство: прию-кван-до.

— Однако она лишь хрупкая девушка. Я помогу ей, — произносит Бержерак.

— Я остаюсь здесь, присмотрю за сумочками, — шутит Исидор. — Сожалею, но моя религия против насилия.

Лукреция с вызовом приближается к Deus Irae и втягивает его в поединок. Она легко с ним справляется.

— Кто тебя послал? Говори!

— Я овчарка, явившаяся покусать за икры заблудших овец, — повторяет Deus Irae.

Вокруг них полный хаос.

Лукреция Немро не замечает, как к ней кто-то подходит. Прежде чем она отреагировала, ее нос и рот закрывает платок. Она вдыхает пары хлороформа. Дурманящее вещество попадает в ее ноздри, проникает в кровь и очень быстро доходит до мозга. Она вдруг чувствует себя изнуренной; ее кто-то поднимает и уносит, воспользовавшись всеобщей неразберихой.

Ей снится, что ее похищает прекрасный принц.

49

Самюэль Феншэ и Жан-Луи Мартен сближались все больше. Феншэ говорил вслух, Мартен отвечал ему мыслью.

Они беседовали, и Феншэ признавал, что Мартен становится все более и более эрудированным в науках, особенно в психиатрии. Именно Мартен посоветовал ему декорировать помещения в зависимости от патологий.

«Они постоянно видят белое, это снова повергает их во внутреннюю пустоту. Почему бы не окружить их красивыми картинами, созданными так называемыми больными художниками, которые сублимировали свое состояние и превратили его в искусство? Я, например, отлично себя чувствую при созерцании картин Сальвадора Дали», — мыслеписал его пациент.

Потом он вошел в Интернет, разыскал сайт изображений и вывел картину Дали на экран своего компьютера.

«Помните наш разговор о предубеждениях, создающих реальность? В этом талант Дали. Он очень много работал над оптическим обманом. Он хотел доказать, что наш мозг постоянно все интерпретирует и мешает нам видеть. Взгляните на эту картину. Найдите в рисунке Вольтера», — предложил он.

Самюэль Феншэ внимательно рассмотрел изображение, но безрезультатно. Мартен указал ему, где лицо писателя, которое проявлялось в виде объемного изображения с левой стороны картины.

«Доктор, попросите покрыть стены рисунками в стиле этих картин!»

— Попросить? Кого?

«Ваших пансионеров. Маньяков, к примеру. Воодушевленные своим перфекционизмом, они не утомятся и вложат в работу все свое сердце. Уверен, для них будет удовольствием украшать место, где они живут».

Самюэль Феншэ согласился на эксперимент, и результат превзошел все его ожидания. Больные часами рассматривали многочисленные репродукции, пытаясь понять творчество Дали.

— Должен признать, у вас есть интересные идеи, — сказал врач.

«Это не я придумал, это мне подсказало изучение мозга. Почему бы не ценить различие? Давайте используем их безумие как преимущество, а не как недостаток».

Жан-Луи Мартен объяснил ему, что Виктора Гюго, Шарля Бодлера, Винсента Ван Гога, Теодора Рузвельта, Уинстона Черчилля, Толстого, Бальзака и Чайковского — всех их считали страдающими маниакально-депрессивным психозом, болезнью, которая характеризуется резкими переходами от депрессии к возбуждению. Сейчас обнаружили, что в период кризиса подверженные этому заболеванию вырабатывают избыточное количество порадрсналина, а этот нейромедиатор значительно увеличивает скорость соединений, что и объясняет творческие способности этих людей.

«Вы считаете меня сумасшедшим, доктор?»

— Нет. Вы просто сильно увлечены. И мне интересны ваши страсти.

Тогда Жан-Луи Мартен поделился с Феншэ своими двумя большими страстями: живопись Сальвадора Дали, которая уже не раз затрагивалась вскользь, и шахматы. Передвигая глазом, Мартен показал изображение другой картины Дали.

«Посмотрите на эту картину. "Христос святого Хуана де ла Крус". Идея Дали в том, чтобы показать Христа, увиденного сверху. Словно взгляд Бога. До него об этом никто не думал...»

Еще красноречивее он говорил о шахматах. По его мнению, шахматы напоминают человеку, что сам он, возможно, всего лишь фигура в огромной игре, правила которой ему неизвестны.

«Шахматы ведут к духовности, так как они заставляют нас понять, что существует борьба между двумя силами — белыми и черными, которые символизируют добро и зло, положительное и отрицательное. Они дают понять, что у каждого из нас своя роль, но разные способности: пешка, дама или ферзь, но в зависимости от своего нахождения все мы, даже простые пешки, можем поставить мат».

До сего момента шахматы никогда не интересовали Феншэ. Может быть, потому, что никто по-настоящему не увлек его этой игрой. Он считал шахматы потерей времени, домашней альтернативой для маленьких мальчиков, любящих войну. То, как Жан-Луи Мартен говорил о них, очаровало его.

«Вам стоило бы поиграть в шахматы. Это божественная игра...»

— Вы деист?

«Конечно. А вы нет?»

— Мне кажется, Бог — продукт человеческих мечтаний.

«Я не настолько картезианец, как вы, Феншэ. На краю науки находится нечто иррациональное. Полагаю, Бог — необходимая гипотеза, чтобы объяснять все сущее. Конечно же, я представляю Его не в виде огромного бородатого старика, сидящего на Солнце, а скорее, как величину, превосходящую нас».

— Вы думаете, шахматные фигуры могут сотворить игроков, которые ими управляют?

«Кто знает? Я считаю, что Бог в каждом из нас. В наших головах. Это тайное сокровище. Знаете, доктор, мне бы хотелось найти точное место в нашем мозге, куда мы помещаем Бога. Возможно, даже открыть химическую формулу идеального Бога, сидящего в наших умах. Мне кажется, Он вот тут».

Он показал карту мозга, скачав его из Интернета.

— Позвольте, я угадаю. Вы хотите поместить Его в коре мозга? В зоне, отвечающей за специфическую особенность человека?

«Вовсе нет».

Силой его ума курсор бегал по карте мозга.

«По-моему, Он там, в центре, точно между двумя нашими полушариями. Бог обязательно в центре всего. Он связывает оба наши мозга. Мозг мечты и мозг логики. Мозг поэзии и мозг расчета. Мозг безумия и мозг разума. Женский мозг и мужской мозг. Бог объединяет. А дьявол разделяет. К тому же слово "дьявол" происходит от греческого *diabolos*: который разъединяет, разделяет. Таким образом, я помещаю Его здесь, под лимбической системой, в мозолистое тело».

Самюэль Феншэ сел поближе к своему больному.

«Что такое, доктор?»

— Ничего. Или скорее «чего». Невероятно, но у меня такое впечатление, что, кроме чисто неврологической практики, вы знаете о мозге почти столько же, сколько я.

«Потому что все это меня интересует, доктор. Я чувствую, что у меня есть мотив. Мы исследователи последнего неизвестного континента, вы сами произнесли эту фразу. Сальвадор Дали и шахматы представляются мне маленькими входами, через которые можно проникнуть в тайны мозга. Но есть и другие ходы. Вы должны сами продумать их».

Тогда Самюэль Феншэ рассказал ему о своей страсти к древнегреческим авторам: Сократу, Платону, Эпикуру, Софоклу, Аристофану, Еврипиду, Фалесу...

— Греки поняли, насколько могущественна легенда. Каждый бог, каждый герой что-то выражает, заставляя нас понять чувство, эмоцию, безумие.

Олимп — это наш собственный ум, а его боги — отдельные грани человека. Из всех легенд гомеровская «Одиссея» кажется мне самой значительной. Она была написана в VIII веке до н. э. Имя Одиссей вообще-то равнозначно греческому имени Улисс.

В отличие от Геракла, славящегося своей силой, Одиссей, или Улисс, блистает своим умом.

«Одиссей? Расскажите мне еще раз о его путешествии», — мысленаписал Жан-Луи Мартен.

Феншэ напомнил ему, как Одиссей придумал построить гигантского деревянного коня, чтобы со своими людьми проникнуть в Трою и ночью истребить всех жителей.

«Вот видите, Самми, деревянный конь, как в шахматах...»

— Действительно, должен признать, это иллюстрация вашей теории о божественных шахматистах, управляющих людьми. Бог морей Посейдон и богиня мудрости Афина воюют, используя смертных.

«Мы имеем значение, но должны быть и другие, выше и ниже. Может быть, и внутри...»

Затем Самюэль Феншэ рассказал, как Посейдон решил завести в туман суда правителя Итаки.

«Ход черных».

— Тогда к Одиссею явилась Афина и посоветовала ему отправиться на остров Эолия, где он получил в подарок бурдюк, содержавший в себе «буреносные ветры».

«Ход белых».

— Но моряки открыли бурдюк, и корабль снова принесло к Эолии.

«Ход черных».

— Одиссей и его спутники смогли вернуться домой только после долгих лет странствий.

Бывший служащий юридического отдела ниццкого банка с восхищением слушал рассказ об Одиссее. Он прекрасно знал эту историю, но в устах Феншэ каждое приключение древнего героя освещалось по-другому.

Голос Феншэ смягчился, когда он стал говорить о возвращении моряка, переодетого в нищего, к себе домой. Наконец он рассказал и о его мести: Одиссей убил из лука поклонников его жены Пенелопы.

С испугом в глазу Жан-Луи Мартен напечатал то, что вдруг показалось ему откровением.

«Ulysse = U-lis».

Феншэ понял не сразу.

«U, греческий префикс, который означает "нет", как u-topie, или u-chronie. U-lysse — это противоположность LIS. Пример Одиссея поможет мне бороться с болезнью».

Этот неожиданный каламбур заставил врача улыбнуться.

Одиссей! Он хочет, чтобы его звали Одиссеем. Как моего друга детства. Неужели это всего лишь совпадение? Знал бы он, что воскрешает в моей памяти это имя: Одиссей!

«Но мне постоянно не хватает практики. Все это — работа ума. Мне нужен контакт с материальным».

— Кто знает, возможно, когда-нибудь к Интернету подключат руки, способные производить действие.

«У меня была такая надежда. Но ее больше нет. Материю движет разум. С помощью Интернета моя мысль может вызвать события во всем мире».

— Какой у вас мотив сейчас?

«Воодушевить вас. Заставить вас совершить открытие».

— Нельзя так легко перешагнуть через десять лет университетских занятий и пятнадцать практики в больничной среде.

«Кто хочет, тот может. Ваша фраза, мне кажется. Я ищу, и я найду».

Жан-Луи Мартен начал с того, что поменял псевдоним. «Овощ» умер, комплекса у него больше не было. Он решил стать героем фильма о своей жизни. Он был Улисс, U-lis. Пришло его время быть сильным, хозяином своей мысли, хозяином своего мозга.

Больше не терпеть, — сказал он себе.

Он дал своему уму развернуться в Сети, подобно великому мореплавателю, устремляющемуся за морскими течениями. Афина была рядом с ним.

50

Открыв глаза, Лукреция Немро видит ногу в ботинке. Во рту все еще вязко от хлороформа. Она обнаруживает, что на ней смирительная рубашка.

Мышка попалась.

Она барахтается. Поднимает глаза на ногу в ботинке и понимает, что это нога капитана Умберто, а сама она, Лукреция, находится на борту «Харона».

— Умберто! Сейчас же освободите меня!

Она хочет встать, но смирительная рубашка завязана накрепко.

— Не так-то легко было найти этот допотопный инвентарь в больнице, которая борется с архаизмами, — вздыхает Умберто, наконец повернувшись к ней. — Тогда я пробежался по барахолкам. Удобно, правда?

В иллюминатор Лукреция видит, что судно направляется к Леринским островам. Она бьется.

— Отпустите меня!

— Успокойтесь, или я буду вынужден вколоть вам транквилизатор. Мы едем в больницу, и все будет в порядке.

— Я не сумасшедшая.

— Знаю. Все вы так говорите. Я уже спрашиваю себя, не эта ли фраза всякий раз помогает вычислить душевнобольных.

Он хохочет.

— Это вы сумасшедший! Немедленно верните меня в Канны. Вы отдаете себе отчет в том, что делаете?

— Мудрецу снится, что он бабочка, или это бабочке снится, что она мудрец?

Бывший нейрохирург зажигает свою трубку и выпускает несколько густых клубов дыма.

— Освободите меня! — приказывает Лукреция.

— Свобода — только идея, которой забивают наши головы.

Он увеличивает скорость «Харона», чтобы побыстрее добраться до форта, который вырисовывается на горизонте.

— Умберто! Это вы напали на меня в морге, да? Моряк не отвечает.

Порой Харон ступает на берег и служит представителем одного народа у другого.

— Мифологический Харон требовал золотой за переправу через Ахерон. Что бы вы сказали о тысяче евро за то, чтобы вернуть меня в порт?

— Есть более веские мотивы, чем деньги. Вы забываете, что я был врачом до того, как стал нищим.

— Если вы немедленно меня не освободите, я подам жалобу; вы рискуете иметь неприятности с правосудием.

— Для начала было бы неплохо, чтобы вы смогли встретиться с вашим адвокатом. Сожалею, морковка не работает, как и палка.

— Вы не имеете права лишать меня свободы. Я журналист. Не знаю, отдаете ли вы себе отчет...

— Нет, мадемуазель Немро, в этом я не отдаю себе отчета, мне плевать на вежливость, хорошие манеры, страх молвы и того, что пресса обо мне скажет. Вы не знаете, что такое оказаться БОМЖОМ. Это обнуляет счетчик.

— Вы должны меня вернуть! — решительным голосом приказывает она.

Распоряжение, приказ, внушение чувства вины — мне надо пробить его защиту.

— Это ваш долг!

Он перемещает свою большую пеньковую трубку на другую сторону рта.

— Припоминаю об одном эксперименте по поводу «долга», как вы говорите, проведенном в пятидесятых годах профессором Стэнли Милграмом. Он подобрал студентов-добровольцев. Они получили право ударить током человека, который ошибался при банальном опросе типа викторины на тему рек и столиц. Им разрешили наказывать за неверные ответы, и притом все более и более болезненно, по мере того как опрашиваемый делал все больше ошибок. Цель опыта была в том, чтобы измерить, до какой степени обычное существо способно мучить своего ближнего, когда это ему позволяет официальное учреждение. В действительности тока не было, а для изображения

210

страданий наняли актеров. Восемьдесят процентов протестированных дошли до того, что били током в четыреста пятьдесят вольт, а это смертельно для человека. Поэтому, когда вы говорите мне о «долге», я только насмехаюсь. Я не чувствую себя обязанным ни родине, ни моей семье, ни кому бы то ни было.

Надо попробовать еще несколько рычагов. Как его рассердить?

Она роется в памяти, стараясь найти то, что о нем знает.

Он был нейрохирургом. Оперировал свою мать. Операция прошла неудачно. Он должен был чувствовать себя виноватым. Ему должны были внушить чувство вины. Его коллеги.

— Они укоряли вас в больнице, после той неудавшейся операции?

— Так вы меня не достанете. Я не испытываю никакой злобы к людям из больницы. Напомню, что именно они дают мне работу.

— Поняла. Вы хотите меня изнасиловать.

Росси пожимает плечами.

— Конечно, вы мне очень нравитесь, но существуют более сильные мотивы, чем секс.

— Алкоголь, наркотики?

— За кого вы меня принимаете, мадемуазель Немро? За бывшего пьянчужку, который снова может пасть? У меня есть мотив посильнее алкоголизма. А что касается наркотиков, мне не нравится вкус травы и я не люблю уколы.

— Что же тогда мотивирует ваш поступок?

— Последний секрет.

— Никогда об этом не слышала. Это что, новый наркотик?

Он хватает свою трубку и поигрывает ею.

— Это намного больше всего! Это то, чего жаждет каждый человек, даже не осмеливаясь это выразить. Самый напряженный, самый чудесный, самый великий опыт, который может познать человек. Лучше денег, лучше секса, лучше наркотиков.

Лукреция пытается представить, о чем может идти речь, но на ум ничего не приходит.

— Так кто же хранит Последний секрет?

Он таинственно выдыхает:

— Никто... — и разражается сильным грохочущим смехом.

51

Все остальные больные вокруг него лежали неподвижно, словно мумии в саркофагах из проводов и зондов. У них были мутные потерянные взгляды, но Мартен знал, что они ревновали его, потому что доктор Феншэ регулярно приходит к нему и потому что он обладает компьютером, Интернетом, возможностью высказываться.

Больной LIS не был зол на своих соседей, он жалел их больше, чем кто-либо. Он говорил себе, что, как только станет достаточно сильным, найдет и для них способ себя выражать. В этом был смысл его битвы: чтобы никто больше не страдал так, как страдал он сам.

Своим умом он включил экран компьютера, и, подобно Супермену, меняющему в телефонной будке костюм, больной LIS превратился в U-lis'a, путешествующего по Интернету.

Его разум искал, мчался галопом, останавливался, обсуждал, обозревал огромное мировое полотно, которое ткали миллионы интернавтов.

Удивительная штука: чем больше он открывался миру, тем больше он забывался. Временами, когда его мысль была чересчур занята исследованием всей совокупности знаний, накопленной людьми, он переставал ощущать даже свою болезнь. Он был чистой мыслью. Афина, вездесущая благодетельница, отсылала его от статьи к статье, с одного сайта на другой. Она великолепно помогала думать.

На экране тень. Лицо над его лицом. Это пришел Самюэль Феншэ. На мониторе была докторская диссертация о самых последних достижениях неврологии: пересадка столовых клеток, взятых от зародышей. Афина уже подчеркнула там несколько абзацев, которые посчитала определениями.

— Браво!

«Это не только я, это еще и Афина».

— Афина — программное обеспечение, но она всего лишь программа.

«Компьютеры быстро меняются. Теперь они нетерпеливые дети».

— Милая фразочка.

«Нет, это правда, они хотят попасть на высший уровень, именно таков их мотив. Они хотят ходить. Хотят говорить. Хотят расти. Я использую Афину. Но и Афина меня использует. Это богиня-ребенок. С моей помощью она хочет освободиться, я это чувствую. Поэтому у нее есть мотив мне помогать».

Жан-Луи Мартен долго копался в сайтах, посвященных последним открытиям в области нервной системы. Но он скоро заметил, что, кроме новых систем обработки изображений (инфракрасной спектрографии, компьютерного сканирования, получения изображений путем магнитно-ядерного резонанса, томографии камерой с позитронами), неврология развивается медленно. Пересадка столовых клеток подавала большие надежды, но результаты проявятся в лучшем случае только через пять лет. Каждый день обнаруживали новые гормоны, но без практического применения.

В самом деле, возможно, именно информатика привносила больше всего знаний о работе человеческого мозга. Мартен заметил, что каждый раз, когда появлялся новый механизм, мозг рассматривали в сравнении с ним.

Когда человек изобрел часы, мозг сравнили с часами. Когда заработал паровой двигатель, мозг сравнили с двигателем. Когда изобрели первые счетные машины, мозг уподобили микрокалькулятору. Затем появились голографические изображения, с помощью которых пытались объяснить механизмы памяти. И наконец, появились компьютеры. Каждому новому поколению микросхем соответствовали новые, более умные программы, объясняющие работу мозга.

Афина молчала, когда Мартен осознавал все это, но он знал, что она разделяет его точку зрения. Она в этом нисколько не сомневалась.

«Компьютер — будущее человеческого мозга».

52

Капитан Умберто Росси взваливает молодую женщину на плечо и кладет ее на носилки. Он закрепляет ее ремнями, затем накидывает покрывало, окутывающее ее с головы до ног. Затем приходят двое мужчин, чтобы внести носилки в помещение.

Видимо, они не хотят, чтобы другие больные увидели, как меня вносят, думает Лукреция.

Она догадывается, что санитары взбираются по ступеням, затем шагают по коридорам. Наконец с нее снимают покрывало. Какой-то мужчина ощупывает ее и кроме мобильного телефона находит блокнот с записями в специальном кармане, который она подшила к белью. Он пролистывает все страницы. Потом просматривает телефонные номера, имеющиеся в памяти ее мобильника, и переписывает их в тетрадь. В завершение он кладет обе вещи в выдвижной ящик, который закрывает на ключ. После этого знаком приказывает увести Лукрецию. Ее вталкивают в комнату. Развязывают руки. Дверь снова закрывается.

Комната пуста, в ней только вмурованная в стену железная кровать с ручками, чтобы пропускать через них ремни, а в центре — унитаз с педалью. Стены покрыты обивочной тканью кремового цвета. Спереди стекло, сзади камера и экран компьютера.

Лукреция стаскивает смирительную рубашку и растирает руки. В пурпурном вечернем платье со стразами, в чулках в сеточку и туфлях на высоких каблуках, она совершенно не вписывается в обстановку. Ссв на крышку унитаза, она снимает туфли, чтобы чувствовать себя свободнее, и массирует ноги.

Внезапно загорается экран компьютера — на нем появляется фраза:

«Зачем вы расследуете дело о Феншэ?»

Под объективом камеры зажигается контрольная красная точка в доказательство того, что она включена.

— С кем я говорю?

«Здесь я задаю вопросы. Отвечайте».

— А если нет, то что?

«Нам нужно знать, зачем вы расследуете дело Феншэ. Что вам сказал по телефону Жиордано?»

— Он подтвердил, что Феншэ умер от любви, но вы послали Умберто, чтобы убить его, а затем похитили меня, и это заставляет думать об обратном. Спасибо за информацию. Теперь я не сомневаюсь, речь идет об убийстве.

Лукреция бьет по стеклу кулаком, но оно очень плотное.

— Вы не имеете права держать меня здесь против моей воли! Исидор, должно быть, меня разыскивает. Как бы там ни было, я послала в свой журнал конверт с началом моего расследования, и они его опубликуют, если не дождутся от меня новостей. Вы скорее заинтересованы в том, чтобы меня освободить.

Экран компьютера мерцает.

«Кому еще вы говорили?»

— Это вы убили Феншэ?

«Не вы задаете вопросы».

Они не могут ничего мне сделать.

Я встревожила их. Таким образом, преимущества на моей стороне. Не поддаваться.

Она с силой бьет ногой в стекло. Никакого результата, кроме детонирующего шума, который не уменьшает ее решимость.

«Успокойтесь. Пока вы не станете поразговорчивей, вы не покинете этой кабины. Вы не слышали о сенсорной изоляции? Это самое худшее, чему можно подвергнуть мозг. Лишить его пищи: ничего не видеть, ничего не обонять, ничего не слышать, ничего не читать — это значит морить мозг голодом. Мы постоянно получаем информацию с помощью наших чувств. Малейший стимул радует наш мозг, так как он дает ему зерна для молотьбы. В нашей обычной жизни мы подпитываем мозг тысячами стимулов. Мы баловни в том, что касается чувственной стимуляции, хотя даже не сознаем этого. Но если этот праздник чувств прекращается, мы теряемся. Надеюсь, нам не придется применять этот способ лечения слишком долго, и вы согласитесь сотрудничать. Увидите, неподвижность — весьма дестабилизирующая вещь в мире, где действие является правилом».

Снова удар в стекло. Лукреция принимается лихорадочно колотить, как дровосек, который повторяет одно и то же движение в надежде, что дерево поддастся.

— Вы не имеете права!

«Это правда. И если бы вы знали, как я сожалею о том, что обязан это делать».

Она останавливается и приближает лицо к стеклу.

— Послушайте, вы, скрывающийся за этим экраном. Я чувствую, вы в замешательстве. Я вас стесняю. Неужели вам неудобно из-за того, что вы обязаны причинять мне страдания? Можно сказать, в вас сидят несколько личностей.

Не поддаваться. Сохранять инициативу.

Хотя до сих пор ответы выдавались почти автоматически, сразу после ее слов, на этот ответ понадобилось времени побольше.

— С кем я говорю? — нервничает Лукреция.

Она опять отступает и бьет кулаками по стеклу.

— Кто там за стеклом? КТО?

Тогда на экране появляется надпись:

«Если когда-нибудь кто-то спросит об этом, скажите, что мое имя... Никто».

Верхний свет в комнате гаснет.

53

Жан-Луи Мартен начал просматривать компьютерные программы игры в шахматы и вскоре понял, что они превзошли человека благодаря способности к расчету.

Потом он проанализировал матч, состоявшийся весной 1997 года, когда Гарри Каспаров проиграл компьютеру три партии из пяти в нью-йоркском зале «Миллениум».

В тот день мы проиграли важнейшую битву. Выдающийся шахматист не смог сравняться с машиной.

После этого больной LIS принялся изучать алгоритмы новейших шахматных программ. А еще — опыты в той дисциплине, которая называется искусственным сознанием.

В этот момент Жан-Луи Мартен захотел, чтобы его разум был заключен не в обездвиженное тело из плоти, а в корпус из нерушимой стали.

54

«Никто»? Смешное имя, думает Лукреция.

А вдруг это был не человек?

Конечно, она смотрела фильм Стэнли Кубрика «Космическая Одиссея 2001 года», где компьютер Хал бунтовал против людей.

И это мог быть... DEEP DLUE IV.

Невероятно. Машина должна была бы иметь волю, намерение, сознание своего «я».

Тот же Самюэль Феншэ это ясно выразил во время матча: «У машин нет души, они не хотят ни дополнительного электричества, ни лишних программ. В этом их сила и слабость».

Во всяком случае гипотеза насчет DEEP DLUE IV представляет, по крайней мере, действительный мотив: месть. Если у кого и были причины поквитаться с Феншэ, так у этой груды железа...

Убийца DEEP DLUE IV?

Но как он смог определить свою жертву? Ведь компьютер ничего не видит...

Хотя...

Компьютер, подключенный к Интернету, мог бы воспользоваться неисчислимыми возможностями информационных сетей. Достаточно простой камеры видеонаблюдения, и можно следить за индивидом, преследовать его, заметить, когда тот уязвим.

Лукреция думает, что засунула нос в куда более серьезное дело, чем ей казалось поначалу.

Мировое противостояние. Люди против машин.

Остается узнать, как подключенный к Сети компьютер, наметив жертву, может убить на расстоянии, во время акта любви?

Как DEEP DLUE IV смог убить своего победителя?

Лукреция Немро пытается представить сцену.

Самюэль Феншэ и Наташа Андерсен обнажены. Они в постели.

Находящийся в отдалении компьютер DEEP DLUE IV, запрограммированный на месть, выслеживает их с помощью камеры наблюдения или, возможно, через простую камеру, находящуюся в персональном компьютере.

Черт возьми!

Феншэ мог пользоваться какой-нибудь электронной новинкой, подключенной к Интернету.

Эта гипотеза как будто все объясняет.

Наташа искренне посчитала убийцей себя. Но почему она тоже не умерла? Когда касаешься того, кого ударяет током, ток бьет и тебя...

Может быть, у Феншэ сердце было слабее. А топ-модель, видимо, подумала, что это был естественный эффект. Оргазм.

Она вспоминает момент полного затмения, который испытывала сама на вершине удовольствия. Но это никогда не длилось слишком долго.

Мысль о компьютере-убийце, какой бы странной она ни казалась, начинает укрепляться. В уме молодой журналистки кусочки головоломки постепенно соединяются.

Это уже не фантастика, Лукреция уверена, что современные технологии способны моделировать и такого рода ситуацию. Все дело в том, что компьютеры недооценивают, считая, что они не способны «думать». Однако все в большем количестве научных статей пишут, что машины приобретают способность мыслить как «дети».

Чтобы подтвердить свою власть, «электронный ребенок» убил самого умного человека. Или же потому, что тот задал ему взбучку перед всем миром. «Ребенок» с электронной памятью, которая никогда не забывает...

Мысли пересекаются, дополняют друг друга, наслаиваются, чтобы образовать логическую цепочку.

220

Лукреция чувствует себя пешкой в шахматной партии, правила которой пока ей не совсем ясны. Единственное, что она поняла, — это то, что ни ее привлекательность, ни ловкость в бою с противником теперь не пригодятся.

Теперь она в плену у черных фигур.

Если б она знала, что будет вовлечена в такой кошмар, она бы дважды подумала.

Научное расследование, говорите!

Хотя...

Молодая журналистка уже видит название: «Месть DEEP DLUE IV», или «Убийцей был компьютер».

С этим я получу Пулитцеровскую премию!

А пока, прежде чем она сойдет с ума, ей надо найти способ выбраться отсюда.

55

Белый ферзь был под угрозой.

Самюэль Феншэ внимательно изучил партию. Он выбрал эту фигуру, чтобы поставить ее в центр. Он знал, что там она прервет все попытки атаки противника.

Талантливый врач очень любил играть с Жаном-Луи Мартеном. Во время партии были только два мозга, сражающиеся друг с другом с равными шансами на победу.

Игра продолжилась, и в конце концов Жан-Луи Мартен одержал верх, несмотря на белого ферзя, хорошо поставленного.

— Браво.

«Я у вас выигрываю, потому что вы дебютант, но я играл с компьютерной программой, которая постоянно меня бьет».

— Значит, вы нашли своего мастера?

«Да. Впрочем, это меня расстраивает. Я спрашиваю себя, неужели машины талантливей нас. Во всяком случае, в стратегии. Но не все ли — стратегия? Растущее растение — это стратегия завоевания среды. Ребенок, который растет, — стратегия ДНК для воспроизведения».

— Интересно. Но мне кажется, вы заходите слишком далеко.

Самюэль Феншэ усадил своего пациента, подложив ему под спину подушку.

«В настоящий момент машина победила Каспарова. Возможно, исторический смысл и требует этого триумфа. Мы победили обезьяну, компьютер победит нас».

Самюэль Феншэ окинул взглядом других больных, гебефреников, которым не было дано вести подобные диалоги. Большинство из них задумчиво смотрели на полотна Сальвадора Дали, находя в его фантазиях то воображаемое, которого им не хватало в повседневной жизни.

— Нет, мы всегда будем сильнее машин, и знаете почему, Жан-Луи? Из-за снов. Машины не видят снов.

«Что интересного во сне?» — спросил больной LIS.

— Сон позволяет нам обновляться. Каждую ночь во время фазы парадоксального сна в наши головы приходят идеи. И одновременно мы освобождаемся от того, что воздействовало на нас в течение дня. В

России в период сталинских чисток самая распространенная пытка состояла в том, чтобы не давать людям спать. Лишаясь сна, мы утрачиваем разум. Тот же Одиссей из поэмы Гомера слышит советы Афины во сне. Компьютеры не спят, компьютеры только и делают, что накапливают знания. Они зациклены на воспроизведении мысли, которая действует через накопление, а не отбор.

«Это меняется. Кажется, в лабораториях сумели создать искусственное сознание».

— Пока ученые не изобретут компьютеры, способные спать, человек всегда найдет способ одержать верх над машиной.

Феншэ показал на картины Сальвадора Дали, покрывающие стены.

— Какой компьютер может нарисовать такое?

«В случае Дали не только сон определяет разум человека, но и сила безумия».

Феншэ попросил своего больного развить идею.

«Безумие и даже глупость. Чтобы быть к нам ближе, компьютеры должны были бы уметь совершать... глупости. Вчера я беседовал об этом с Афиной. Она говорила мне, что люди будут бояться компьютеров, пока претендуют на совершенство. Еще она предлагала создать не то чтобы искусственный интеллект, а "искусственную глупость"».

Доктор поправил очки в роговой оправе.

— Искусственная глупость?

«Полагаю, в будущем у компьютеров будет не только чистое сознание, не вложенное людьми заранее, но, помимо души, некая информативная чувствительность. Возможно, появятся психотерапевты, которые будут успокаивать машины, пытаться понять

223

их неврозы. Короче, я вижу, что в будущем компьютеры научатся безумию и смогут создавать такие произведения, как Дали».

Это говорила Афина или U-lis? Никогда еще Жан-Луи Мартен не заходил так далеко в своем прогнозировании.

— Сожалею, — сказал Феншэ, — но лично я считаю, что с человеческим мозгом ничто никогда не сравнится. У информатики всегда будут границы. Компьютеры нас не спасут. Они не станут нашими преемниками в сфере эволюции сознания.

Тогда Жан-Луи Мартен вновь пустил свой разум по волнам компьютерных сетей, рыская по тайникам университетов и лабораторий в поисках последних исследований, которые помогли бы ему произвести впечатление на своего наставника.

56

Она все сильнее бьет в стекло:

— Эй, Никто! Никто!

В комнате загорается свет, экран тоже включается.

«Вы, наконец, решили заговорить?»

— Я поняла, кто вы. Вы компьютер. Вот почему вы разговариваете через экран. По-настоящему вас не существует. Вы всего лишь машина, которая повторяет запрограммированные слова.

«Нет».

— Тогда покажитесь. Если только вы не слишком безобразны, чтобы предстать передо мной. Я уверена, что вы не человек, к тому же ваши фразы — не слова человека. Вы думаете как машина.

Лучшая защита — это нападение. Даже заключенная в обитую комнату, даже перед компьютером, она помнит, что все равно речь идет о двух мыслящих умах, и решает, что ни в чем, вопреки своему положению, не должна проиграть.

— Вы машина. Доказательство этому то, что, будь вы человеком, вас бы затронула моя привлекательность.

Говоря это, она мягко склоняется, чтобы камера нырнула в ее декольте, которое украшает бюстгальтер с силиконовыми чашечками.

Посмотрим, как он отреагирует на седьмую мотивацию.

«Вы действительно очень красивая».

Похоже, он начинает оправдываться. Словно боится, что его примут за DEEP DLUE IV.

— Вы — чертова груда железа, с жесткими дисками, материнскими платами и транзисторами внутри. У вас нет либидо, кремний!

«Я человек».

— Вы Никто. Вы сами мне это сказали.

«Я Никто, но... я еще и человек».

— Тогда придите сюда, чтобы я вас видела. Придите, чтобы я могла к вам прикоснуться. Если вы придете ко мне поговорить лицом к лицу, я скажу все, что вы хотите знать, обещаю!

Молчание.

«Вы не в том положении, чтобы ставить свои условия».

— Сдрейфил.

«Важно не то, кто я, а кто вы. Вы журналист. Вы рискнули проникнуть к нам. Собрать о нас информацию. Я хочу знать, как далеко вы зашли и кому об этом говорили. У меня много времени. Не захотите нам помочь — останетесь здесь на несколько дней, недель, возможно, месяцев. Вы рискуете потерять разум».

Она приклеивается лицом к стеклу, будто хочет увидеть того, кто на нее смотрит.

— Я и так не слишком здорова. Думаю, если хорошо покопаться, окажется, что я страдаю на 12 процентов — нарциссизмом, на 27 процентов — беспокойством, на 18 процентов — предрасположена к шизофрении, на 29 процентов — театральностью, на 14 процентов — я пассивно-агрессивная, и, кроме того, недавно я снова начала курить.

Она дышит на стекло, отчего образуется дымка, и стекло становится непрозрачным.

«Поздравляю вас, что вы сумели отнестись с юмором к этой ситуации. Но не думаю, что вы будете столь же высокомерной после нескольких дней заточения. Вам выбирать».

Она кричит:

— Эй, DEEP DLUE IV, какой у тебя мотив?

Свет выключается. Ни изображений. Ни звуков. Только неясный запах пота. Ее собственный запах.

57

Благодаря безграничным возможностям Интернета Жан-Луи Мартен путешествовал разумом по всему миру, читал научные статьи, книги, диссертации, смотрел репортажи, слушал интервью.

Он направил свое внимание на поиск необычных открытий. Что-нибудь новенькое, почище, чем компьютеры с искусственным интеллектом последнего поколения.

Доступ к таким знаниям опьянял. Когда-то доступ к интересной информации перекрывала цензура, теперь же функцию цензуры выполнял излишек информации, который убивал ее.

Но Мартену помогала Афина, которая отбирала для него наиболее интересные сайты. И, кроме того, у него было время.

Он знал, где-то в закоулках огромного банка слов и изображений, который содержит Интернет, должно было быть нечто такое, чего не знал Феншэ и что произвело бы на него впечатление.

Он долго искал. До того дня, когда его внимание привлек необычный эксперимент, проведенный в 1954 году в лаборатории США.

Несчастный случай. Как гласит закон Мерфи, великие открытия сделаны по ошибке. Это потом уже изобретают так называемое *логическое умозаключение*, которое якобы привело к этому открытию. Так создаются легенды.

В этом эксперименте произошла ошибка, которая выдала данные, по-настоящему удивительные. Более чем удивительные. Волнующие. Более чем волнующие... Возможно, решающие. Почему это открытие не стало общеизвестным?

Жан-Луи Мартен провел расследование и понял.

Изобретатель испугался масштабов собственного открытия и пожелал не предавать его огласке.

Какая жалость. И какой восторг понимать реальную досягаемость удачи. Он был словно хищник, которому неожиданно попалась связанная дичь, поджидающая его, не защищающая себя и которую не соизволил съесть другой хищник.

Разум Жана-Луи Мартена был голоден, поэтому он схватил добычу и проглотил ее. Пищеварение шло медленно.

Накопив много сведений об этом необычном эксперименте, он в конце концов составил досье. Как и почему это произошло? Что из этого следовало? Как воспользоваться новыми данными, чтобы продвинуться еще дальше?

Когда документы были собраны полностью, он аккуратно поместил свое досье в компьютерный файл.

Надо было подобрать этому открытию название, так как изобретатель не соизволил сделать даже этого. Без малейшего колебания Жан-Луи Мартен написал: «Последний секрет».

Несколько помпезно, конечно, но все-таки это было ничто по сравнению с широченными горизонтами, которые, по его мнению, открывала эта находка.

Больной LIS решил поговорить об этом с Самюэлем Феншэ и объяснить ему, как они могли бы использовать это изобретение по-другому.

Доктор Феншэ понял не сразу, но, поняв, тоже был сильно поражен.

— Невероятно! — воскликнул он.

Но тут же уточнил:

— Если изобретатель отказался продолжать исследования, то потому, что он понял опасность своего открытия. Жан-Луи, вы отдаете себе отчет в его значении?

Глаз Мартена задвигался.

«Подобно открытию огня или ядерной энергии, оно может согреть, а может сжечь. Все зависит от того, как его использовать».

58

Лукреция Немро устала стучать в обитые стены ее тюрьмы. Сориентировавшись на ощупь, она набрасывается на стекло. Пытается раскрыть его ногтями. Напрасно.

Ладно. Ничего не поделаешь, оно прочное.

Ждать.

Спать.

Заснуть ей не удается. Она лежит в темноте с широко раскрытыми глазами. Она вспоминает слова Никто: «Хуже всего — лишить мозг пищи».

Надо подумать. Надо настроить свой мозг так, чтобы, даже если ничего не происходит снаружи, он не переставал работать. Она сосредоточивается на расследовании. Все привязано к этому априори простому вопросу: «Что заставляет нас действовать?» Простой, но открывающий столько перспектив...

Она говорит про себя, что составленный ею список мотивов объясняет всю историю человечества.

Она представляет себе первого пещерного человека. Он сражается с хищником, тот кусает его, человек ранен, чувствует боль, хочет выпутаться из своего положения; тогда он хватает ветку, бьет хищника и таким образом изобретает орудие.

Это удовлетворение первой потребности: избавиться от боли, которая сдвигает человечество с места.

Затем человек уходит на равнины, где могут быть другие хищники. Гремит гроза. Ночь погружает его в темноту. Тогда он укрывается в пещере и так изобретает понятие убежища. Это удовлетворение второй потребности: прекращение страха.

Потом он хочет пить. И разыскивает источники. Далее ему хочется есть. Тогда он охотится и занимается собирательством. Им овладевает усталость. Тогда он изобретает постель и огонь, который во время сна мешает хищникам проникать в пещеру. Это третий мотив: удовлетворение первичных потребностей выживания.

Потом все покачнулось. Человек переходит от потребностей к желаниям. Возжелав комфорта, он покидает пещеру, строит шалаши и сараи, дома, становится архитектором. Возжелав получить побольше места, он захватывает территорию своего соседа. Возжелав побороть усталость при занятиях собирательством, он приобретает навыки агронома. Затем, возделывая поля, он начинает использовать тягловую силу — быков. (В «Энциклопедии относительных и абсолютных знаний» Лукреция читала, что алфавит начинается с буквы «а» как раз потому, что в большинстве древних языков эта буква представляла собой перевернутую голову быка. Бык — первый источник энергии и, следовательно, начало цивилизации.) Быков сменили лошади, потом двигатели. Итак, четвертый мотив: удовлетворение вторичных потребностей в комфорте.

Что там дальше в ее списке? Пятый мотив: обязанности. Человек обязан учиться: годы, проведенные в школе. Обязанности по отношению к семье: брак. Обязанности по отношению к родине: налоги. Обязанности по отношению к начальнику: предприятие. Обязанности по отношению к правительству: голосование.

И, чтобы открыть клапан на скороварке в случае перегрева, шестой мотив: гнев. Гнев, который создает потребность в правосудии. Благодаря гневу учреждаются полицейские структуры и суды, которые отводят этот гнев так, чтобы он не разрушил общество. А если этого уже недостаточно, гнев вызывает революции.

Седьмой мотив: секс...

Она думает, что ее система классификации мотивов ни хронологическая, ни возрастающая. В наши дни каждый располагает эти рычаги по-разному, по своей воле. Секс изначально первичная мотивация размножения биологического вида. Ее надо было бы расположить почти сразу после жажды, голода и сна. Вначале это потребность. Только потом она превращается в желание. Желание сохранить свой собственный вид. Желание оставить след своего прохождения по Земле. И лишь спустя тысячелетия эта основная энергия превратилась во что-то другое. Она расширилась. Секс стал способом проверить свое умение обольщать противоположный пол. А к этому — желание ощутить прикосновение, ласку, вытесняющее желание воспроизводства. Ненасытная потребность в общении. Возможно, древний рефлекс вычесывания вшей у больших обезьян, которые мирятся, разыскивая блох в шерсти друг друга.

Ласка — это отдельный мотив? Нет. Просто удобство, связанное с сексом...

Размышляя над всем этим, она массирует себе ноги, и от этого ей становится очень хорошо.

Ласка.

Лукреция Немро вздыхает. При слове «ласка» ей хочется тактильных ощущений. Но вокруг нее только стены, обитые тканью.

Она сосредоточивается.

Секс — мотив сильный. Он может менять историю. Греки и троянцы несколько лет убивали друг друга из-за женщины, Елены. Чтобы соблазнять Клеопатру, Цезарь выступил против римского Сената. Сколько произведений искусства было создано лишь для того, чтобы произвести впечатление на женщину?

Миром правит либидо?

Восьмой мотив: наркотические и прочие средства, заставляющие нас действовать независимо от желания. Искусственное желание, которое превращается в потребность, превосходящую все прочие. Сначала люди пробуют наркотики из любопытства, за компанию, из общительности. Затем искусственный рай захватывает разум, разрушая свободную волю и заслоняя первую потребность: выживание.

Девятый мотив: личное пристрастие. У каждого оно свое. Внезапно сосредоточиваешься на банальной с первого взгляда деятельности, а она становится самой важной вещью в мире. Искусство. Спорт. Ремесло. Игра.

Она вспоминает, с какой одержимостью девушки в приюте ночью при слабом отблеске свечей играли в покер, ставя на кон свои жалкие карманные деньги. Мир вертелся вокруг того, что хранили карты: парная, двойная парная, брелан, квинта, фул. Словно вся их жизнь зависела от кусочков разрисованного картона.

В биологической истории человека личное пристрастие не имеет смысла. Однако значит так много...

Взять ее коллекцию кукол. Она заменяла семью, которой у нее никогда не было. Огромная страсть. Куклы, которым она давала имена, не обязательно красивые, тряпичные, фарфоровые или пластмассовые. Она шила им одежду с большей любовью, чем мать своим детям. У нее было ровно сто сорок четыре куклы. Она не обменяла ни одной. А после кукол — вполне логичное продолжение, она принялась коллекционировать любовников. Возможно, их тоже была сотня. Нет, меньше. Если кукол она знала точное количество, то любовников — не настолько определенно. Она любила мужчин, как марки, которые можно обменять. «Меняю одного из близнецов, которых у меня двое, на твоего красноглазого культуриста-альбиноса».

И теперь я веду расследование из личного пристрастия. После кукол и любовников я коллекционирую дела: расследование об истоках человечества, расследование о деятельности мозга. Моя коллекция пока еще не собрана, но ясно одно — это мое личное пристрастие.

Она грызет ногти в темноте.

Десятый мотив...

Капитан Умберто говорил о Последнем секрете. Он описывал его как самый сильный мотив, сильнее наркотиков.

Не исключено, что DEEP DLUE IV воспользовался своим компьютерным суперинтеллектом, чтобы смешать молекулы и изобрести новый наркотик. Более мощный, чем традиционные наркотики. Таким образом, он мог бы управлять контингентом больницы: врачами, санитарами, больными.

Последний секрет...

Воспользовался бы этим Самюэль Феншэ?

Связано ли это с его смертью?

Гипотеза о супернаркотике, который невозможно обнаружить, кажется ей логичнее, чем подключенное к сети чудо техники. Кроме того, это могло бы объяснить, почему Наташа ничего не видела и считала виновной себя.

Но к пониманию чего толкает ее это предположение?

Она заперта в комнате, которую скорее можно назвать убежищем сумасшедших, на острове, окруженном морем.

Я должна любой ценой сохранить свой разум, — говорит она себе. — *Худшее, что может со мной произойти — это то, что я тоже сойду с ума. Если я проявлю малейший признак сумасшествия, мне больше никто не поверит.*

Лукреция Немро искусывает ноготь до крови. Эта боль поддерживает в ней трезвый разум.

Что сделать, чтобы не потерять голову?

59

Исследовать. Жан-Луи Мартен продолжил изучение Последнего секрета. Без особого успеха, однако. Он обнаружил, что не только изобретатель хранил свое сокровище в тайне. Все, кто работал близко или далеко от него, все, кто сознавал значимость Последнего секрета, заключили нечто вроде соглашения, запрещающего продолжать исследования в этой чересчур сложной области.

Последний секрет был спрятан хорошо.

И тем не менее Жан-Луи Мартен нашел брешь. Диссертация о Последнем секрете осталась в корзине старого компьютера, которым уже не пользовались, но который еще был подключен к Интернету...

Раскрыть Последний секрет помог случай, договор запретил его разглашение, а нечаянный поиск позволил Мартену узнать его содержание.

Но все же он знал об этом слишком мало.

Тогда он запустил более точные поисковые программы-агенты, которые копались во всех больницах, лабораториях и университетах мира. «Цепь прочна своим самым слабым звеном», — думал он. Изобретатель Последнего секрета жил не в пустыне. Среди его окружения обязательно должен быть кто-то, кто со временем мог бы нарушить договор. Ассистентка. Секретарша. Друзья. Собутыльники, которым он в момент забытья выболтал свою тайну. Любовница, на которую он хотел произвести впечатление.

Даже в науке никакой запрет нельзя наложить навсегда.

Более решительный, чем когда-либо, Жан-Луи Мартен читал все, смотрел все, все рассматривал. Афина делала то же самое, но в сотню раз быстрее.

Было прочитано и сохранено все, что шло в файл, все, что осталось в видеозаписи, все, что имело хоть слабое отношение к Последнему секрету.

Я отыщу слабое звено, — говорил он себе.

60

Лукреция завывает.

Как не сойти с ума в темноте? Она вспоминает все те моменты, когда темнота пугала ее. В приюте, когда она оказалась в подвале, а карманный фонарик погас. Как она кричала! С завязанными глазами, когда она играла в жмурки. Глаза дают столько информации. Свет — это уже наркотик. Это первое, что мы воспринимаем, выходя из материнской утробы. Воздух поступает только потом. И, вкусив эти две вещи однажды, уже невозможно остановиться. Роды были не без осложнений. Ее голову зажало при выходе. Гипноз помог ей вспомнить об этом... Возможности мозга огромны. Только в нем одном содержатся все решения. Все иллюзии. Все способности.

Человеческий мозг — самое сложное устройство во Вселенной.

В «Энциклопедии относительных и абсолютных знаний» она прочла фразу, над которой размышляла до сих пор: «Реальность — это то, что продолжает существовать, когда мы перестаем в нее верить». То есть можно изобрести временную реальность.

Еще она вспоминает произведения русского писателя-диссидента Владимира Буковского. Чтобы выдержать пытку, он мысленно строил у себя в голове виртуальный дом. Когда боль становилась невыносимой, он укрывался в нем, и там его уже никто не мог достать.

Сила мысли. Если она помогала заключенным ГУЛАГа, поможет и мне.

Лукреция Немро закрывает глаза.

Она забывает, что с ней происходит.

Она забывает, где она.

Подобно Буковскому, она начинает строить в мозгу свой виртуальный дом. Еще лучше: дворец, поскольку воображение не имеет границ. Она мысленно принимается рисовать план своего дворца, потом закладывает фундамент. Затем возводит каменные стены. Ставит окна, двери, крышу. Разбивает внешние и внутренние сады. Посреди центрального двора она помещает небольшой бассейн.

Теперь, собственно говоря, украшение. Витражи выходят на двор; таким образом, внутри все становится полупрозрачным, а снаружи — непроницаемым.

Много зеленых растений. Японская мебель из ценного дерева, которую предварительно надо будет натереть медовым воском черного цвета.

Затем она ровняет паркет, раскладывает восточные ковры в комнатах для друзей, выбирает обои. Ура! Ее мозг полностью активен.

61

Его компьютер работал без перерыва.

Жан-Луи Мартен, торопившийся с поисками, в конце концов сам создал электронных агентов, способных ловить информацию в Интернете.

Ему помогала благосклонная и вездесущая кремниевая Афина.

Итак, он принялся загружать маленькие программы, которые сам настроил под свои потребности. Своих новых компьютерных агентов он окрестил в честь Одиссея «моряками». Но все эти «моряки» разыскивали не Итаку, а Последний секрет.

Программы, активизировавшие сердце «моряков», были продуктом последних открытий в области искусственного интеллекта, то есть они могли самовоспроизводиться и улучшаться для достижения заданной цели. Первое поколение «моряков» в произвольном порядке рассеялось по информационной сети в поисках данных. Затем, уже без вмешательства человека, они вычленили из сотни пятерых, добившихся наилучшего результата. Остальные исчезли, а победители получили добро на воспроизводство. Тогда они разработали новые программы, но только более специализированные в тех областях, куда их направляли.

На идею создания «моряков» Жана-Луи Мартена вдохновил дарвинизм: отбор лучших, стимулирование сильнейших, помощь наиболее одаренным и отказ от несостоявшихся.

Возможно, это жестоко, но жестокость — категория далекая от области электроники, — подумал он.

Второе поколение «моряков» в свою очередь позволило пяти лучшим породить программы, намного более специализированные в поиске. В распоряжении «моряков» третьего поколения был весь опыт и знания предыдущих поколений.

Понадобилось пятнадцать поколений «моряков», пока удалось произвести отряд сверходаренных, которые наконец достигли цели.

Это находилось в России, в Санкт-Петербурге, в Центре мозга, которым управляла доктор Черненко. Благодаря некоторым ничтожно малым, но совпадающим данным, компьютерные агенты заключили, что Последний секрет использовали в опытах над человеком.

62

Нейроны Лукреции работают из последних сил на том запасе сахара, который сохранился в жировых тканях девушки.

Чтобы журналистка могла размышлять и управлять своим страхом, им нужен медленнорастворимый сахар, но, к несчастью, следуя моде женских журналов, Лукреция потребляла главным образом волокна и овощи, практически никаких изделий из теста, еще меньше масла, сливок, сахара — всего того, что радует нейроны и позволяет им хорошо функционировать.

Она не знает, сколько часов прошло. Она хочет есть. Язык щелкает в пустоте.

Что значит быть сумасшедшей...

Не думать о моем положении, думать о замке.

Воображение выбирает люстры для маленькой гостиной, большой гостиной, столовой. В комнаты — бра; в кабинеты — галогеновые лампы. Большая библиотека. Сауна. Телевизионный зал с гигантским экраном. Бильярдная. Спортзал с комплексом оборудования для развития мышц. Но настает момент, когда она не может добавить еще мебели, иначе композиция будет слишком перегружена, не может добавить еще комнат, иначе она почувствует себя затерянной в слишком большом замке.

И все же чего-то не хватает.

Мужчины. Мужчина — идеальное дополнение дворца.

Мужчина согреет постель, кроме того, он может подарить цветы, вымыть посуду, к нему можно прижаться, смотря телевизор.

63

Жан-Луи Мартен связался по электронной почте с доктором Черненко из Санкт-Петербурга и сообщил ему, что желает знать подробнее о его опытах на мозге.

Ответа он не получил.

Затем он отправил ему факс. Афина лично переместила его. Безрезультатно.

Поскольку больной LIS не мог говорить и в любом случае знал, что в науке у него нет никакого влияния, он в конце концов рассказал обо всем Самюэлю Феншэ.

Его русская коллега поговорила с Феншэ. Несмотря на вежливость, она отказалась что-либо сообщать о своих исследованиях.

Афина обратила внимание на слабое место в жизни этой женщины, доктора Черненко. Конечно, это было не очень благородно, но в свою программу электронная богиня записала еще и фразу Макиавелли: «Цель оправдывает средства».

В итоге французскому ученому удалось склонить русскую к сотрудничеству, обещая использовать Последний секрет только для небольших и полностью контролируемых опытов.

Доктор Черненко согласилась указать им местонахождение Последнего секрета у мышей. Трехмерное пространство, улавливаемое на десятом миллиметре. По электронной почте она прислала им план мозга мыши со стрелочкой, указывающей точное место с координатами в высоту, ширину, глубину.

«А вот и карта сокровищ», — мысленаписал Жан-Луи Мартен.

Они рассматривали план, словно магическое заклинание.

— Это в мозолистом теле! Мозолистое тело — самый древний мозг. Это своего рода зачаток нервной системы, и до двух лет он сохраняет все пережитое при рождении. Потом добавляются новые пласты мозга и наслаиваются сверху. Каждый пласт — все более сложный уровень, но самый важный скрывается в самой глубине... Ты был прав, Жан-Луи.

Во время исследований Самюэль Феншэ провел небольшие хирургические операции. Он выбрал мышь-капуцинку с черной головой и белым телом, очень сообразительный вид, который обычно используют для цирковых номеров. Закрепив мышь резиновыми ремешками на пробковой подставке, он расставил ее лапы крестом. Выбрив сверху череп, сделал измерения миллиметровой линейкой и фломастером записал показания на своей руке. Затем ввел мыши обезболивающее, дабы операция не травмировала животное и не изменила данных. Потом установил видеокамеру, чтобы больной LIS мог на расстоянии следить за ходом опыта.

С помощью циркулярной пилки он срезал верх черепного свода животного, будто верхушку яичной скорлупы. В свете ламп появился трепещущий мозг.

— Жан-Луи, ты меня слышишь?

«Да, Самюэль, слышу», — возникла надпись на экране, прикрепленном к камере.

— Видишь?

«Да. Должен тебе признаться, что я не привык видеть такое, и, по-моему, это противно. Но, думаю, меня, во всяком случае, не может вырвать».

Самюэль Феншэ привык разговаривать с экраном, словно с другом из плоти и костей.

— Теперь, дорогой коллега, ты стал членом нашего братства.

Объектив фокусируется на мыши.

«Ты уверен, что ты ее не убьешь?» — появилось на экране.

Доктор Феншэ сверил медицинские показатели.

— Пульс хороший, все жизненные функции, кажется, в порядке.

«Я волнуюсь».

С мозгом наружу у мыши-капуцинки был странноватый вид.

— Это была твоя идея, Жан-Луи.

«В любом случае цель достаточно важная, чтобы мы рискнули...»

Самюэль Феншэ приблизил свои инструменты к открытому мозгу.

Жан-Луи Мартен жадно следил за развитием события.

Это напомнило ему другой неврологический опыт, который он видел в Интернете. Бригада профессора Вейсмана из Стэнфордского университета пересадила в мозг мышей нейроны, взятые из клеток зародыша человека. Человеческие нейроны, более динамичные вследствие своей молодости, быстро захватили зоны, занятые нейронами мышей. Таким образом мыши обрели человеческий мозг, который ученые рассчитывали использовать для помощи больным, пораженным болезнью Альцгеймера или Паркинсона.

Больной LIS попытался представить себе мышь с человеческим мозгом. Не исключено, что она могла мыслить.

Внезапно у него закружилась голова: реальность превзошла научную фантастику. На заре третьего тысячелетия все действительно становилось возможным: дать мыши человеческий мозг или прикоснуться к Последнему секрету.

Мир меняется, простая идея, порожденная воображением, может оказаться ужаснее атомной бомбы.

Морали больше не существует, есть только экспери-
менты. И кто осмелится упоминать о статусе мышей
с «очеловеченным мозгом»?

Он смотрит на распятую мышь, и это зрелище напоминает ему произведение Сальвадора Дали: *Христос, на которого смотрит Его Отец.*

Мы всемогущи. Нам понадобится больше сознания,
чтобы оценить значение наших действий. Готовы ли мы?

Самюэль Феншэ настолько сосредоточен на своих движениях, что не задает никаких вопросов. Его
волнует лишь успешный исход операции и чтобы
мышь проснулась невредимой.

64

Построив идеальное место для жизни, Лукреция
пересматривает список своих бывших любовников,
чтобы выбрать идеального компаньона. Но все они
не без причины стали бывшими. Тогда она переходит
к своим любимым актерам.

Нет, они будут нарциссами и потребуют, чтобы я
ими восхищалась.

Она решает изменить критерии отбора.

Он должен уметь меня рассмешить. Да, умный че-
ловек. Это хорошо.

В итоге она представила человека, который с бу-
кетом цветов и бутылкой шампанского стоит у двери
ее замка. Она показывает ему свое логово и комментирует знаменитые произведения искусства, которые
по ее желанию возникают на стенах из щебня. Потом
ее любимый ловко разжигает огонь в камине, включает приятную музыку и разливает шампанское в куб-
ки из богемского стекла...

65

Спустя два часа мышь проснулась.

— Думаю, все прошло успешно.

Закончив операцию, Феншэ закрыл, словно крышку, черепной свод, смазав его хирургическим клеем, склеивающим кости.

Из макушки грызуна торчал датчик, придавая ему вид музыканта-киберпанка.

Все, казалось, функционирует отлично. Мышь могла бегать, ее глаза следили за объектами, проходящими перед ней. Она умела защищаться лапками от нападения авторучки. Так как, если приглядеться, белые шерстинки образовывали на черной голове выразительную бородку, Самюэль Феншэ и Жан-Луи Мартен решили назвать мышку Фрейдом.

Оставалось лишь протестировать рукоять. Психоневропатолог подключил электрический провод к датчику и дал слабый разряд. На мгновение застыв от неожиданности, Фрейд, кажется, занервничал. Он лихорадочно дергал правой лапкой.

«Ему больно?»

— Не знаю. Это ощущение его скорее удивило.

«Как узнать, нравится ему или нет?»

Проще всего было дать рукоять самому грызуну. Самюэль Феншэ поместил ее перед лапами мыши и подсоединил провода к электрической батарейке. Фрейд недоверчиво понюхал рукоять, но к ней не прикоснулся. Тогда Феншэ дотронулся до рукояти двумя пальцами, чтобы показать результат.

Пораженная током, мышь застыла. Она поняла.

«Это причиняет ему боль?»

Как только человеческие пальцы отпустили мышь на свободу, она вцепилась лапами в рукоять и опустила ее. Последовал разряд. Мышь подняла механизм и тут же дала себе второй разряд. Затем третий.

— Можно сказать, что ему нравится, — прокомментировал врач.

Мышь не переставала яростно опускать и поднимать рукоять. Она как будто перекачивала воду из колодца, чтобы поднять со дна эликсир, который чувствовала лишь она.

66

Легкая приятная музыка. Он массирует ей плечи. Ласкает ее. Затем она предлагает ему продолжить утехи в спальне...

67

Самюэль Феншэ посадил Фрейда в клетку с двумя выходами. С одной стороны — рукоять, стимулирующая Последний секрет. С другой — сгорающая от страсти самка.

68

Они на кровати.

Лукреция чувствует, как ее пальцы нерешительно касаются его кожи. Представлять или действительно чувствовать стимулирует одни и те же зоны мозга. Далее, гость очень медленно снимает с нее одежду, под которой оказывается темно-синее кружевное белье...

69

Самочка выставила напоказ свои ягодицы, ставшие пунцовыми от желания. Из ее потовых желез выделяется коктейль сексуальных феромонов, попахивающий опием.

Фрейд потянул носом по направлению к самке, взглянул на нее. Та ходила вразвалку и попискивала, приглашая самца к многообещающим утехам.

70

Он медленно осыпает ее тело легкими поцелуями, шепчет в ушную раковину «я люблю тебя»...

71

Фрейд смотрит на мышь-самку, которая принимает вызывающие позы. Он двигает круглыми ушами и выпуклой мордой, улавливающей феромоны. Усы его дрожат.

Не знаю, что это, но это интересно, — возможно, подумал Фрейд.

В глубине другого прохода он замечает рукоять.

А вот это выглядит еще интереснее.

72

Раздев Лукрецию, гость приподнимает одеяло, и они оба оказываются под ним, как в шалаше. Ласки, не слишком быстрые и не слишком медленные, сосредоточиваются на эрогенных зонах. Она жадно целует его и прижимается к его телу. Она чувствует, как ее плоть трепещет рядом с его плотью...

73

Не колеблясь и доли секунды, Фрейд бросается к рукояти. Рассерженная самка ругает его на мышином языке. Но Фрейду до этого и дела нет. Ничто для него не может сравниться с интересом, заключенным в рукояти.

74

Она рассматривает своего гостя и решает, что он глуповат. Она размышляет:

Мммм... Нет, милый песик вроде этого меня быстро утомит.

Он тут же исчезает.

Так кто же мне нужен? Кинорежиссер. Кто-то, способный выстроить мизансцену, чтобы меня поразить. Наверное, приятно оказаться героиней фильма или романа.

Она представляет режиссера, который устанавливает декорации, свет, подбирает костюмы. Диалоги становятся острее, движения хореографичнее. Обнаженные любовники снова на кровати. Несколько свечей, фимиам, музыка подчеркивает каждое действие. В зеркалах, которые режиссер расставил повсюду, Лукреция может видеть себя и своего партнера в разных ракурсах.

Да ну. В конце концов он мне тоже надоест.

Вдруг она приходит к выводу, что мужчины определенно ниже ее уровня.

Все они так предсказуемы.

Больше она никого не впускает в замок своей мечты.

Она идет в спортзал и мысленно занимается спортом. Но спорт, даже воображаемый, вызывает жажду и голод. Ей хочется есть. Она представляет, что открывает огромный холодильник, заполненный едой. Это успокаивает. Она приглашает на пир подруг и готовит «штучки, от которых толстеют». Картофель с молоком, маслом и сыром, лазаньи, лотарингские запеканки, фаршированные томаты (без кожицы, она ее плохо переваривает), цыпленок на вертеле в соусе соте, лососевое суфле. И самое извращенное блюдо: тулузское рагу из мяса гуся и жареной фасоли (до сих пор она не позволяла себе этого даже в мечтах!).

75

Самюэль Феншэ и Жан-Луи Мартен повторили опыт, но на сей раз не со страстной самкой, а с едой. Они не кормили Фрейда два дня. Затем Самюэль Феншэ посадил его в клетку с двумя выходами. С одной стороны — куча аппетитных кушаний: сыр, яблоко, миндальное пирожное. С другой — рукоять.

76

Она сидит со своими лучшими подругами, обсуждая за едой любимый предмет: мужчин. Они потягивают кофе, объедаясь жирными пирожными с кремом. Вдруг она чувствует, что ей чего-то не хватает. Сигарета. Она спрашивает подруг, нет ли у них сигаретки, и те отвечают: «Да, конечно». Они дают ей прикурить, она курит. И тем не менее ее тело по-прежнему требует никотина. Тогда Лукреция просит еще сигарет и затягивается ими всеми сразу. Она приклеивает на руки никотиновый пластырь. Она лепит его на себя по всему телу. Но ей не хватает никотина в крови. Подруги дают никотиновые жвачки. Ей все равно мало.

Происходит что-то удивительное: стены трескаются. Подруги трескаются. Еда гниет на глазах. Испуганные подруги видят, как от их тел отпадают куски, будто их поразила проказа. Вокруг нее все гниет и рушится.

Лишь она остается нетронутой в бесконечно гладком мире, похожем на гигантский бильярдный шар. Одна на ровной планете, без единой звездочки или Луны на небе. Ее охватывает огромное чувство тревоги. Она просыпается, открывает в темноте глаза. Надо скорее восстановить воображаемый замок. Она старается, поднимает каждую стену одну за другой, ставит крышу. Она зовет подруг. Они неторопливо прибывают с тележкой, заполненной тысячами пачек сигарет. Она курит их десятками. И ей все еще мало. Крыша замка рассыпается. Словно песочный замок. Подруги превращаются в маленьких крабов, сжимающих в своих клешнях дымящуюся сигарету. Она хватает их, и крабы зарываются в песок. Она снова оказывается одна рядом с кучей песка и неимоверной жаждой никотина в крови.

Она опять просыпается.

Если я не смогу построить в своем воображении достаточно прочный внутренний мир, моя психика рухнет. Я сойду с ума.

Она знает, что после сна появятся галлюцинации, после галлюцинаций придет тревога, после тревоги начнутся психомоторные проблемы. Надо бороться.

Думать. Организовывать мысль. Строить твердую мысль, способную противостоять времени.

Она падает на пол и больше не шевелится.

Луч света. Он идет из окошечка. Кто-то смотрит, спит ли она.

Не шевелиться.

Дверь отворяется, и санитар ставит поднос с едой. Она не знает, который час, но определяет запах завтрака. Значит, прошла целая ночь.

Она приоткрывает левый глаз. Затылочная часть коры ее головного мозга схватывает человека. Ассоциативная височная часть говорит ей: «Сейчас или никогда». Префронтальная часть добавляет: «Надо вывести его из строя без шума, чтобы он не успел закрыть дверь и дать тревогу». Двигательная часть коры быстро посылает сигнал в мышцы, которые будут задействованы. Их сила точно рассчитана.

Прежде чем санитар успевает закрыть дверь, она бьет ему ногой в подбородок, отчего ее пурпурное платье сразу разрывается; неподвижный санитар падает на землю.

Она надевает туфли, хватает бутерброд с маслом, заглатывает его на бегу и ныряет в коридор. Разжеванный хлебный мякиш, смоченный слюной, превращается в шарик, который спускается в пищевод и попадает в желудок. Желудочные соки разлагают его. Далее смесь спускается в кишечник, где энзимы извлекают из муки сахар. Он пересекает кишечную стенку и распространяется по венам. Затем сахар попадает в голову Лукреции. Ее мозг никогда еще не работал с таким удовольствием. Напитанный сахаром мозг в активном теле. Она чувствует все свои просыпающиеся доли. Первый мозг, мозг рептилии, контролирующий жизненные импульсы, наслаждается малейшим дуновением сквозняка, малейшим соприкосновением ее ног с поверхностью пола, просто видом коридора.

Лимбический мозг, который есть только у млекопитающих, — отвечает за память и обучение — пытается запомнить каждое пройденное ею место, оценить помещение, укрыться при малейшем шуме.

Наконец, кортикальный мозг вырабатывает план выхода из этого ада.

Все есть стратегия.

Анализ, синтез, логика, хитрость. Она готова действовать, чтобы выбраться отсюда.

Второй хлебный шарик, который спускается в пищевод, предназначен для питания мышц ног, тоже настойчиво этого просящих.

Она крадется вдоль стен, чтобы не быть замеченной камерами наблюдения.

77

Фрейд был слегка взволнован.

Феншэ и Мартен решили провести несколько испытаний, чтобы понаблюдать, на что способна мышь ради того, чтобы коснуться рукояти, которая дает разряд в зону под названием Последний секрет.

Доктор Феншэ поместил в своей лаборатории камеру, чтобы Жан-Луи Мартен мог за всем следить. Взамен тот сообщал ему свои замечания.

Сперва мышь заметила в глубине прозрачного лабиринта рукоять и понеслась в этом направлении.

Она проникла в кабинет в задней части здания. Она видит, что за окном еще ночь. Солнце пока не встало. Этим нужно скорее воспользоваться. Часы показывают 6 часов. Все спят. У нее есть немного времени. Она пытается позвонить, но это всего лишь внутренний телефон. Не стоит мечтать: не предполагалось, что больные будут общаться с внешним миром.

Мой мобильник в ящике стола.

Она хватает проволоку и принимается взламывать замок.

Первое испытание — дверца, створки которой связаны узлом, который требовалось разорвать. Мотивированная видом рукояти, мышь лапами и зубами последовательно рвала нити.

Замок поддается, и она быстро достает свой мобильный. Она пытается позвонить Исидору, но аппарат не работает — разрядилась батарейка.

Она замечает шкаф с картотекой. На карточках имена всех больных, которые лечились здесь: от булочника до мэра, от почтового служащего до владельца многомиллионного состояния, чьи яхты стоят на якоре в порту Канн. Столько людей когда-то прошли через Святую Маргариту.

На каждой карточке сверху фотография, рядом с фотографией анкета, заполненная вручную. Вопросы по поводу страхов, надежд, разочарований, травм.

Графа гласит: «Расскажите о самом тяжелом моменте, который вы пережили в возрасте до десяти лет».

Выходит, у них в распоряжении оказывается знаменитый первоначальный рычаг, о котором говорит Исидор, — детская травма, которая может стать как тормозом, так и движущей силой.

Она с увлечением продолжает перебирать карточки. Она видит перед собой озабоченных людей, которым не удается принимать себя такими, какие они есть, и чьи шансы сломаться увеличиваются, если они задаются вопросами.

Иногда ум — наша слабость. Как если бы, — говорит она себе, — увеличили мощность двигателя, а водителю вдруг не удалось справиться с управлением. Чем сильнее мотор, тем больше они боятся и тем чаще попадают в аварии. Может быть, мы слишком умны. Может быть, мы должны перестать развиваться и поставить точку.

Эта идея внезапно кажется ей самой варварской: отказаться от быстрого и неуклонного роста человеческих возможностей, чтобы лучше их понять.

Мы передаем наш интеллект машинам, как теплый батат, который жжет пальцы. Избавляемся от него, потому что не умеем им управлять. Эйнштейн говорил, что мы используем только десять процентов нашего мозга, но, возможно, это уже чересчур.

Карточек так много. Бензодиазепин, антидепрессанты и снотворные средства — ширма краха.

Она смотрит на часы: восемь минут седьмого. Надо быстрее действовать. Санитар принес ей поесть около шести, потому что хотел удостовериться, что она спит (он не мог знать, что желание покурить, возобновленное недавним повторением, разбудит ее так рано), но другие санитары, вероятно, тоже встали на заре. В семь часов во дворе будет полно народу. Надо воспользоваться этой недолгой тишиной занимающегося утра.

Она отрывает подол своего пурпурного платья, чтобы освободить ноги. Слышит шум — несомненно, это приближаются санитары. Лукреция вылезает в окно.

81

Мышь встала на задние лапки, чтобы преодолеть новое испытание: вход, расположенный на высоте. Ей хватило энергии прыгнуть, чтобы побыстрее до него добраться.

82

Вот и двор. Человек проходит. Больной или санитар? Их невозможно отличить. Она прячется в ближайшем здании.

Стены здесь украшены простыми картинами. Персонажи держатся за руки в буколических лугах, усыпанных яркими цветами.

Какой-то больной услышал, как она зашла. Он поднимается.

— Вот это да, журналистка! Добрый день, как поживаете?

— «Доктор» Робер! Хорошо, спасибо, а вы?

Прежде чем она смогла что-либо сообразить, он прыгает на нее сверху. Некоторые больные помогают ему.

83

Фрейд вошел в клетку, где было много других самцов. Он сразу понял, что должен работать лапами и клыками, чтобы пройти. Видя, как близко он к заветной рукояти, он с еще большей яростью растолкал своих сородичей.

84

Под грудой нападающих она уже не может пошевелиться. Они держат ее за руки и за ноги.

— Робер, отпусти меня, и я найду способ передавать тебе сигареты, — кричит Лукреция Немро.

Робер оценивает предложение.

— Целые блоки. Без фильтров! — настаивает журналистка.

— Я знаю, что никотин вреден для здоровья, — заявляет пациент. — В последний раз меня отругали из-за тебя. Если бы ты не предложила мне сигарету, меня бы не отругали. Я терпеть не могу, когда меня ругают.

— Извини меня, Робер.

В порыве он бьет кулаком по стене.

— Твои извинения ничего не стоят! Ты снова хочешь соблазнить меня сигаретами! Дьяволица!

Тяжело дыша, он выкатывает глаза.

— Я думала, это доставит тебе удовольствие.

— Конечно, это доставляет мне удовольствие. Массу удовольствия, это очевидно. Сигареты меня преслсдуют, снятся мне по ночам, я чувствую запах табака в порывах ветра днем, но...

Он успокаивается, собирается.

— Но это ничто по сравнению с моим желанием достичь Последнего секрета!

Он произнес эти слова, словно речь шла о помиловании. Другие тоже успокаиваются, будто одно упоминание об этом уже несет успокоение.

— Последний секрет?

— Это то, что нам дарит Никто.

— Кто такой Никто?

Все ворчат.

— Она не знает, кто такой Никто! — повторяют некоторые больные.

— А вот мы, наоборот, мы все знаем, кто ты есть. Ты грязная шпионка! Ты пришла сюда, чтобы наговорить в газетах гадостей о больнице и чтобы ее закрыли. Вы, журналисты, все одинаковы! Стоит появиться чему-то красивому и чистому, как вы оплевываете это.

Лукреция начинает нервничать.

— Нет. Я с вами.

— Никто сообщил нам о твоем вторжении. Он лично упрекнул меня за то, что я тебя впустил. Мы с тобой кое-что сделаем, что отобьет у тебя желание донимать нас. Согласны?

Все сумасшедшие одобряют. Некоторые издают странное ворчание. Лица других обезображены тиком.

Робер аккуратно берет молодую женщину за острый подбородок, будто для того, чтобы ее выслушать. Она внимательно смотрит на него большими изумрудными глазами. Обычно, когда она так смотрит на мужчин, они теряются.

— Тобой займется Люсьен!

У Лукреции плохое предчувствие.

— Люсьен! Люсьен! Люсьен! — вторят остальные.

— На помощь!

— Кричи, кричи, — говорит Робер. — Здесь тебе никто не поможет, в лучшем случае ты привлечешь других, которые захотят с тобой поразвлечься.

— Люсьен! Люсьен! Люсьен! — скандируют больные.

Этот самый Люсьен — большой весельчак с растрепанными волосами на маленькой голове и улыбкой, уродующей его лицо. Он подходит, что-то пряча за спиной. Левой рукой он хватает журналистку за лодыжку. Она отбивается, но сумасшедшие держат ее еще сильнее.

Она смотрит на него испуганными глазами. Что у него за спиной? Нож? Клещи? *Должно быть, он садист!* Тут Люсьен показывает ей предмет: перо цесарки.

Ах, всего лишь это...

Она успокоена, но больной делает странную гримасу.

— Вы любите щекотку, мадемуазель? Моя маленькая одержимость — это щекотание.

Он приближает перо к стопе Лукреции. Кончиком пера цесарки мягко касается нежной подошвы. Поверхность кожи молодой женщины покрыта двумя тысячами термических рецепторов, пятью тысячами тактильных рецепторов и десятками нервных сосочков, чувствительных к боли. Длительный, вращательный контакт приводит в действие частицы Пачини, находящиеся в подкожной клетчатке. Рефлекс, пропущенный через нервную дугу бедра, поднимает ногу, идет к позвоночнику, спинному мозгу, попадает в мозг рептилии — тот, что не думает. Внутри перевозбужденные нейроны начинают выделять эндорфины.

Лукреция испытывает неудержимое желание рассмеяться. В зонах мозга происходит короткое замыкание. Она больше не может себя сдерживать и хохочет, пытаясь произнести:

— Нет, только не это! Вы не имеете права.

Но Люсьен более чем изобретателен. Она не может предугадать его действия. По тонкой коже подошвы ее ног проходят зигзаги. Она смеется, смеется.

В крови полно эндорфинов, и процесс начинает меняться.

После удовольствия — боль. Эндорфины уступают место веществу Р и брадикинину, гормону, несущему страдание. Одновременно ее мозг вырабатывает нейротензин.

Лукреция не осознает эту внутреннюю алхимию, но перепады становятся все более мучительными для нее — когда рот журналистки раскрывается в поисках воздуха и когда она плачет, корчась между двумя вспышками смеха.

Это невыносимо. Ей уже хочется настоящей боли вместо этой путаности ощущений.

А если бы Феншэ умер именно так? В щекотке? Какая ужасная смерть!

Она отбивается от рук сумасшедших, которые сжимают ее все сильнее и сильнее.

Пусть это прекратится, хватит!

Больные вокруг нее тоже смеются, но по-другому. При виде тела хорошенькой молодой женщины из внешнего мира, тела, попавшего во власть самого извращенного из них, они чувствуют, что берут реванш над миром «нормальных», который их отверг.

— Мы заставим ее башку отключиться, — кричит малыш с лукавым взглядом.

Робер кажется самым спокойным. Она понимает это корой головного мозга, но ее мозг рептилии уже весь взорвался и передал в лимбический мозг, что нейромедиаторы горят.

Ее горло в огне, из глаз текут ручьи.

Я должна снова взять свой мозг под контроль. Я не собираюсь провалить все из-за щекотки!

Однако ее мысль работает с трудом. Часть ее мозга постоянно хочет смеяться. *В конце концов, смерть от смеха — красивая смерть.*

Она отбивается и мечется.

Другая часть ее мозга решает, что надо как можно скорее найти укрытие для мысли. Место, которое ускользнет от власти щекотки.

Найти способ выбраться отсюда, — прописными буквами написано на панели этого чрезвычайного укрытия.

Подумать о чем-нибудь грустном.

Кристиана Тенардье.

В визуальной области ее мозга возникает высокомерное и самодовольное лицо.

Наконец-то Лукреция перестает смеяться.

Люсьен, встревоженный тем, что потерял свою власть, хватает другую ногу.

Лукреция больше не шевелится.

Больные отступают, изумившись, что перед ними человек, способный управлять своим разумом. Умение сохранять разум в такой момент впечатляет их. Этого достаточно, чтобы она высвободилась, растолкав нерешительных и удивленных пациентов. Но Робер включает сигнализацию.

85

Фрейд распугал всех самцов. Стремясь к рукояти, он уже серьезно ранил нескольких сородичей, и его необузданность произвела такое впечатление на остальных, что они держатся в стороне. В конце концов Фрейд аккуратно схватил металлический запор и отодвинул задвижку. Затем он закрыл ее за собой, чтобы соперники, не ведающие силы рукояти, его не беспокоили.

РУКОЯТЬ...

Фрейд вошел в зону, где должен был нагнуться, чтобы пройти дальше.

Феншэ восхищается находчивостью своего испытуемого.

— Он становится гением, — говорит он.

«У него есть мотивация, — добавляет Мартен. — Испытания заставляют его развивать новые способности».

— Ты прав. Чтобы быстрее проходить, ему приходится быть внимательнее и думать быстрее. Его дендриты всегда в возбуждении, и сети нейронов разом становятся все более и более сложными, чтобы соответствовать столь повышенной мозговой активности.

«Последний секрет развивает интеллект».

86

Лукреция бежит. Она попадает в больничную палату, из которой нет выхода.

260

Пропала.

Но она замечает люк, замаскированный картиной в стиле Ван Гога. Она подтягивается и оказывается на чердаке.

Перед ней стройная девушка, брюнетка с большими глазами, черными и блестящими. Выбора нет, придется ей довериться. Преследователи уже внизу.

— Меня зовут Ариана. Вы пытаетесь сбежать, да?

Она слышит шаги. Ее преследователи уходят.

— Можно сказать и так.

— А я не решаюсь.

— Итак, время, в течение которого вы думали, что хотите сделать... — говорит журналистка, направляясь к люку.

Но та хватает ее за руку. Она нажимает на выключатель, и на чердаке зажигается свет.

— Я верю в знаки. Если вы встретились на моем пути, значит, я должна уйти.

Ариана говорит с видом заговорщицы:

— Я больше не сумасшедшая. Я выздоровела, но они этого не заметили.

Она ведет Лукрецию к свободе, но потолок становится все ниже и ниже, и им приходится продвигаться на четвереньках.

87

Фрейд через люк забрался в пластиковый коридор.

88

Молодые женщины вылезают через форточку на крышу. Оттуда они спускаются по водосточной трубе.

— Мы выходим из форта?

— Феншэ расширил больницу, когда она стала слишком тесной. Больные спят в дортуарах, которые вы видели, но работают в новых строениях вне форта.

Девушки бегут между деревьями. Они оборачиваются, чтобы удостовериться, что за ними никто не гонится. Аллея Эвкалиптов, дорога Фазанов, и вдруг перед ними большое современное здание, скрытое за деревьями. Дверь бронированная. Над входом нависают две камеры наблюдения.

— Где мы?

— Это мастерская параноиков.

Ариана, кривляясь, машет рукой в видеокамеру слева. Прежде чем двери открыться, слышится лязг несколько электрических замков.

Внутри Лукреция видит людей, работающих за компьютерами.

— Параноики очень боятся, что на них нападут, поэтому они постоянно изобретают сверхсовершенные механизмы защиты. Это была великая идея Феншэ: использовать психологические особенности пациентов.

Впечатленная, Лукреция не может оторвать взгляда от всех этих людей, которые трудятся со страстью, она понимает, что, движимые навязчивыми идеями, они намного более продуктивны и мотивированы, чем любой «нормальный» рабочий.

— Они работают не за деньги. Они работают не ради пенсии. И не ради славы. Они работают потому, что именно этот труд доставляет им больше всего удовольствия.

Лукреция действительно удивлена этой почти нелепой деталью: все работающие с улыбкой на губах. Некоторые посвистывают или весело напевают.

Здесь это почти «неприлично».

— Феншэ говорил: «Безумие — сердитый дракон, который вырос у нас в головах. Мы страдаем, потому что пытаемся убить этого чужака. Вместо того чтобы его убивать, лучше оседлаем его. Тогда он поведет нас намного дальше, чем мы можем себе представить».

Ариана проводит Лукрецию вдоль рядов. Больные с неподражаемой мимикой старательно выстраивают сложные формулы.

— Это аутисты. Об этом заболевании почти ничего не известно, но некоторые из них отлично считают. Мы считаем только с помощью нашей моментальной памяти, тогда как они используют еще и постоянную память. Они с легкостью измеряют размеры машин.

Аутисты поднимают голову и тут же снова погружаются в научные расчеты.

Далее они попадают в отсек, где люди в белоснежных халатах с лампами, как у дантистов, на голове работают над миниатюрными механизмами.

— Маньяки собирают машины, изобретенные параноиками и просчитанные аутистами. Они так старательны. И так точны.

Мужчины и женщины, высунув язык, соединяют пластмассовые и металлические детали, помногу раз проверяя, идеальна ли линия.

— Затем это возвращается к параноикам, которые проверяют технику в зоне тестирования. По их мнению, проверка никогда не лишняя. У нас 0,0001 процента негодной техники. Мировой рекорд побит.

Параноики рассматривают в лупу каждую деталь, проверяют безупречную работу маньяков и тестируют надежность сборки.

— И для чего все это? — спрашивает журналистка, придерживая оборванные куски своего вечернего платья, чтобы не слишком привлекать внимание к бедрам.

— Потом эти машины идут на продажу. Они очень хорошо экспортируются во всем мире. Они приносят деньги, много денег. Вы никогда не слышали о системах сохранности домашней электроники «Крейзи секьюрити»?

— Крейзи...

— *Крейзи* — «сумасшедший» по-английски. Нельзя сказать, что клиентов обманывают, — хихикает Ариана.

Лукреция рассматривает группу параноиков в очках с оптическим прицелом. Они сверлят крошечные дырочки, куда затем помещают миниатюрные электронные детали.

— Это мне что-то напоминает. Кажется, я видела рекламу в газете: «С "Крейзи секьюрити" сохранность гарантирована». Это то?

— Точно. Все «Крейзи секьюрити» изготовлены на острове Святой Маргариты.

Ариана показывает отдел, где машины, собранные маньяками и неоднократно проверенные параноиками, покрывают несколькими слоями полистирола и упаковывают в ящики из плотного картона.

Психиатрическая больница, превращенная в высокотехнологичный завод...

— Именно на деньги от продажи «Крейзи секьюрити» Феншэ смог расширить больницу. Это круг добродетели. Чем больше мы производим, тем мы богаче: чем мы богаче, тем больше мы строим мастерских для больных и тем больше производим.

— Но им не платят?

— Им плевать на деньги. Они хотят одного — выражать свой талант; если им предложить отдохнуть, они могут стать жестокими!

Лукреция смотрит на больных, которые работают с энтузиазмом, без устали размышляя, как выполнить свою задачу еще лучше. Она думает, что Феншэ, возможно, действительно изобрел новую концепцию работы: «Мотивированная работа».

Несмотря на грозящую опасность, Лукреция не может уйти из мастерской.

— Работают только те, кто хочет, и в той области, которая нравится, — уточняет Ариана. — Но работать хотят практически все. Здесь люди упорно добиваются разрешения продлить свое пребывание в мастерских. Они ворчат, когда приходит время ложиться спать. И могу вам сказать, что успех марки «Крейзи секьюрити» не случаен. Ни один нормальный рабочий не смог бы достичь такого уровня эффективности. Параноики дублируют систему безопасности в самой системе безопасности. Каждый провод имеет парный аналог, чтобы система продолжала работать даже в случае поломки. Слабые места защищены стальными корпусами. Вы видели маленькие дырочки на боках? Это дополнительные шоковые детекторы, которые даже не обозначены на приборе. Они устанавливают их просто из профессиональной добросовестности. Ах, если бы люди знали, что механизмы, которые их защищают, построили так называемые сумасшедшие.

Лукреция осматривает системы безопасности, предназначенные для автомобилей, домов, кораблей, вилл. Справа от нее этажерка, на которой стоят в ряд, как на параде, садовые гномики с инфракрасными глазами. Чуть дальше — фальшивые деревья с камерами вместо плодов. Скульптуры с кучей детекторов. Автомобильные радиоприемники с цифровым кодом. Рули, бьющие током. Датчики, реагирующие на тепловое излучение. Словно находишься в прихожей у секретных агентов!

Ариана, похоже, не разделяет ее увлеченность.

— Систему безопасности больницы создали тоже они, — объясняет она. — Поэтому охранники больше не нужны. Каждый знает, что с острова убежать невозможно, ведь за ним следят системы обнаружения, построенные параноиками.

Лукреция чувствует себя немного усталой.

— Именно поэтому я привела вас сюда, — добавляет Ариана. — Безопаснее всего в центре циклона.

Она тянет за рукав рыжего, который все время моргает глазами, словно всего боится. Он подскакивает.

— Пьерро, ты не мог бы научить нас обманывать системы безопасности, пожалуйста?

— Надеюсь, ты не хочешь сбежать? Ты ведь не пытаешься меня надуть?

Растерявшись, Ариана запинается.

Лукреция с полуслова понимает проблему и берет Пьерро за руку.

— Вы правы. Вас обманывают, вам лгут. В действительности ситуация серьезнее, чем кажется.

Другие параноики, которых одержимость вынудила развить слух, более тонкий, чем средний, тут же окружают их.

— Против вас существует заговор, — быстро выдумывает Лукреция.

Рыжий моргает в два раза быстрее. Он сжимает кулак.

— Я знал это, — злится другой параноик позади него. — Все это было ненормально. Все шло слишком хорошо, чтобы продолжаться.

— Они убили Феншэ. Это убийство, — шепчет Лукреция. — Потом виновные собираются убить всех на Святой Маргарите. Потому что они не хотят признать ваши достоинства и пересмотреть свои методы. Успех Святой Маргариты обязал бы их расписаться в том, что вы, так называемые сумасшедшие, сильнее.

— Сумасшедшие? Здесь есть сумасшедшие? — спрашивает больной, который не только параноик, но и обидчивый параноик.

— Ты прекрасно знаешь, что так называют нас наши враги! — отвечает другой.

— Против нас существует заговор! Я знал это, — признают ближайшие к параноикам.

Теперь шум всеобщий, больше никто не работает.

— В больнице есть предатели, они собираются уничтожить всех вас по очереди, — продолжает Лукреция. — Я журналист, и я здесь, чтобы сообщить людям, как восхитительно то, что вы делаете, и что надо остановить предателей, прежде чем опыт Феншэ будет утерян.

Больные гудят от возмущения.

Внушив гнев, Лукреция умеряет его:

— Успокойтесь. Еще не время выступать. Надо действовать незаметно. Я должна выйти отсюда, чтобы найти помощь. Помогите мне и продолжайте делать вид, что ничего не знаете, тогда мы схватим их внезапно.

Пьерро, видимо, лидер параноиков, тут же ведет обеих женщин в смежную комнату.

— Здесь информационный центр, — сообщает он. — Все камеры контроля сходятся в этом месте. За сотнями экранов следят вот эти люди, от которых не ускользает ничего.

Пьерро показывает двадцати надзирателям, что все в порядке.

— Сначала я отключу сигнализацию, — говорит он и нажимает несколько кнопок. — Потом выключу систему слежения на другом конце острова. Таким образом, они потеряют время, разыскивая вас не в том направлении. Наконец, я разъединю все угловые детекторы. Вам надо только добраться до южного берега. Прыгайте в воду, а потом вам останется лишь доплыть до острова Сент-Онор. Монахи помогут вам вернуться в Канны. Это осуществимо. Уходите по крыше, это надежней.

Пьерро звонит, настраивает экран, стучит по клавиатуре и жестом показывает, что путь свободен. Лукреция с беспокойством смотрит на него. Наконец больной нажимает на рычаг, и автоматическая электрическая лестница опускается. Ариана и Лукреция взбираются по перекладинам.

89

Мышь поднялась по лесенке.

Там самый трудный участок: бритвенные лезвия. Чтобы пройти дальше, Фрейду пришлось пораниться, но он, казалось, не почувствовал боли. Свет рукояти влечет его. Он поскользнулся и упал. Поднялся. Снова соскользнул.

90

Ариана и Лукреция выползают на крышу строения и царапаются об осколки бутылок, разложенных в целях безопасности. Девушки прыгают в рощу и бегут к южному берегу.

Они поднимаются по скалам и оказываются на вершине утеса.

— Что будем делать? — с беспокойством спрашивает Ариана.

— Надо прыгать в море, — произносит Лукреция. — Мне кажется, с этой стороны легче — мы не упадем на скалы. Но надо как следует разогнаться, чтобы перелететь небольшие рифы, о которые можно пораниться.

Обе девушки наклоняются и смотрят на море, что на двадцать метров ниже с грохотом бьется о каменные кружева.

— У меня голова кружится. Я никогда не смогу прыгнуть.

— У меня тоже головокружение, если это вас успокоит. Все это в голове. Не смотрите вниз и прыгайте не думая.

Ариана и Лукреция готовятся к прыжку, но вдруг громкоговоритель, встроенный в садового карлика, приказывает:

— Ариана, вернись! Если ты немедленно не вернешься, ты никогда не получишь Последний секрет!

Молодая женщина задета за живое.

— Что такое Последний секрет? — спрашивает Лукреция.

— Это Абсолютное Вознаграждение, — с беспокойством отвечает та.

— Вернись, Ариана, и приведи «гостью».

Ариана выглядит потрясенной.

— Абсолютное Вознаграждение... А можно пояснее?

— Есть что-то, что называется Последним секретом, и это, по слухам, самая лучшая вещь в мире. Она сильнее всего. Сильнее всех мотиваций, всех амбиций и всех наркотиков. Это как нирвана. Переживание этого превосходит все.

Ариана говорит так, словно больше не владеет собой. В ее уме все спуталось. Теперь она по-другому смотрит на свою подругу.

Вокруг них появляются больные, чтобы их поймать. Во главе параноики и, конечно, Пьерро.

Понимая, что журналистка его одурачила, он хочет насолить ей еще больше.

— Хватай ее, Ариана! Если когда-нибудь хочешь получить доступ к Последнему секрету, останови ее! — кричит он в громкоговоритель.

Рот Арианы искажает тик.

Лукреция порывается прыгнуть в море, но Ариана удерживает ее за запястье.

Журналистка тянет руку, но хватка циклотимика крепка.

— Отпусти меня, Ариана!

Та странным голосом отвечает:

— Сегодня я прочла в газете свой гороскоп. Там было написано: «Не позволяйте вашим друзьям упасть».

Сумасшедшие и санитары подходят все ближе.

У Лукреции больше нет выбора. Она кусает руку Арианы, и та отпускает ее.

Освободившись наконец, Лукреция подчиняется закону земного притяжения, который быстро тянет ее вниз. Она закрывает глаза и слышит, как воздух свистит у нее в ушах.

91

Фрейд встал, поскользнулся и упал в воду.

92

Ариана наклоняется, чтобы увидеть, что происходит внизу. Она закусывает нижнюю губу.

— Наверное, я должна была ее удержать, должна была, — вздыхает она.

— Не мучай себя, она всплывет.

Больные и санитары ждут, но Лукреция не появляется.

— Вероятно, она напоролась на подводную скалу, потому и не поднимается на поверхность, — говорит помощник санитара.

Ариана морщится.

— Я должна была, должна была...

Все наклоняются, прощупывая взглядами морскую поверхность, но волнение слишком велико, чтобы можно было различить пронзенное скалой тело. Пьерро не показывает ни малейшего признака жалости.

— Отлично, — говорит он. — Она намеревалась все осветить в прессе.

Ариана продолжает верить, что ее подруга выжила. Она все еще смотрит на поверхность моря, а остальные уходят, чтобы снова заняться своими делами.

— Давай, пойдем же, — говорит ей Пьерро. Поколебавшись, Ариана идет за ним.

93

«Мыши умеют плавать?»

Мышь задыхалась, барахталась. Она погружалась в воду из-за того, что неправильно двигалась.

Самюэль Феншэ и Жан-Луи Мартен сомневались, стоит ли вмешиваться: это исказило бы эксперимент.

94

Морская поверхность пустынна. Волны по-прежнему бьются об отвесные скалы. На пляж выносит кусок пурпурной ткани, испачканной кровью.

95

В конце концов Фрейд всплывает. Сквозь воду он увидел рукоять, успокоился и нашел способ подняться на поверхность. Мышь входит в зону, где полагается спуститься в подводный туннель, чтобы продвинуться вперед. Фрейд, который впервые увидел воду каких-то несколько минут назад и даже не знал, умеет ли плавать, задержав дыхание, бросается вниз и углубляется в туннель.

96

Ариана, для очистки совести, возвращается на обрыв, с которого прыгнула журналистка. Она замечает окровавленную ткань.

Не шевелясь, она смотрит на поверхность воды. Крабы внизу бегут, будто для того, чтобы присоединиться к пиру.

Все, что может быть плохо, — плохо. Что бы я ни делала, я ошибаюсь. Только в кино люди в конце концов выходят из воды.

Средиземное море волнуется, и его рев становится оглушительным. Ариана все еще всматривается в воду, но вдруг все тонет в густом морском тумане, который нагнали ветры. Туман становится непроницаемым. С высоты Ариана больше не видит даже поверхности воды, покрытой серым пушком. Она, вздыхая, колеблется, не броситься ли в воду и ей, но звонок, означающий, что в столовой собираются подавать завтрак, удерживает ее.

97

Фрейд ловко плывет по прозрачному водному туннелю. Он помогает себе длинным розовым хвостом, чтобы продвигаться в этом месте, в конечном счете менее трудном, чем он предполагал. Единственное неудобство в том, что он не может пользоваться своими обонятельными рецепторами, — это слегка дезорганизует его.

Но и в воде он не терял цель из виду: восхитительная рукоять, маячащая вдали.

98

Спрятавшись во впадину, защищенную скалами, Лукреция дышит, высунув кончик носа из воды.

В такие моменты, говорит она себе, я хотела бы иметь нос подлиннее, он бы служил перископом.

Ее длинные рыжие волосы, словно водоросли, плавают вокруг. Сквозь воду она различает уходящую Ариану.

Ах ты, я бы тебе показала гороскоп! Хотя выдать себя девушке-Весам... В конечном счете я должна была усомниться.

Пользуясь туманом, который, словно хлопковая скатерть, накрыл поверхность моря, журналистка плывет к острову Сент-Онор.

К счастью, от острова до острова не так уж и далеко. Пьерро был прав.

99

Мышь Фрейд плывет.

100

Наконец она достигает второго из Леринских островов: острова Сент-Онор.

Лукреция выходит на пляж, с нее струями спадает вода — определенно наяда, выходящая из тумана. При падении она оцарапалась об острые скалы, и на ее левом бедре краснеет ссадина.

Поселение возвышается над виноградниками и оливковыми деревьями. Она идет в этом направлении. Внутри она обнаруживает масличный завод, над дверью которого висит зеленый гербовый щит с двумя пальмовыми листьями, окружающими митру епископа в качестве эмблемы. Надпись готическими буквами: «Леринское аббатство. Ликер "Лерина"». Далее:

«ЦИСТЕРЦИАНСКОЕ РЕЛИГИОЗНОЕ БРАТСТВО НЕПОРОЧНОГО ЗАЧАТИЯ».

В этот час здесь пусто, и она без помех добирается до старого монастыря.

Белые стены, высокие пальмы, красная черепица и венчающий это все заостренный шпиль церкви. Еще рано, и пока удивительно тихо. Лукреция решается войти в часовню, где молятся примерно тридцать монахов в белых сутанах, поверх которых надеты черные нагрудники, с тонзурами на голове. Все стоят на коленях.

Самый старый из них замечает растерянную молодую женщину и прерывает молитву. Тут же поворачиваются все монахи, словно движимые коллективным телепатическим приказанием, и с изумлением глядят на нее.

— Помогите мне. Помогите, — говорит она. — Я должна как можно скорее попасть в каннский порт.

Никакой реакции.

— Я прошу вас о помощи.

Маленького роста монах прикладывает палец ко рту, приказывая ей помолчать.

Несколько братьев окружают Лукрецию и, ни слова не говоря, хватают ее за локти и выводят из часовни. Маленький монах берет плитку и мел и пишет:

«Мы дали обет молчания и целомудрия. Поэтому никакого шума и никаких женщин здесь».

Он подчеркивает каждое слово, затем всю фразу.

Черт возьми, — говорит она себе, — из-за своих религиозных принципов они не собираются иметь со мной дела!

— Но я в опасности. Разве вы, как и любой человек, не обязаны спасать попавших в беду? Тем более женщин и сирот. Я женщина и к тому же сирота! Вы должны мне помочь.

Сработает ли пятая мотивация?

Маленький монах вытирает плитку и пишет большими буквами: «Наша обязанность — жить в мире Божьем».

Изнуренная, промокшая Лукреция смотрит на них. Она старательно, словно обращаясь к глухонемым, произносит:

— Тогда вы хуже всех. Вы бросаете меня из страха, что я нарушу ваш мир! Знаете что? — выдает она. — Я добавлю новый пункт в свой список. Поверх восьмого, наркотики, и девятого, личное пристрастие, я поставлю десятый — религия.

Монахи обмениваются вопросительными взглядами.

Они взирают на нее со снисхождением. Монах, держащий плитку, предлагает ей сесть. Он приносит махровое полотенце и протягивает его Лукреции. Она медленно раздевается.

Два монаха взволнованно переглядываются.

Увидев рану на ее бедре, монах приносит повязку, которую, поколебавшись, сам прикладывает к ране. Затем Лукреции предлагают сухую одежду — сутану. Она берет ее.

Маленький монах подносит ей стакан ликера «Лерина». Она опустошает его одним глотком, чтобы восстановить силы, и находит вкус очень приятным.

Монах с улыбкой обращает к ней свой самый успокаивающий взгляд. Он пишет мелом:

«Почему вы здесь, мадемуазель?»

— Я в бегах.

На его лице застывает вымученная улыбка, он пишет:

«Полиция?»

— Нет, люди с противоположного острова!

«Значит, вы пациентка Святой Маргариты?»

— Нет, я журналист «Геттёр модерн».

Монах внимательно смотрит в ее большие изумрудные глаза, словно для того, чтобы лучше понять ситуацию.

— Знаю, в это нелегко поверить, — говорит она, — но я расследую дело о враче, выдающемся шахматисте, умершем от любви в объятиях датской топ-модели. Я журналист, и я не сумасшедшая.

Как доказать, что ты не безумен? Это невозможно.

— Она говорит правду.

Появляется человек, не в монашеском одеянии, а в пуловере и джинсах. Лукреция узнает его, хотя он и не в черной кожаной одежде: Deus Irae, глава Стражников добродетели.

— А! Вы узнали меня? Тогда скажите им, что я не сумасшедшая.

— Она не сумасшедшая.

Не сводя с нее взгляда, он добавляет:

— Это одна моя подруга, с которой мы должны были встретиться, она просто ошиблась входом.

Монах недоверчиво смотрит на них.

«Вы можете остаться здесь, но это будет стоить сорок евро в день», — пишет он на своей плитке.

— Могу я позвонить по телефону? — смелеет Лукреция Немро.

— У них нет телефона, — отвечает Deus Irae.

— Как же они предупреждают, что у них проблемы?

— У них никогда не бывает проблем. Вы первая «проблема», с которой они сталкиваются за века. Сент-Онор — место, оберегаемое от мирских мук.

К тому же телефон — приспособление для разговора, а ведь они дали обет молчания.

— Логично. Я должна была подумать об этом.

— Они не хотят, чтобы шум, свирепствующий во внешнем мире, искушал их. У них нет телевидения, Интернета, радио, женщин. Настоящее спокойствие, вот так.

На лице Deus Irae появляется полупрезрительное, полурадостное выражение:

— Однако, полагаю, у них есть факс, чтобы делать бронь.

Монах кивает головой в знак согласия.

Deus Irae пожимает плечами, как бы соглашаясь выполнить последний каприз молодой женщины, прежде чем она возьмется за ум.

— Напишите, что хотите, и они отошлют.

Она составляет послание Исидору и сообщает, где находится. Она записывает имя и номер телефона на бумаге.

— А пока вы можете пойти пообедать в столовую, — предлагает Deus Irae, провожая ее к зданию.

— А вы-то что здесь делаете?

— Отдыхаю. Каждый месяц я беру три дня на отдых. Чтобы во всем разобраться и быть в спокойствии. Это — священное место. Я знаю, у вас нет тех же убеждений, но, можете мне поверить, вы в безопасности. Насилие не проникает за эту ограду.

Они доходят до столовой. Завершив молитву, монахи сидят за длинным столом. С приходом молодой женщины они оборачиваются.

Это она.

Они вежливо улыбаются ей.

Не обращая внимания на взгляды, провожающие ее, Лукреция бесстрашно проходит вперед.

Deus Irae предлагает девушке место на дубовой скамье. Перед ними крутятся кувшинчики с молоком, горшочки с овсом и медом. Лукреция вглядывается в лица и спрашивает себя, что привело сюда этих мужчин.

— Не торопитесь судить их, мадемуазель, это смелые люди. Да, их вид немного архаичен. По-своему они счастливы. А кто может в наши дни претендовать на счастье?

— В Евангелии есть фраза, которая гласит: «Счастливы простодушные», и заканчивается она: «Царствие Небесное принадлежит им».

Он не понимает намека.

Она не любит молоко и овсяные хлопья, но она так хочет есть после своего путешествия между двумя островами, что не привередничает.

— А что за делишки вы проделывали в больнице? — спрашивает Deus Irae.

— Они там сделали какое-то великое открытие, возможно, новый наркотик, который позволяет манипулировать мозгом людей.

Deus Irae, кажется, уже не обращает внимания на ее слова и пафосно произносит:

— В наши дни это проблема. Учитывая, что больше нет исповедников, очищение душ доверили психоаналитикам. Но что могут психоаналитики? Только снимать с пациентов чувство вины. И как будто случайно клиент всегда прав. По мнению клиентов, это всегда ошибка других: компании, родителей, друзей. Они делают то, что приносит им немедленное удовольствие, не озаботясь, какое зло это порождает. А потом они бегут к психоаналитику, чтобы он сказал им, что они все сделали правильно.

Глава Стражников добродетели сжимает кулак.

— Именно поэтому вы напали на НЕБО?

— Нет, они — другое дело. Они беспутные, — говорит он. — Если бы их движение расплылось, как жирное пятно, общество пришло бы в упадок, пример чему я видел в Таиланде, в Паттайе. Вы слышали о Паттайе? Это курортный город на южном берегу. Я был там в молодости в качестве туриста, и это был шок. Представьте себе целый город размером с Канны, полностью посвященный удовольствиям. Везде проститутки, везде игры на деньги, жестокие боксерские бои, алкоголь, наркотики. Четырнадцатилетние девочки, сдающие свои тела не то чтобы на раз или на ночь, а на год или на десятилетие грязным развратным субъектам, которые не щадят их. Я видел полные самолеты «папиков», которые летают туда прямым рейсом. Я видел, как мальчики в возрасте тринадцати лет бьются в тайском боксе, обмазав тело болеутоляющей мазью, чтобы не чувствовать ударов. Они умирают в пятнадцать лет от внутренних кровотечений. Я видел стриптизерш, открывающих бутылки колы своим влагалищем. Другие вводили себе туда живую змею. (При этой мысли Лукрецию передернуло от отвращения.) Можно ли пожелать человечеству такое будущее?

Deus Irae подает ей еще овса, который она ест автоматически.

— Не все люди такие. Всех нас учили не поддаваться своим первым порывам. Иначе весь мир уже был бы как ваша Паттайя, — утверждает Лукреция.

— У Клуба эпикурейцев все больше последователей. И это еще большее зло, потому что настоящий Эпикур, напротив, воспевал маленькие простые удовольствия в контексте правильной жизни.

— Знаю: Декарт не был картезианцем. Эпикур не был эпикурейцем, — говорит она с полным ртом молочно-овсяно-медовой каши.

— Всему виной Лукреций, ваш тезка и ученик Эпикура. Это он, когда писал биографию своего учителя, придал ему эту черту: «Пользуйся всем». Потому что сам Лукреций вел разгульную жизнь.

— А вы — сторонники Оригена, да?

— Ориген был великим толкователем Библии и Евангелий, человек мужественный и с убеждениями.

— Кажется, это он придумал смертные грехи и кастрировал самого себя.

Лукреция дрожит, как будто ей холодно. Он наливает в свой стакан чистой воды.

— Кастрировал? Это так и не было доказано. Так же, как то, что это он придумал семь смертных грехов. Из истории мы знаем только то, что рассказывают историки.

— Просто напомните, что за грехи?

— Сладострастие, чревоугодие... Ммм... Надо же, действительно, я тоже их позабыл, но я вспомню.

Deus Irae протягивает ей корзинку с фруктами.

— Нет, спасибо. Чего бы мне хотелось, так это кофе, желательно крепкий.

Монахи делают им знак, чтобы они говорили потише.

Deus Irae шепчет:

— Здесь нет кофе. Успокойтесь.

Лукреция все-таки пытается собраться. Она закрывает глаза. Чувствует запах старого камня, овса, замоченного в молоке, и над всем этим запах мимозы в цвету.

— Зачем всегда бежать? Зачем все время сражаться? — говорит Deus Irae, беря ее за руку.

Она тут же отдергивает ее, словно прикоснулась к горячей плите.

— Не знаю, — с раздражением говорит она. — Потому что таков мир и так он устроен.

— Есть индусская пословица, которая гласит: «Нет желания — нет страдания». К тому же это лейтмотив всех мистиков. Поразмышляйте над этим. Попытайтесь уловить одно за другим ваши желания, по мере того как они приходят вам на ум. Затем четко идентифицируйте их и откажитесь от них. Вот увидите, вы почувствуете себя намного легче.

Чего она сейчас хочет больше всего? Раскрыть миру то, что происходит в больнице Святой Маргариты! Она мгновенно отказывается от этого. Чего еще она хочет? Отдохнуть в постели после всех треволнений. И от этого она отказывается. Следующее желание? Найти Исидора (*он меня успокаивает*). Чтобы Тенардье признала качество ее статьи (*только чтобы задеть ее, эту негодяйку*).

А потом вперемешку: выйти замуж за прекрасного принца (*но чтобы он не ограничивал ее свободу*). Иметь восхитительных детей (*но которые не будут отнимать у нее слишком много времени*). Нравиться всем мужчинам (*но чтобы никто не предъявлял свои права на нее*). Вызывать зависть у других девушек (*но чтобы и они ею восхищались*). Быть знаменитой (*но чтобы уважали ее личную жизнь*). Быть понятой (*но умными людьми*). Не стареть (*но набираться опыта*). Сигарету. Грызть ногти на руках. Чем больше она об этом думает, тем больше убеждается в том, что постоянно живет с десятками больших желаний и с сотней маленьких, которые пощипывают кору ее мозга.

— Бросьте все, — говорит Deus Irae. — Передохните. Возможно, вам следует побыть здесь подольше. В спокойствии.

Он снова берет ее за руку. На этот раз она не сопротивляется. Тогда он берет обе ее руки и сжимает в своих. ·

Не открывая глаз, Лукреция повторяет про себя: *в спокойствии.*

Когда она поднимает веки, в поле ее зрения оказываются еще три персонажа.

Она без труда узнает их: Робер, Пьерро и Люсьен. Монах указывает на нее пальцем, пока она разбирает на его плитке: «За мной, я знаю, где она». Мозг молодой журналистки выпускает сильнейшую струю адреналина, чтобы пробудить все клетки, начавшие было успокаиваться.

Deus Irae сжимает ее запястья — так, что она не может шелохнуться. Но она под столом бьет его ногой в голень, и глава Стражников разжимает руки. Она переворачивает дубовую скамью и подскакивает к двери. У нее, в течение нескольких секунд не имевшей желаний, вдруг появляется одно, простое и ясное: убежать.

— Живите в страхе гнева Божьего, безбожница! В страхе гнева Божьего! Он наверху, Он смотрит на нас! — повторяет преображенный Deus Irae.

Монахи крестятся, словно появление этих трех карающих рыцарей было для них знаком небесного наказания. Женщина захотела их побеспокоить, она должна заплатить за это.

Пока ее не успели схватить, она добирается до боковой двери и сбегает по каменной лестнице. Она не оборачивается, но слышит позади скорые шаги.

Монахи, поднимающиеся навстречу, пытаются ее поймать. Она пролетает между ними.

Они не отправили факс и предупредили больницу! Я чуть было не попалась. Вероятно, сказалось сильное желание отдохнуть, не говоря о сладостном голосе Deus Irae. Он ошибается. Мы погружены в мир, находящийся в движении. Медлить — значит регрессировать.

Лукреция несется изо всех сил. Но преследователи не отстают. Выбора нет. Прикрывшись своей сутаной, она разбивает витраж, изображающий святого Онора, и бежит к морю.

Вода спасла ее однажды, может быть, она спасет ее снова. Дымка тумана укрывает ее, пряча от преследователей. Лукреция снимает сутану, замедляющую движения, и плывет отличным брассом в открытое море.

Теперь уже нет острова, где можно укрыться, мне нужно просто сбежать от непосредственной угрозы.

Но Умберто, дожидающийся трех больных, видит ее и заводит двигатель.

Лукреция убыстряет темп, надеясь на туман.

Шум двигателя приближается.

Так это никогда не кончится.

«Харону» не стоит труда нагнать молодую женщину.

Энергия отчаяния помогает ей сохранять скорость.

Росси блокирует руль, сбавляет ход и становится на борт, чтобы подцепить ее багром.

Она плывет.

Он поднимает багор.

Она ныряет, всплывает.

Он прицеливается... и валится замертво.

Удивленная журналистка перестает грести и поднимает голову.

101

Мышь Фрейд наконец-то увидела то, чего так долго желала, — рукоять, которая посылала в ее мозг разряды. Она выставила вперед свои маленькие лапки и...

102

...хватайтесь за якорь!

Что делает в небе морской якорь? Сверху она слышит знакомый голос:

— Поднимайтесь скорее, Лукреция!

Исидор.

Она проворно поднимается по веревке, привязанной к якорю. Она уже узнала своего напарника по расследованию, а также второго спасителя: Жером Бержерак. Они прибыли ей на помощь на воздушном шаре с портретом Самюэля Феншэ. Миллиардер целует ее руку.

Она бросается к своему надежному другу, который душит ее в объятиях.

— Исидор.

Лукреция..

— Я так... (*счастлива*) мне так легко.

— И мне... вы доставили столько... (*тревоги*) хлопот.

Они не могут оторваться друг от друга.

Должно быть, это карма: когда я рядом с этим типом, я чувствую себя лучше. Видимо, в предыдущей жизни он был моим отцом, мужем, братом или сыном.

Он прижимает ее сильнее.

Эта девушка навлекает на меня одни неприятности.

103

Мышь с силой нажимает на рукоять. Один разряд, затем два, три, четыре. Это было так хорошо. Она больше не останавливалась.

— Фрейд вполне это заслужил, — заявил Феншэ.

«Оно работает!» — восхитился Жан-Луи Мартен.

Они следили за мышью, один — непосредственно, другой — через объектив видеокамеры.

Мышь поднимала и опускала рукоять, будто выполняла физическое упражнение на маленьком тренажере, сделанном по ее размеру. Впрочем, ее бицепсы начинали приобретать объем, — столько злобы она в это вкладывала.

«Но она не останавливается!»

У мыши были красные от возбуждения глаза, непрозрачная слюна капельками застывала на ниточках ее усов. Счастливые хрипы чередовались с недовольным повизгиванием, словно мышь сожалела о том, что получает лишь один разряд. Рукоять, стук которой вначале напоминал сверление, теперь звенела как трещотка.

— Надо выключить ток.

Самюэль Феншэ опустил рубильник.

Мышь была в полном ошеломлении, будто потрясенная.

«Ее словно оглушили».

Ученый предложил грызуну сыра.

Фрейд больше не шевелился.

Обеспокоенный, Феншэ наклонился. Тогда мышь снова схватила рукоять лапками, чтобы как следует дать понять, что она хочет это и только это.

Ученый в качестве извинения, что не дает мыши еще разрядов, погладил ее.

— Ну же, Фрейд, будь благоразумен. Ты получил свою долю удовольствия. На сегодня хватит.

Тогда, лишенная удовольствия, мышь поднялась на задние лапки и, подпрыгнув, вонзила два острых клыка в розовую плоть.

— Ай, она меня укусила!

Фрейд принял боевую позицию, готовый бороться за то, что он не получил. Мех взъерошен, уши в знак вызова стоят торчком. Яростные красные глаза внимательно смотрят на человека.

Самюэлю Феншэ пришлось взять специальные щипцы, чтобы справиться с грызуном, который царапался от досады и жутко шипел, обнажая клыки.

104

Жером Бержерак, в твидовом костюме, ботинках для гольфа и перчатках из тонкой кожи, налаживает плюющиеся пламенем сопла. Шар поднимается до высоты, которая устраивает Жерома.

— Мне холодно, — говорит Лукреция.

Он нехотя протягивает девушке покрывало.

Внизу начинает проясняться, барашки тумана разбиваются. Беглецы сверху видят оба Леринских острова: Святой Маргариты и Сент-Онор. Эти кусочки суши походят на два продолговатых ореха. Или, может быть, на полушария головного мозга.

С одной стороны безумие, с другой — религия. Два приюта для измученных умов, — думает Лукреция Немро.

На темно-синем фоне появляются белые треугольнички парусников, пляж заполняется розовыми точками плоти в купальных костюмах.

— Здесь нас не достанет ни один зануда.

Они быстро выбирают якорь. Лукреция заворачивается в покрывало и садится в угол корзины, сплетенной из ивы. Она отмечает главное неудобство воздушного шара: сопла такие горячие, что они нагревают макушку, в то время как ноги остаются ледяными. Она растирает себе пальцы. Жером Бержерак подает ей толстые носки и рукавицы.

— Как вы меня нашли, Исидор?

Исидор растирает ей ноги через носки.

Мне нравится, что он это делает.

— Да это всего лишь уловка с мобильным телефоном. Так как у вас стоит виброзвонок, я знал, что звук не встревожит ваших похитителей. Затем мне осталось позвонить сервис-провайдеру, чтобы узнать три базовые станции, принявшие мой звонок, — так я смог определить периметр. Больницу Святой Маргариты было нетрудно отыскать. Полиция отказывалась вмешиваться из-за отсутствия санкций. Тогда я позвонил нашему другу, и попросил одолжить его воздушное средство передвижения.

Миллиардер с гордостью указывает на воздушный корабль.

— Не средство передвижения: «Киска»!

Лукреция поднимает глаза, сложив руку козырьком, и узнает портрет Самюэля Феншэ, нарисованный на поверхности теплого шара. Даже если бы она хотела забыть предмет своего расследования, гигантское изображение жертвы напомнило бы ей об этом.

— Примите мою благодарность, господин «праздный миллиардер»!

Жером Бержерак приглаживает усы.

— Все менее и менее праздный, благодаря вам, дорогая Лукреция... Как вам везет! Приключение. Вот самая сильная мотивация. Опасность. Преодолевать испытания. Чинить правосудие. Вы сознаете вашу удачу, правда?

— Иногда это еще и маленькие неприятности, — вздыхает она, поглаживая ссадину.

Он протягивает ей бутерброд из клуба, в котором между двумя тостами из бескоркового хлеба набиты тонкие кусочки белого куриного мяса, майонез, томаты, огурцы, листики латука, чеддер, корнишоны. Внезапно Лукреция осознает, что с самого начала расследования она почти не ела.

— А у вас нет сигареты?

— На воздушном шаре это запрещено. Слишком пожароопасно.

Исидор рассматривает в бинокль поверхность моря. В лодке, держась за голову, встает Умберто и грозит им.

Лукреция осматривает корзину; название «Киска» обрамлено гирляндой переплетенных лавровых листьев.

— Здесь есть руль?

— Это ведь не дирижабль. Путешествуя на воздушном шаре, никогда не знаешь, где приземлишься. Отдаешься на волю ветрам. Однако я взял с собой маленький двигатель от гидроцикла, специально для того, чтобы быстрее вас разыскать. С его помощью нам удалось зависнуть прямо над вами, и таким же образом мы собираемся вернуться на берег.

Он нажимает на стартер, чтобы завести двигатель, но тот, три раза кашлянув, больше не хочет издавать ни звука.

— Сейчас не время падать!

Жером напрасно бьется над своим двигателем.

— Ну вот, мы снова стали обыкновенными аэронавтами, — говорит он, обреченно всплеснув руками. — Все, что мы можем делать, — подниматься или опускаться, следуя воздушному потоку. Это все-таки рискованно. Пока ветер не толкнул нас к земле, мы могли бы выпить за окончательное спасение. Все хорошо, что хорошо кончается, правда?

Морской саблей он отсекает бутылке горлышко и протягивает им стаканы.

— Предлагаю в качестве новой мотивации записать приключение, — объявляет Исидор.

— Нет, — говорит Лукреция, — ее нельзя считать новой. Приключение связано с четвертой мотивацией: заниматься чем-нибудь, не скучать. К тому же, со своей стороны, я уже добавила десятый пункт: религия. Религия может стимулировать сильнее, чем наркотики и секс.

— Притягательность приключения может быть сильнее религии, — возражает Бержерак. — Посмотрите, сколько монахов принимают решение выйти в мир, правда?

Исидор вытаскивает свой карманный компьютер. Двумя пальцами он добавляет в список основных мотиваций: пункт 10 — религия и пункт 11 — приключение.

Лукреция, как всегда, не выказывает особого энтузиазма.

— Это ведь не исчерпывающий список, — соглашается Исидор. — Скажем так: по нему мы можем проследить эволюцию существа. Сначала оно думает, как остановить боль, словно ребенок, который плачет, который написал в свои пеленки, и это его раздражает; потом оно думает, как прогнать страх, все еще как ребенок, плачущий, оттого что боится темноты; затем он подрастает и кричит, когда хочет есть и когда хочет развлечься. Став постарше, он хочет иметь хорошие отметки в школе и побить того, кто украл у него мяч на школьном дворе. Став подростком, он хочет поцеловать свою одноклассницу и курить травку. Повзрослев, он, возможно, ударится в религию или будет искать приключения. То, что мы описываем в этой иерархии мотиваций, — не только история человечества, это взгляд на отдельного человека. И если вы, дорогая Лукреция, правы: после наркотиков человек может поддаться искушению религией, то и Бержерак не ошибается: познав религию, он может еще больше соблазниться Великим Приключением с большой буквы. Оставим оба пункта.

— Приключение — это абсолют, — напоминает миллиардер. — Возбуждение, которое вы должны были почувствовать, как только заметили наш шар. Вероятно, это было чудесно.

— Я не знаю. В такие моменты не думаешь о том, чтобы анализировать свои ощущения. Думаешь только о спасении собственной шкуры.

Миллиардер с нежностью смотрит на нее, одновременно приглаживая кончики усов.

— Как я вам завидую! Вы так избалованы приключением, что уже почти пресыщены... Вы отдаете себе отчет, что принадлежите к числу избранных? Есть люди, которые спускают состояние на курсы выживания только ради того, чтобы пережить половину того, что вы испытали, и не забывают ни на мгновение, что это всего лишь игра и их испытания прекратятся. Но вы! Вы веселитесь в настоящей опасности! Ваша жизнь, ваше расследование смерти Феншэ — выдающийся фильм в кинематографе!

— Это точка зрения, — соглашается Лукреция. — Пожалуй, я хочу отметить: пункт 10 — религия, пункт 11 — приключение.

Жером снова берет ее руку и целует еще более страстно.

— Могу сказать лишь два слова. Спасибо. И — еще.

Словно ему в ответ мистраль начинает дуть сильнее, и чайки издают пронзительный писк. Исидор озабоченно рассматривает маленькие ленточки, прикрепленные к тросам.

— Что-то не так?

— Ветер не в том направлении.

И действительно, воздушный шар несется к больнице, крыша которой усыпана людьми.

— Вы, правда, не можете управлять этим воздушным шаром?

Миллиардер поправляет несколько тросов.

— Движение шара определяют воздушные потоки. Понаблюдаем за птицами и облаками. Определим направление потоков. Поднимаясь и опускаясь, пустим шар по одному из них.

— Ладно, по-моему, над нами поток, идущий в нужном направлении, — сообщает Лукреция.

— Проблема в том, что мы потратили слишком много времени на ваши поиски. У нас мало газа. И с вами на борту... поверьте, я не хочу вас обидеть, но с вашим весом шар выше не поднимется. Или же нужно избавиться от балласта.

Обитатели Святой Маргариты уже бросают в них куски черепицы.

Среди разъяренных больных Лукреция узнает Пьерро. Хорошо нацеленным броском он пробивает лоб нарисованного Феншэ, и полотно рвется. Душевнобольные тут же издают победный крик.

Воздушный шар, немного спустившись, попадает в поток, который еще быстрее тянет их к больнице.

Возбуждение больных нарастает.

— Мы теряем высоту. Надо выбросить еще балласт. Сопла работают по максимуму.

Они выбрасывают из корзины маленький холодильник, якорь, пустые и затем полные бутылки шампанского. Шар слегка поднимается, но все же неумолимо приближается к Святой Маргарите.

Больные держат наготове свои боеприпасы — черепицу. Дождь глиняных кусков. Исидор и Лукреция подбирают их и швыряют обратно.

Объятый желанием превзойти себя, Жером Бержерак бросается на трос, поднимается на сеть, окружающую шар и, в то время как куски черепицы градом осыпают его, зашивает лицо Самюэля Феншэ.

— Ну и отвага! — удивляется Лукреция.

— Он делает это, чтобы произвести впечатление на вас. Это и есть романтизм. Вы сама по себе сильная мотивация, дорогая коллега.

Зашитая «Киска» вновь набирает высоту. Черепица для них уже безвредна. Жером Бержерак спускается под аплодисменты своих гостей. Поклон. Завязанные на тросах ленточки указывают, что ветры изменили направление.

— Спасибо! Решительно нет ничего лучше дрожи приключения.

— Нет, есть, — говорит Лукреция, в ее руках новая записная книжка, подаренная Катценбергом. — Вы видели их, санитаров и больных, которые объединились в борьбе с чужаками. Вы видели, они готовы были упасть с крыши, лишь бы помешать нам сесть на землю. А я все видела изнутри. Эта больница действует как независимая республика. Республика сумасшедших... И у них есть мотивация, которая их сплачивает. Она служит им флагом, гимном, полицией, политическим идеалом.

Исидор хмурит брови. Он достает карманный компьютер, чтобы записать информацию. Отважная журналистка продолжает:

— Мотивация более сильная, чем приключение: обещание доступа к Последнему секрету.

— А что такое Последний секрет? — спрашивает Бержерак.

— Я знаю только, что ради него они готовы на все. Хотя мы пока и не выяснили, что это, мы должны записать это выше всего, что у нас уже есть. Двенадцатая мотивация: обещание Последнего секрета.

105

Эстафету Фрейда приняли другие мыши. Подопытных проводников в спелеологии мозга прозвали:

Юнг, Павлов, Адлер, Бернгейм, Шарко, Куэ, Бабинский. Наблюдая за ними, Феншэ и Жан-Луи Мартен заметили, что достижение Последнего секрета было настолько сильной мотивацией, что мыши все схватывали слету. Они даже научились использовать язык жестов, причем более широко, чем животные, считающиеся наиболее близкими человеку по интеллекту, такис как шимпанзе, свиньи или дельфины.

— Это морковь. Все мы действуем с помощью морковки и палки. Но мы нашли суперморковь. Последнее вознаграждение. И, следовательно, лишение последнего вознаграждения оказывается и последним наказанием, — прокомментировал Феншэ.

Действительно, когда мыши отдыхали, у них проявлялись все симптомы неудовлетворенности. Они думали только о заветном рычаге. Агрессивные, они грызли решетки своих клеток.

— Простой вопрос дозировки и воспитания. В конце концов они научатся себя контролировать, — сказал Самюэль Феншэ. — Они откроют понятие отсроченного удовольствия. Если все дается сразу, мы этого не ценим. Но если между двумя вознаграждениями устроить паузу, удовлетворение приобретает намного больше смысла.

Самюэль Феншэ схватил за хвост грызуна, малыша Юнга, вытащил из клетки и посадил себе на ладонь. Казалось, мышь умоляла, чтобы ее вернули обратно, туда, где можно получить доступ к рукояти.

— Я хочу поставить опыт на человеке.

Молчание.

— Вы только представьте, Жан-Луи, если бы человек приобрел мотивацию, как эти мыши? Он, безусловно, превзошел бы себя во всем.

«Но кто позволит себя трепанировать и рыться в участках своего мозга?»

— Я, — сказал Феншэ.

Тут он услышал странный звук. Это был Фрейд. Они оставили грызуна без присмотра на пять минут, и он, воспользовавшись свободой, пустил в свой мозг столько разрядов, что умер.

106

— Отдохните.

Гипнотизер Паскаль Феншэ обращается к залу «Веселого Филина», набитому до отказа. Идет сеанс коллективной релаксации в пятницу вечером.

— Вы расстегиваете ремни, освобождаете от обуви ноги, закрываете глаза и полностью расслабляетесь.

Зрители освобождают свои тела.

— Примите удобное положение и расслабьтесь. Мягко успокойте свое дыхание. Прислушайтесь к своему сердцебиению и постепенно замедлите его. Дышите животом. Забудьте о дневных заботах. Забудьте, кто вы есть. Подумайте о своих ногах и представьте яркий красный цвет. Вы больше не чувствуете ног. Подумайте о своих коленях и представьте оранжевый цвет. Вы больше не чувствуете коленей. Подумайте о своих бедрах и представьте желтый цвет; вы больше не чувствуете бедер. Подумайте о своей голове и представьте сиреневый цвет; вы больше не чувствуете головы.

Глаза закрыты, кажется, все спят. Пульс в висках стучит медленнее. Несколько человек, на которых гипноз не подействовал, посмеиваясь, рассматривают соседей, но Паскаль Феншэ делает им знак замолчать или покинуть зал. Они повинуются, любопытство побеждает.

— Вы чувствуете себя легкими-легкими. С каждым вдохом вы расслабляетесь еще больше, вы все слабее и слабее, все легче и легче. Теперь представьте лестницу, которая поведет вас в глубь самих себя. Хорошенько представьте эту лестницу, ее перила, ее ступени. Теперь спуститесь на ступеньку и почувствуйте, как ощущение покоя становится глубже. Вторая ступень, третья... Каждый шаг вводит вас во все более приятное состояние. Четвертая, пятая, шестая... На десятой ступени вы оказываетесь в состоянии глубокой релаксации. Но вам предстоит спуститься еще ниже. Когда вы будете на двенадцатой ступени, гипноз подействует на вас полностью.

Он медленно считает.

— Теперь вы в зоне гипноза... вы чувствуете себя отлично...

Распахивается дверь в глубине. Гипнотизер делает недовольный жест. Он ведь наказал, чтобы никто не входил после начала сеанса. Вошедший знаком показывает, что он никак не побеспокоит.

Паскаль Феншэ узнает человека и не настаивает. Это Исидор Катценберг.

Журналист садится рядом с участником, который есть не кто иной, как Умберто Росси. Паскаль Феншэ сообщил им, что моряк постоянно присутствует на сеансах гипноза по пятницам. Зажмурив глаза, моряк улыбается. Гипнотизер продолжает:

— Теперь представьте, что вы идете по этому этажу. Вы оказываетесь на авеню, а рядом — кинотеатр, где люди ожидают начала фильма. Вы смотрите на афишу и понимаете, что это тот самый смешной фильм, который вам давно хотелось посмотреть. Вы берете билет и заходите. Этот фильм будет разным для каждого. Но для всех он будет смешным. Идут титры, затем начинается кино. Это самый смешной фильм, который вы когда-либо видели.

На мгновение публика остается неподвижной, затем люди начинают улыбаться, потом смеяться, не открывая глаз. Поначалу они прыскают беспорядочно, но вскоре начинают смеяться одновременно, как будто смотрят один и тот же фильм.

Исидор Катценберг шепчет на ухо Умберто Росси, пользуясь тем, что тот в гипнотическом состоянии:

— А теперь вы мне расскажите, что такое Последний секрет.

Моряк перестает хохотать и тут же открывает глаза. Резкий переход от гипнотического сна к враждебной реальности вызывает у него боль в затылке. Гипноз, как и подводное погружение, требует поэтапного уменьшения давления. Он узнает Исидора, подхватывает свои ботинки и убегает, толкая нескольких загипнотизированных зрителей, которые также плохо реагируют на грубое пробуждение.

Паскаль Феншэ повышает голос, чтобы перекрыть это нарушение:

— Продолжайте смотреть фильм, не обращая внимания на посторонние звуки, которые вы слышите.

Умберто уже почти добежал до выхода, но Бержерак преграждает ему дорогу. Моряк бежит в другую сторону. Там его останавливает Лукреция. Остается третий выход: туалет. Лукреция, Исидор и Жером Бержерак бегут следом за ним. Через десять секунд они все оказываются во дворе, заставленном мусорными ящиками. Умберто прячется за грейдером и вынимает револьвер. Раздается выстрел.

Издалека миллиардер кричит:

— План два! План два!

— Что, уже план два? — спрашивает молодая женщина.

— Послушайте, Лукреция, об этом надо спрашивать не меня; с моими-то провалами в памяти я уже забыл, что есть план номер один.

Лукреция тоже вынимает револьвер и, целясь в Умберто Росси, отвечает:

— Я думала о причинах ваших провалов в памяти. Полагаю, их вызывает ваш мозг в целях защиты. Вы так чувствительны, что никуда бы не годились, если бы помнили обо всем плохом, что происходит. В мире или в вашей жизни. Вам необходимо забывать ужасы прошлого и настоящего. Таким образом, ваш мозг выбрал добровольную амнезию.

— Поговорим об этом позже, — произносит Катценберг.

Умберто убегает. Они бросаются за ним. Он снова стреляет, и они прячутся за угол. Умберто устремляется в проулок. Он расталкивает прохожих, укрывается за мусорным баком и прицеливается. Жером Бержерак бежит к нему, не переставая кричать:

— План два! План два!

— Это проблема несдержанных людей, — ворчит Исидор. — Он был непомерен в своем эпикурействе, а сейчас, если хотите знать мое мнение, готов стать безрассудным сорви-головой.

И действительно, миллиардер забывает об осторожности, и Росси выпускает в него 7,65-миллиметровую пулю, задето плечо.

— Я ранен, — восклицает Жером, выражая одновременно удивление и радость.

— Хватит терять время, — отрезает Исидор.

Он огибает бак и вонзает моряку в область почек горлышко пивной бутылки.

— Игра проиграна. Руки вверх... Умберто.

Журналист надевает на него наручники, которые были у него в кармане.

— На помощь! — кричит Жером Бержерак.

Молодая журналистка подбегает к нему.

— Ради вас, Лукреция, я был готов рисковать своей жизнью, — задыхаясь, словно он при смерти, произносит миллиардер.

Лукреция рассматривает рану.

— Гм... Это пустяки. Небольшая ссадина. Возьмите мой платок, чтобы не испачкать ваш костюм от Кензо.

Затем она поворачивается к Умберто и хватает его за ворот.

— Ну, так что такое Последний секрет?

Тот по-прежнему молчит, удостаивая их лишь улыбкой.

Жером Бержерак берет его за ворот.

Он хочет ударить моряка кулаком, но Исидор его сдерживает:

— Никакого насилия.

— Я свои права знаю, — сдержанно сообщает Росси. — Вы не полиция. Вы не имеете права надевать на меня наручники. И я буду жаловаться.

— Да, мы не из полиции, но думаю, что там будут рады поимке убийцы доктора Жиордано, мой похититель (поскольку я тоже собираюсь подать жалобу), и убийцы Феншэ.

При этих словах моряк резко сопротивляется. Он выкрикивает:

— Я не убивал Феншэ!

— Это придется доказать, — подчеркивает Жером Бержерак.

— Наташа четко сказала, что была одна и...

— Да, но, кажется, с помощью Последнего секрета можно убивать людей на расстоянии... — говорит Лукреция.

Умберто пожимает плечами.

— Вы не знаете, что такое Последний секрет.

— Тогда расскажите нам, мы слушаем, — заявляет Лукреция.

Исидор подходит ближе.

— По-моему, Умберто, вы кое-чего не поняли. Мы в одной команде. Мы уважаем Самюэля Феншэ и то, что он сделал. Мы хотим знать, что с ним произошло.

— У меня нет причин вам помогать, — отвечает бывший нейрохирург, опуская глаза.

— Есть: признательность человеку, который вытащил вас из грязи.

На этот раз Росси кажется растроганным.

Жером Бержерак считает нужным добавить:

— Ну же, Умберто, тебе крышка...

Исидор быстро отстраняет миллиардера и смотрит моряку прямо в глаза.

— Что они вам обещают? Работу? Наркотики? Возможно, вы боитесь их? Чем вы им обязаны?

Росси продолжает с новой силой:

— Они меня спасли.

— Не они! Самюэль Феншэ вас спас! — кричит Исидор. — Это ему вы всем обязаны. И вы хотите, чтобы его смерть осталась нераскрытой? Какая неблагодарность!

Моряк опускает голову на руки в наручниках.

Жером Бержерак, больше не сдерживаясь, снова начинает на него нападать:

— Задай себе вопрос, если бы здесь был призрак Самюэля Феншэ, что бы он тебе посоветовал, молчать и дальше?

Лукреция тоже считает нужным вмешаться:

— Вы говорили о некоем Никто, кто это? Ну же, сделайте это не для нас, а ради Феншэ. Чтобы справедливость восторжествовала.

Теперь в мозгу Росси совершенная путаница. Вина, сожаление, злоба, страх тюрьмы, желание достичь Последнего секрета, признательность больнице, и особенно доктору Феншэ, скрестились в жутком поединке на арене его воли. Дилемма. Он корчится от боли, словно его мучат все произносимые фразы.

Исидор понимает, что теперь надо сбросить пар, чтобы получить эффект заливного из дичи. Настал момент посочувствовать, успокоить, поддержать.

— Ладно, пойдем поедим, и ты расскажешь нам все сначала.

Миллиардер добавляет:

— Друзья, послушайте, приглашаю всех в ресторан НЕБА. Если уж получать тайны, так лучше в приличной коробочке, не так ли?

107

Санкт-Петербург, восемь часов утра. Идет мелкий снег, на длинную серую полосу приземляется аэрофлотовский «Ил».

В кабине надпись на английском языке, разрешающая курить в полете, идущая вразрез с правилами международной авиации.

Доктор Самюэль Феншэ уже несколько месяцев назад бросил курить, и это его нисколько не привлекает. Досадно только, что полет прошел в тошнотворном тумане.

Почему счастье одних обязательно делает несчастными других...

Самолет мягко катится по полосе, чтобы достичь указанного диспетчером квадрата.

В аэропорту его никто не ждет. Самюэль берет такси, юркую «Ладу» зеленого цвета, шофер которой был в шерстяной фуфайке в цветочек. Тот во что бы то ни стало хотел продать пассажиру все, что у него было. От баночек красной икры до младшей дочери, не считая блоков американских сигарет и рублей по выгодному валютному курсу.

В машине Феншэ изучил заметки, которые передал ему Мартен. Трепанация, благодаря которой можно было достичь Последнего секрета, практиковалась в Институте человеческого мозга с декабря 1998 года. В 1999 году Министерство здравоохранения России сообщило, что в этом центре было вылечено сто двадцать токсикоманов.

Таксист припарковался и, оценив своего пассажира в зеркало заднего вида, сообщил сумму в долларах.

Здание санкт-петербургского Института человеческого мозга было построено в сталинскую эпоху; в нем «лечили» непокорных политических заключенных. Ворота покрыты ржавчиной, но снег отчасти смягчал впечатление общей убогости.

Феншэ, в толстом пальто, припорошенном снегом, прошел в приемную и представился.

Из комнаты отдыха доносился смех — санитары смотрели телевизор.

Наконец появилась его коллега, доктор Черненко.

Проявив традиционную вежливость, она оттянула большим пальцем нижнее веко гостя и подняла рукава его рубашки, чтобы оглядеть предплечья. На приблизительном французском, в котором ей не удавалось выговаривать букву «г», она выразила удивление:

— А вы не под действием наркотика? Почему вы так настаиваете, чтобы я коснулась вашего мозга?

Французский врач объяснил ей, что намерен стимулировать известную зону. Он в деталях обрисовал ей свой план, и с некоторыми условиями Черненко согласилась взяться за него.

Самюэль Феншэ был госпитализирован на правах обычного больного. Ему выделили палату, койку и зеленую пижаму с аббревиатурой больницы.

Он поговорил кое с кем из пациентов. В основном это были молодые люди, открывшие для себя искусственный рай в студенческих общежитиях или армейских казармах. Всего за сотню рублей там можно было достать героин, привезенный из Таджикистана, Афганистана или Чечни.

Новый способ ведения войны: отравлять кровь детей.

Большинство проходили лечение дезинтоксикацией, но опять срывались. Не так-то легко отказаться от героина.

Многие уже неоднократно покушались на самоубийство, пока их несчастным родителям не попались на глаза рекламные листовки, расхваливающие санкт-петербургский Институт мозга, где за десять тысяч долларов предлагался последний шанс — операция.

Итак, почти все больные были из состоятельных семей. Целыми днями они играли в карты, смотрели телевизор в общей комнате, слонялись по коридорам. Все были обриты налысо, на головах — повязки, испачканные кровью. Некоторые показывали шрамы между татуировками — доказательство того, что прежняя наркоманская жизнь протекала не без сложностей. Руки больных были испещрены следами уколов.

В назначенный день санитар обрил голову Самюэля Феншэ и облачил его в белый халат. С помощью магнитного резонатора, единственного болсс-менее современного в больнице аппарата, доктор Черненко изучила картографию мозга своего французского пациента.

Травм нет, опухолей тоже. Казалось, все в порядке.

Его привезли в операционное отделение и положили на операционный стол.

Предполагалось, что операция будет идти под местной анестезией. Молодая медсестра, у которой из-за полотняной маски видны были только серые глаза, вооружившись прищепками, соорудила вокруг его головы подобие огромного купола.

Помощники хирурга надели на Феншэ стальную каску, специально созданную для такого рода вмешательства; она походила на средневековое орудие пытки. Доктор Черненко оснастила каску выдвижными металлическими трубками. Потом она сильно закрутила винты, чтобы как следует закрепить каску на черепе.

— Это чтобы не ошибиться в локализации, — объяснила она.

Отказ от общего наркоза она объяснила тем, что ей нужно знать, что больной чувствует во время операции.

— Иногда я попрошу вас сказать или сделать что-нибудь, чтобы удостовериться, что вы бодрствуете.

Феншэ содрогнулся, когда она взмахнула электрической пилкой. Для него было очевидно: русские больницы располагают меньшим количеством современного оборудования, чем европейские или американские. Например, для введения жидкого азота она использовала ножной автомобильный насос.

У них нет средств купить электрический хирургический насос!

За спиной доктор Черненко попросила его посчитать от двадцати до нуля. Он чувствовал, как его череп смачивают влажной ватой, пропитанной, вероятно, дезинфицирующим средством. Он начал считать:

— Двадцать, девятнадцать.

Услышав, как зажужжала пилка, он сглотнул.

— Восем... надцать, сем... надцать.

Ради науки. Ради мозга. Мартен выдержал операцию, значит, я тоже могу вынести это испытание.

— Шестнадцать, пятнадцать.

Когда пилка вступила в контакт с поверхностью его кожи, рецепторы эпидермического соприкосновения активизировались. Это было резко и остро.

— Больно не будет, — заверила хирург.

Да неужели! Все так говорят. Мне уже больно.

Он не смог удержаться от того, чтобы не вскрикнуть: «О-ой!»

Доктор Черненко остановилась.

— Что не так?

306

— Ничего, ничего, продолжайте. Четырнадцать, тринадцать.

Ради науки.

Он сильнее сжал челюсти. В принципе ничего страшного не происходило, но на черепе ощущалось механическое растяжение. Нечто похожее он испытывал, когда ему рвали зуб мудрости. Местное обезболивающее подействовало, но давление на кость разливалось по всему телу.

Подумать о чем-нибудь. Медсестра. Ее серые глаза.
Его голова теперь вибрировала.

Это и правда очень больно. Думать о чем-нибудь другом. Думать о медсестре.

Понимая, что нужна ему, сестра взяла его за руку.

Рука прохладная. Но я не могу забыть, что происходит наверху. Они вскрывают мне голову. Возможно, я совершаю огромную глупость. Я ведь поклялся себе, что не лягу на операционный стол без необходимости. А разве в этом есть необходимость? И это действительно очень больно.

Две руки в перчатках поправили его голову. Вероятно, угол распиливания был выбран неверно.

Они не знают, как за это взяться.

Медсестра наклонилась, и Феншэ увидел, что она была одарена весьма аппетитной грудью, которую можно было разглядеть под ее халатом. Его глаза украдкой скользнули за ткань и различили белое кружево, которое поддерживало плоть, о мягкости которой можно было лишь догадываться. Жужжа, как бормашина, пила снова заработала.

Больно. Думать о чем-нибудь другом. Например, о груди медсестры. Юмор и любовь — два мощных болеутоляющих. Вспомнить шутку. Это история о сума-

си...шем, который... который сделал себе дыру в голо-
ве, чтобы проветрить мысли.

Обладательница серых глаз, ощутив пристальный взгляд, инстинктивно поправила халат, однако не застегнула его.

Продолжать считать.

— Двенадцать, одиннадцать.

Еще одним мучением для него был запах жженой кости, вызванный трением горячего стального лезвия.

Запах моей головы, которую вскрывают.

Он заметил нечто похожее на облако пыли и понял, что это результат сверления его черепной коробки. Вниз падали пропитанные кровью ватные тампоны.

— Десять, девять, восемь.

Теперь запах костной пыли стал невыносимым, медсестра больше не могла улыбаться — даже ее шокировало то, что она наблюдала.

Видимо, она новенькая в отделении.

Без сомнения, ее взяли на работу за красоту. Маленький русский «плюсик», заставляющий забыть о ветхости оборудования. Возможно, ее отобрали на конкурсе «Мисс мокрая футболка». Оставалось лишь добавить балалаечную музыку. Серые глаза. Автомобильный насос. Пропитанные кровью тампоны. Мисс Глубокий Вырез. И чувство, что тебе вскрывают череп.

Медсестра приподнялась на цыпочки, и он еще лучше мог созерцать ее груди. Он знал, что от мыслей о красивой девушке вырабатываются эндорфины, способные иногда заменять болеутоляющее. На ее халатике было ее имя, написанное на кириллице; это имя, должно быть, Ольга.

Я покажу тебе свой мозг, Ольга. Это действительно самая интимная часть меня, я пока не показывал ее ни одной женщине. Это мужской стриптиз, и, уверяю, никакой «Чипэндейл» не нашел бы мужества зайти так далеко...

— Семь-шесть-пять-четыре-три-два-один-ноль, — очень быстро произнес он!

Чувство жгучего укуса прекратилось, его заменило ощущение свежести.

Готово, они закончили пилить.

Красные тампоны падали, словно пурпурный снег. Снова растяжение на черепе. Видимо, устанавливали расширители.

Ты красива, Ольга. Что ты делаешь сегодня вечером? Ты ничего не имеешь против человека с голым черепом и белой повязкой вокруг него?

Феншэ хотелось шутить, чтобы сдержать другое свое желание: взвыть. Как будто по недосмотру, доктор Черненко положила отпиленную часть его черепа в бак из нержавеющей стали — так, что он мог ее лицезреть. Всего за секунду медсестра поняла ошибку и поставила «это» в другое место. Но он видел, и эта картина парализовала его: вогнутый прямоугольник, пять сантиметров в длину и три в ширину, сверху бежевый, снизу белый, похожий на квадратный кусочек ореха, но с красными бороздками на передней стороне.

Медсестра улыбнулась под маской, что было видно по ее глазам. Затем она продолжила наблюдение, полностью поглощенная ходом операции.

Его черепная коробка была вскрыта, а сверху склонились люди, лиц которых не было видно под хирургическими масками. Что привлекло их?

108

Мозги с каперсами, луком и бальзамическим уксусом. Официант принес их на серебряном блюде. Исидор рассматривает блестящий кусок розовой плоти, переложенный на его тарелку, и с отвращением отодвигает кушанье.

— Это бараньи мозги. Я решил, что это будет неплохая идея, — говорит Жером Бержерак. — Чтобы снова вернуться к нашей теме, правда?

— Я скорее вегетарианец, — уклоняется Исидор.

— Это навевает мне слишком много воспоминаний, — поддерживает его Умберто, тоже отставляя блюдо.

Только Лукреция уплетает за обе щеки.

— Сожалею, но все эти волнения вызвали у меня аппетит, и я все еще очень хочу есть.

Она отрезает большой кусок, который с восторгом разжевывает. Жером Бержерак разливает в хрустальные стаканы мутон-ротшильд 1989 года комнатной температуры.

— Итак, Умберто, расскажите нам все.

Умберто взбалтывает вино в своем стакане, внимательно рассматривая опытным взглядом «одежду вина».

— Вы знаток, правда? — спрашивает Жером Бержерак, приглаживая правый кончик усов.

— Нет, я был пьяницей.

Лукреция возвращается к теме:

— Так что же произошло?

Умберто соглашается рассказать:

— Как вам известно, после несчастного случая с моей матерью я ушел из больницы. Потом я стал ни щим, а потом Феншэ взял меня на работу морским таксистом. Как-то вечером я дожидался, пока Феншэ закончит работать, чтобы отвезти его в Канны; я заметил, что он необычно запаздывает. Я решил, что он, видимо, закопался в своих испытаниях и забыл о времени. Тогда я пошел за ним.

Умберто принял таинственный вид.

— Его не было в кабинете. Не было и в лаборатории. Но я остался там, потому что изменились кое-какие детали. Мыши сидели в клетках, на которых были написаны имена: Юнг, Павлов, Адлер, Бернгейм, Шарко, Куэ, Бабинский и так далее. У всех из черепа шли маленькие антенки. Я поднес руку и по поведению мышей понял, что они необычны. Слишком нервные. Они вели себя как кокаинисты. Очень живые, но в то же время полные параноики. Они как будто все чувствовали сильнее и быстрее, чем другие. Чтобы это выяснять, я взял мышь и запустил в подвижный лабиринт, который каждый раз задает разное направление прохода. Обычно мышам требуется несколько минут, чтобы преодолеть подобное испытание, но эта за десять секунд нашла выход и спазматически затрясла рукоять. Естественно, я был заинтригован. В этот момент вошел Феншэ. Я знал, что он ездил в Россию на семинар. Он был каким-то странным.

109

Мозг дрожал в зияющей дыре. Вены пульсировали.

— Все в порядке, доктор Феншэ?

— У меня болит голова, — попытался пошутить французский врач.

— Ольга?

Медсестра смерила его пульс. Затем отошла проверять контрольные приборы. Казалось, все работает хорошо.

Тянет. Мне больно. Могу я сказать, что мне больно? Но что это изменит? Они не воскликнут: «В таком случае остановимся, а завтра продолжим».

Расширители установили таким образом, чтобы дыру в мозге можно было легко растянуть. Пропитанные кровью компрессы образовали слева от Феншэ небольшую горку, но он уже не реагировал на подобные издержки.

Доктор Черненко достала длинный металлический стержень, который обычно используют в качестве зонда. Но вместо двух спускных трубок с ацетоном на конце она закрепила маленькую техническую штучку, которую передал ей французский пациент.

Она потребовала рентгеновский снимок мозга Феншэ, и помощница пошла за ним. Однако спустя несколько минут она вернулась и знаками сообщила, что не нашла его. Врачи обменялись скупыми словами на русском языке, упоминая непорядок в больнице, забитой блатным и некомпетентным персоналом.

Доктору Черненко ничего не оставалось, как действовать вслепую. Где была нужная зона? Она как будто вспомнила точные координаты местонахождения.

Зонд медленно погружался. Сперва мозговые оболочки, три слоя, на которые напластовываются щелевидные пространства, служащие защитой. Затем твердая мозговая оболочка, самая густая мембрана. Снизу — паутинная оболочка, названная так потому, что она действительно тонка, как паутина.

Паутинная оболочка, образованная двумя пленочками, содержит сто пятьдесят кубических сантиметров цереброспинальной жидкости. Немного этой жидкости стекло на лоб Самюэля Феншэ. Сначала он понадеялся, что эта теплая жидкость — пот, но нет, он узнал ее. Он знал, что благодаря ей мозг нейтрализует действие силы тяжести, а также переносит сотрясения.

Наш мозг плавает в жидкости, которая его защищает. Наша внутренняя планета окружена своим морем.

Медсестра поторопилась вытереть жидкость.

— Spassiba, — сказал он.

Это было единственное слово, которое он знал по-русски.

В конце концов, «спасибо» — самое полезное слово во всех языках.

Хирург продолжила работу. Еще ниже она проткнула самую глубокую и нежную оболочку: мягкую мозговую. Теперь зонд был на глубине двух миллиметров под поверхностью мозга. Прямо в сером веществе.

— Все в порядке?

Ему удалось произнести:

— Пока все в порядке.

Она углубилась еще на несколько миллиметров и прошла сквозь розовое вещество, чтобы достичь белого вещества, соединяющего оба полушария. У Феншэ было ощущение, будто погружают дренаж в нефтяную скважину.

Думать о чем-нибудь другом. Если Земля живая, если Земля — сознательное существо, Гея, как утверждали древние греки, возможно, что каждый раз, когда ей пронзают кожу, чтобы высосать ее кровь-нефть, она чувствует то же самое... Мы, люди, — это вампиры, которые сосут кровь Земли, чтобы заполнить ею бензобаки своих машин.

Миллиметр за миллиметром зонд продолжал погружаться. Теперь он был в мозолистом теле.

— Очень хорошо. Мне надо убедиться в том, что я помещаю зонд в нужное место. Для этого я попрошу вас говорить, что вы чувствуете.

Металлической линейкой промерив его шлем, доктор Черненко отметила место, где находится зонд. Затем она надавила на электрический выключатель, который здорово походил на тот, с помощью которого включают свет в палате.

Феншэ почувствовал зуд.

— Что там такое?

— Покалывание в руке. Ничего страшного.

Черт, она не знает, где это!

Она немного переместила зонд в правую сторону. Ему показалось, что это длится целую вечность.

— А тут?

Как раз когда она задавала этот вопрос, он испытал новое ощущение.

— Я чувствую, как это сказать, очень сильную ностальгию. Во мне поднялась необъяснимая грусть. Я... я хочу плакать.

За своей тряпичной маской женщина-врач произнесла на русском языке непонятное ругательство.

Феншэ почувствовал, как зонд накреняется, чтобы покопаться в другой зоне его мозга.

Он вспомнил рисунки древних инков, на которых запечатлено, как люди делают трепанацию. Он вспомнил, что в обнаруженных черепах, обладатели которых жили более чем две тысячи лет назад, имелись отлично вырезанные квадратные дыры, прикрытые золотыми пластинками.

Она коснулась другой зоны.

— Я... я... это ужасно... я ослеп на правый глаз!

Она погубит мне здоровые зоны!

Медсестра еще сильнее сжала его руку. Она посмотрела на шкалу и поводила пальцем перед его лицом, чтобы проверить его реакцию.

Зонд сдвинулся назад. Изображение мгновенно вернулось в правый глаз.

Уф.

Затем доктор Черненко снова нажала на выключатель.

— А тут что вы чувствуете?

Лимон.

— Язык пощипывает. Кисло.

— Мы где-то рядом, мы найдем, найдем.

Она углубила стержень и коснулась другой точки. Электрический контакт. Самюэль Феншэ стиснул руку медсестры. Паника.

— Прекратите немедленно!

— Извините.

Доктор Черненко взяла микрокалькулятор и после недолгих подсчетов кое-что отрегулировала на шлеме. Она очень быстро заговорила по-русски с ассистентами. Как будто она вдруг снова взяла дело в свои руки.

Действительно, она очень устала. В своей памяти она пыталась отыскать координаты Последнего секрета. Она никогда не хотела нигде их отмечать. Человеческая память — самый лучший сейф, часто думала она. Но что делать, если сейф забит? Конечно, у нее были координаты, которые она определила для мыши, но это были разные вещи. Нужна была точная локализация, иначе она еще долго будет бродить вслепую, заставляя пациента испытывать странные покалывания по всему телу.

Закрыв глаза, она вспоминала. Возможно, память блокировало желание сделать все хорошо. Ее дыхание участилось. Помощник вытер ей пот ватным тампоном.

Вдруг на нее нашло озарение. Определенно, это три меры: в ширину, в длину и в глубину.

— А здесь?

— А здесь гораздо приятнее. Запах отпуска.

Запах жасмина.

Позади него оживленно говорили по-русски. Доктор Черненко начертила фломастером прямо на вольтметре: «Запах?»

Мы в области Последнего секрета?

— А если я увеличу разряд, каков результат?

— Я словно слушаю Эдварда Грига. Я обожаю музыку Грига.

Песня Сольвейг. Не считая Моцарта и Бетховена, Григ великий композитор.

Она отметила: «Музыка?» и провела черту. Потом немного приподняла вольтметр.

— Что вы чувствуете?

— Как будто ем пирожное. Пирог с мирабелью. Я обожаю пироги с мирабелью.

Внизу пирог с мирабелью. Выше — музыка Грига. Еще выше — запах жасмина. Над ним лимон. А в реальности: руки, серые глаза и груди Ольги. Я в порядке.

Доктор Черненко пишет: «Сладости?» Она следила за иглой вольтметра. Еще несколько милливольт, чтобы увидеть.

— Здесь — как будто я впервые увидел эротический фильм в двенадцать лет.

Доктор Черненко установила вольтметр на деление выше. Еще милливольт.

— Тут мой первый поцелуй с крошкой Мари-Ноэлль.

Ольга захлопала ресницами. Она улыбнулась, ее серые глаза заискрились, грудь взволновалась, испуская вздох удовлетворения. Она снова сильно сжала его руку.

Приглашение?

Доктор Черненко была напряжена. Помощница снова промокнула ей лоб. Маленькие компрессы, пропитанные кровью, больше не скапливались на полу. Еще один разряд.

Феншэ казалось, будто он занимается любовью. *Оргазм.* Но он продолжался долго, а не несколько секунд. Зрачки Феншэ расширились. Глаза пристально смотрели куда-то за Ольгу. Очень далеко.

Рай? Рай...

Оперируемый закрыл глаза, как будто страдал. Хирург испугалась, ему слишком больно, и перестала манипулировать. Очень сухим тоном Феншэ приказал:

— Не останавливайтесь, продолжайте!

Она немного увеличила ток. Оргазм! Ручей превратился в реку. Затем в бурный поток. Ниагарские водопады.

— Месье Феншэ, все в порядке?

Рай...

Он рассмеялся, потом замолчал, так как она разомкнула контакт.

— Еще, еще! — попросил он.

Мне вот-вот все откроется. Я все пойму. Здесь начало и конец всего. Здесь источник всех ощущений. Чистый источник, откуда исходят все ручьи, реки и потоки.

В его визуальном пространстве появилось лицо доктора Черненко.

— Месье Феншэ, вы уверены, что все в порядке? Нам показалось, что вы не в себе... За это время мы успели завершить операцию.

Он попросил:

— Пожалуйста... сжальтесь. Еще...

Или я тебя убью.

— Нет, это слишком опасно.

Пожалуйста, поставь прибор на максимум. Перестань щекотать меня, я хочу настоящее ощущение, полное, всеобъемлющее. Я знаю, оно тут! Рядом. Еще! Сильнее!

— Полагаю, на сегодня достаточно, месье Феншэ.

— НЕЕЕТ, НЕДОСТАТОЧНО!

Он попытался встать, утянув за собой расширители, зажимы и защитные полотенца. В порыве злости он вырвал провода всех датчиков.

Врачи в испуге отступили.

Самюэль Феншэ, срывая глотку, кричал:

— ХОЧУ ЕЩЕ!!!

У него был взгляд разъяренного хищника.

Он опрокинул все колбы, до которых смог дотянуться, и они с хрустальным звоном разбились о плиточный пол.

— ЕЩЕ!

Хирург тут же выдернула проводок, через который электричество поступало в зонд. Охваченный гневом, Феншэ бросился к вольтметру, чтобы исправить содеянное. Тогда Ольга толкнула генератор, который упал и разлетелся вдребезги. Еще минута — и медсестра была распята на столе среди скальпелей и красных кусочков ваты.

Но уже вошли пятеро санитаров и попытались схватить этого одержимого. Он легко отбросил их к стенам.

Меня никто не остановит. Я хочу этого. Еще!!!

110

— Еще немного?

— Да, с удовольствием. Спасибо.

Жером Бержерак снова разливает в хрустальные стаканы ярко-красное вино. Ресторан клуба заполняют эпикурейцы. Между столами крутится человек с бородкой, приветствуя каждого по имени.

— Да это же Жером! Привет, Жером! И обворожительная *девушка* тоже здесь. Знаете, мы так беспокоились после вашего исчезновения!

— **Оставь нас ненадолго, Мишá, нам надо поговорить о серьезных вещах, правда?** — сказал Бержерак.

— **О, серьезные слова здесь неуместны. А это кто?** — спрашивает Мишá, указывая на Умберто. Миллиардеру приходится встать и отвести его в сторону.

— Мы играем в полицейское расследование?

— А, понятно, я вас покидаю.

Умберто до краев наливает себе в стакан мутон-ротшильда, словно хочет найти в алкоголе предлог, чтобы все рассказать.

Лукреция придерживает Мишá за рукав.

— У вас нет сигареты?

— У меня есть сигары, если хотите. Здесь считается, что сигареты — это слишком банально.

Она соглашается на сигару и всасывает дым, предвкушая насладиться им. Кашляет, снова затягивается.

Как Тенардье может курить такую жуть? У сигары плохой привкус, от нее болит голова, и, кроме того, она воняет.

Однако потребность в никотине заставляет ее продолжать курить.

— Итак, Феншэ застает вас в своей лаборатории, — напоминает Исидор.

— Я вам не сказал, что утром, когда я его привез, он был в широкополой шляпе. Эксцентричность ученого, подумал я. Однако, к великому моему удивлению, он не снимал шляпу и в лаборатории. Он спросил меня: «Умберто, что вы тут делаете?» Я замялся. Но он сразу понял, что до меня дошло. «Что с этими мышами?» — спросил я. Он ответил, что это тайна. Тогда я сказал, что мне очевидно: их трепанировали и ввели им в мозг электроды. Я добавил, что, по-моему, он вычислил место в мозге, воздействуя на которое, мышами легче управлять. Он странно усмехнулся. Почти уныло. Затем сказал: «Браво». Тогда я продолжил. По моему мнению, мыши «умнели» из-за того, что очень хотели получить небольшой разряд тока. Феншэ все время держался в тени, и за полями шляпы я не видел его взгляда. Я только слышал его голос, голос, казавшийся возбужденным и вместе с тем усталым. И тут он вышел на свет и снял шляпу. Его голова была обрита наголо и перевязана. Но шокировало то, что над волосяным покровом выступала маленькая антеннка, как у мышей. Я в страхе отступил.

Лукреция сглатывает:

— А потом...

— Я лишь прошептал: «Эксперимент Джеймса Олдса?»

Он улыбнулся, удивившись, что я так быстро вспомнил об Олдсе, и кивнул. «Да, эксперимент Олдса, наконец-то поставленный на человеке».

Умберто смотрит на пустой стакан и снова наполняет его, чтобы взбодриться.

— Что за Джеймс Олдс? — спрашивает Исидор, который уже вытащил карманный компьютер, чтобы записать это имя. — И что за эксперимент?

— Эксперимент Олдса... Это легенда в маленьком мирке неврологии, разве что основана она на реальных фактах. В действительности все началось в 1954 году. Американский нейрофизиолог Джеймс Олдс составлял карту реакций мозга на электрические разряды, зона за зоной. С особым вниманием он исследовал область мозолистого тела, там, где находится мост между двумя полушариями.

Достав ручку, Умберто Росси рисует на скатерти мозг.

— Таким образом, он идентифицировал МЖЯ — межжелудочное ядро, считающееся центром сытости. Разрушение его влечет булимию.

Росси обводит упомянутую зону и рисует стрелочку, над которой ставит аббревиатуру.

— Еще он обнаружил БГП — боковую гипоталамическую поверхность, отвечающую за аппетит. Следствие ее разрушения — анорексия. Наконец, он нашел любопытную зону, которую назвал MFB — *median forebrain bundle,* особенность которой в том, что она запускает механизм удовольствия.

Бывший нейрохирург отмечает маленькую точечку в центре мозга.

— Центр удовольствия?

— Грааль для многих невропатологов. К слову сказать, эта зона располагается бок о бок с центром боли.

Увлеченный Жером Бержерак шепчет:

— Их чрезвычайная близость объясняет, что люди, смешивая удовольствие и боль, становятся садомазохистами?

Умберто пожимает плечами и со страстью продолжает:

— Электрод, помещенный в центр удовольствия крысы и соединенный с устройством, позволяющим животному самому его стимулировать, может быть активизирован до восьми тысяч раз в час! Животное забывает о еде, сексе и сне.

Он вертит в руках свой хрустальный стакан, водит влажным пальцем по краю, извлекая тонкий звук.

— Все, что нам кажется приятным в жизни, радует нас лишь в той степени, в какой стимулируется эта зона.

Рисуя точку, которую он назвал центром удовольствия, он прорывает бумажную скатерть.

— Это то, что заставляет нас действовать. Это причина всего нашего поведения. Самюэль Феншэ назвал эту точку Последний секрет.

111

Еще. Еще. Невозможно, чтобы они не понимали, что только ЭТО имеет значение. Все остальное ничтожность. Существование — всего лишь последовательность жалких приемчиков в попытке познать то ощущение, которое я испытал только что. Еще. На этом все прекращается... Еще, сжальтесь, еще, еще, еще, еще...

112

Моряк, довольный результатом, ищет в кармане свою трубку и зажигает ее.

— В мире нет ничего сильнее. Деньги, наркотики, секс — всего лишь незначительные средства, потому что только косвенно возбуждают это место.

Все замолкают, оценивая важность открытия.

— Хотите сказать, что все, что мы делаем, — только ради того, чтобы стимулировать эту зону? — спрашивает Лукреция Немро.

— Мы сдим, чтобы стимулировать МГВ. Мы говорим, ходим, живем, дышим, что-то предпринимаем, занимаемся любовью, ведем войны, делаем добро или зло, мы воспроизводимся *только* для того, чтобы активизировать эту зону. Последний секрет. Это самое глубокое, самое жизненное программирование. Без него мы ни к чему не имели бы вкуса, мы просто вымерли бы.

Молчание. Все смотрят на остатки бараньих мозгов в своих тарелках. Значение открытия Джеймса Олдса для них принимает головокружительные размеры.

— Как же это возможно, что такое открытие не получило большой известности? — спрашивает Жером Бержерак, подкручивая усы.

— Вы представляете себе последствия такой огласки?

Росси кладет трубку и подзывает официанта, чтобы попросить перец. Затем он посыпает перцем кусок хлеба и глотает его целиком. Моряк весь краснеет, дышит с трудом, морщится.

Теперь я не смогу чувствовать вкус других блюд... Понимаете? Прямая стимуляция Последнего секрета тормозит всю прочую деятельность. Я же говорил, испытуемые забывают о своих жизненных функциях: есть, спать, воспроизводиться. Это абсолютный наркотик. Они как будто ослеплены слишком ярким светом, который не позволяет им видеть другие отблески мира.

Моряк отрезает ножом кусок хлеба и долго его разжевывает, чтобы успокоить пожар внутри.

— Понятно, — задумчиво говорит Исидор. — Перефразируя Паскаля: «Небольшой стимул возбуждает, большой — вводит в экстаз, слишком большой — убивает». С распространением Последнего секрета все знакомые нам проблемы с наркотиками увеличатся в десятки раз.

Моряк просит воды, сожалея о своем поступке, но и вода не может его успокоить.

— Джеймс Олдс, надо отдать ему должное, предвидел последствия своего открытия. Он понял, что мафия всего мира захочет заполучить это, да и люди, явно обделенные судьбой, узнав о существовании такого наркотика, тоже потребовали бы его. Из них получились бы рабы ощущений. Олдс боялся будущего, в котором человечество зависело бы от этой морковки. Диктаторы смогли бы потребовать от нас все, что угодно. В своих трудах он писал, что раскрытие Последнего секрета привело бы к уничтожению человеческой воли.

Никто уже не ест. Лукреция представляет мир, населенный людьми с электродами на задней стенке черепа. И мужчины, и женщины озабочены лишь одним: еще один разрядик в голове.

113

Пальцы Феншэ неловко перебирали провода вольтметра, пытаясь включить его. Ольга схватила шприц, наполнила его успокоительным средством и всадила французу в бок. Он почувствовал, как лекарство распространяется в нем, но сумел сохранить бодрствующий ум и продолжал тянуть провода.

Другие санитары тоже всаживают в него шприцы. Он тщетно старался отбиваться. Он был похож на разъяренного быка, окруженного пикадорами, бросающими свои бандерильи.

Феншэ кричит:
— ЕЩЕ!

Наконец лекарства подействовали. Доктор Самю-эль Феншэ рухнул навзничь. Вся бригада русских была в шоке. Он тоже.

...еще...

114

Еще воды, чтобы погасить горящие сосочки.

— Невероятно, — произносит Жером Бержерак.

— Поразительно, — добавляет Лукреция.

— Ужасающе, — заканчивает Исидор.

Капитан Умберто бурно потеет из-за перца, который слишком быстро проглотил.

— Джеймс Олдс знать не хотел, как можно использовать его открытие. Он отрекся от него, уничтожил свою диссертацию, собрал всех, с кем работал, и взял с них клятву никогда не проводить экспериментов с Последним секретом.

— Они согласились?

— Джеймс Олдс описал им вероятное будущее. Ни один ученый не хочет уничтожать человечество. Помимо наших мозговых систем, существует система сохранения вида. Предохранитель, который содержится в глубине нашего мозга рептилии и который возник еще во время нашей самой первоначальной животной жизни. Когда мы были рыбами, он уже был там. Даже когда мы были одноклеточными существами...

Официант приносит им цыпленка в провансальском соусе. Птица была пожарена в муке с головой, и в ее трупике, лежащем посреди овощей, было что-то патетическое. Никто к ней не притрагивается.

— Власть жизни, — произносит Исидор.

— Джеймс Олдс, как и его соратники, думали о своих детях и внуках. Это важнее научной славы. К тому же кто хочет взвалить на свои плечи ответственность за возможное окончание приключений человечества?

Взгляд Жерома блестит. Моряк вздыхает:

— Итак, они поклялись. И Джеймс Олдс уничтожил все документы, где говорилось о местонахождении Последнего секрета. Подопытных крыс убили. А Олдс работал над исследованием другой зоны, впрочем, довольно близкой, — той, что позволяет лечить эпилептиков.

— Я, которая всегда считала, что мы живем в циничном мире, управляемом биржей, военными, бессовестными учеными, я должна признать, что этот господин Олдс сделал честь своей профессии, — добавляет Лукреция.

— Этого хватило, чтобы все остановить? — спрашивает Исидор.

— Последний секрет — зона очень маленькая, расположенная в строго определенном месте. Если не знать нужных координат, воздействовать невозможно. Некоторые, должно быть, пытались, но найти эту зону в мозге — все равно что искать иголку в стоге сена.

Лукреция сдержалась и не стала говорить об уловке, которой ее научил Исидор: поджечь сено и провести магнитом по пеплу.

— И что дальше? — спрашивает Жером, возбужденный разговором. Умберто знаком просит их приблизиться и вполголоса, чтобы не услышали за соседними столиками, шепчет:

— В конце концов кое-кто нарушил клятву.

Доктор Черненко склонилась над своим пациентом.

— Вам лучше, месье Феншэ? Вы, можно сказать, чертовски нас напугали.

Он заметил, что привязан к кровати прочными кожаными ремнями.

Он изо всех сил рванулся вперед, приподняв кровать, но упал.

— Еще, я хочу этого еще!

Доктор Черненко снова вколола ему транквилизатор.

— И кто нарушил?

— О том, что произошло дальше, мне рассказал Феншэ. Тайну разгласила одна женщина-нейрохирург, которая работала с Олдсом — доктор Черненко. В 1954 году она дала клятву вместе с другими, но после того как ее дочь, сидящая на героине, трижды попыталась совершить самоубийство, дама посчитала, что это ее последний шанс. Поскольку она не могла сделать операцию в США, где бы ее сразу заметили коллеги, она вернулась в Россию и прооперировала дочь в Институте человеческого мозга, в Санкт-Петербурге. Тогда никто и не подумал следить за ее работой. Результат превзошел все ожидания. Дочь перестала принимать наркотики и смогла возобновить нормальную жизнь. Естественно, Черненко никогда не говорила о Последнем секрете. Но, в конце концов, информация распространилась: есть чудо-хирург, который может вытащить из мозга наркоманов зону привыкания. Сын министра финансов тоже сидел на героине, и, чтобы спасти своего ребенка, отец оказал давление. У Черненко не было выбора. Операция стала пользоваться успехом. За сыном министра финансов последовали дети государственных деятелей, затем модные рок-звезды, актеры, просто дети из состоятельных семей. Они прибывали со всей России. Черненко, правда, не рассказывала, что конкретно она делала. А русское правительство радовалось тому, что имеет чудо-средство, о котором не знают даже на Западе.

Больше никто не ест. Официант, удивляясь, что цыпленок еще цел, сам разрезает его и дает каждому по порции.

— Черненко удаляла центр удовольствия, не так ли? — спрашивает Жером Бержерак.

Моряк понижает голос:

— Похоже, она много отрезала. При каждой операции она отделяла полтора кубических миллиметра мозга.

— И какими становились прооперированные впоследствии? — спрашивает Лукреция.

— Слишком меланхоличными, по всей вероятности. Но, понимая, что либо это, либо смерть... родители не колебались.

Воды не хватает, чтобы справиться с огнем в горле Умберто. Он глотает хлеб с маслом.

— Феншэ, уж не знаю как, связался с Черненко и предложил ей не уничтожать Последний секрет, а стимулировать его.

— Он открыл ящик Пандоры, — вздыхает Исидор.

— Строго определенная радиочастота приводила в действие электропередатчик, вживленный в мозг в зоне Последнего секрета.

Лукреция Немро осматривается и спрашивает себя, не есть ли цель этого движения всего лишь косвенная стимуляция центра удовольствия.

— Операция Феншэ удалась? — спрашивает она.

117

Он бился под кожаными ремнями. Потом вдруг успокоился, словно вспомнил, почему он здесь. У него был туманный взгляд, в котором читалась тоска по ощущению, горевшему в его мозге.

— Оно сработало? — спросила доктор Черненко.

— Да.

Все было ярким.

— Как это было?

— Сильно. Очень сильно. Сильнее всего, что нам известно.

— Допустим, по шкале от одного до двадцати, какой интенсивности удовольствие вы испытали?

Самюэль Феншэ наморщил лоб, подумал, ища наиболее точный ответ, и пробормотал:

— Ну, скажем... в сто баллов.

118

Капитан Умберто просит соль, которую сыплет на кусок хлеба, как будто вкус соли избавит его от жжения перца.

— Да, операция удалась. Впрочем, никто никогда не оспаривал открытие Джеймса Олдса. Проблема в том, что Самюэль Феншэ не смог овладеть собственным возбуждением. Он рисковал покончить жизнь самоубийством, как это уже сделал Фрейд.

— Профессор Зигмунд Фрейд?

— Нет, Фрейд — первая мышь, на которой проверяли усиление Последнего секрета в лаборатории Феншэ. Теперь он нуждался в поставщике внешних стимулов. Он запрограммировал свой электропередатчик, чтобы тот работал на определенной волне, активизируемой зашифрованным кодом, которого он сам не знал.

— А кто знал этот код? Черненко?

— Черненко он не доверял. Он сделал так, чтобы передатчик работал без шифра только в день операции. Так что, когда он проснулся на следующий день, лишь один человек мог вызывать в его голове эти оргазмы.

— И кто же это?

Умберто опять делает знак, чтобы они наклонились к нему, и шепчет:

— Никто.

— Кто такой Никто?

— Этого я не знаю, я разговаривал с ним, но я его не видел. Никто назвал себя так, вероятно, в подражание Одиссею. Помните, когда Циклоп спрашивает: «Кто сделал это со мной?» — Одиссей отвечает: «Если тебя об этом спросят, скажи, что никто».

Исидор закрывает глаза.

— Одиссей — ведь так звали того ребенка-аутиста, который спас Самюэля, когда тот был маленьким? — спрашивает Лукреция.

Никто... Одиссей.

Через свой карманный компьютер Исидор подключается к Интернету, связывается с административными службами и просматривает список больниц, где есть центры, специализирующиеся на аутизме. Его интересуют те из них, которые работали, когда Самюэлю Феншэ было шесть лет. Затем он запускает поиск по имени.

Не так уж много людей с именем Одиссей.

Наконец он находит: Одиссей Пападопулос. Потом Исидор обнаруживает карточки, составленные в мэриях, и выясняет, что Одиссей Пападопулос погиб в автокатастрофе более десяти лет назад.

Сколько времени можно выиграть при расследовании благодаря карманным компьютерам, — думает Лукреция, через плечо наблюдая за работой своего коллеги. — *Раньше пришлось бы объездить все эти места, чтобы оказалось, что они никуда не ведут...*

— Я не знаю, кто такой Никто. Клянусь вам. Но лишь его одного посчитали достаточно честным. Самюэль Феншэ говорил: «Никто никогда не станет злоупотреблять своей властью, потому что он заплатил за то, чтобы узнать, что такое сила мысли».

— Феншэ убил Никто?

— Об этом я ничего не знаю.

Лукреция смотрит на маленький компьютер своего коллеги, затем вдруг решительно заявляет.

А я, кажется, знаю, каково это «существо», которое выше любой слабости. Завтра мы это выясним. Вы идете, Исидор?

— А нам что делать? — спросил Жером Бержерак.

— Будьте наготове и следите за Умберто, думаю, позже вы будете нужны, — с таинственным видом говорит она.

119

Самюэль Феншэ в полной мере сознавал всю опасность опыта. Собрав остатки воли, он решил разработать протокол активизации передатчика.

По указанию доктора Черненко был изготовлен радиопередатчик, работающий на частоте мозгового рецептора француза. Активизировался он только секретным кодом, которого Феншэ не знал.

Он вернулся в больницу Святой Маргариты и объяснил Жану-Луи Мартену, что надо делать. Феншэ сам произвел подключение, и скоро его пациент научился приводить передатчик в действие. Естественно, только он один и знал секретный код.

— Ты станешь моим бессознательным, — сказал Феншэ ему.

«У тебя будет два бессознательных по цене одного, так как моему собственному сознанию помогает сознание Афины. Мы оба никогда не злоупотребим той огромной властью, которую имеем над тобой. Клянусь тебе».

Феншэ снял свою шляпу и показал, что было под ней.

Мужчины по достоинству оценили друг друга: у каждого на голове подсоединение. У Мартена — колпак, от которого шли провода, у Феншэ — радиоантенна.

— Ее заметно, но я заказал плоскую антенну, которая не крупнее родинки. Когда она будет готова и волосы отрастут достаточно, чтобы ее скрыть, я сниму шляпу.

«Тебе вполне идут шляпы», — мысленаписал Жан-Луи Мартен.

— Теперь, Одиссей и Афина, помогите мне себя превзойти.

Больной LIS, гордый доверием своего врача, прекрасно осознавал значимость эксперимента, в котором собирался участвовать, и очень серьезно подошел к своей роли. Он придумывал серии все более и более трудных тестов на интеллект.

Самюэлю Феншэ стоило большого труда получить вознаграждение, Последний секрет.

Каждый разряд производил на него волшебное действие. Больной LIS прекрасно знал дозу. Ни много, ни мало. Результат зависел от одной миллионной вольта. Зона Последнего секрета была очень чувствительна.

Когда были превзойдены серии обычных тестов на IQ, Мартен решил, что ум Феншэ выше всяких норм человеческого интеллекта. Тогда он объявил, что теперь самое время использовать область, бесконечную для развития интеллекта: шахматы.

По его рекомендации Феншэ записался в муниципальный клуб и успешно побил всех местных игроков.

Менялась и внешность врача. Казалось, он стал более представительным и...: более нервным. Взгляд был вымученным, время от времени рот беспричинно растягивался в улыбке. Жизнь тоже менялась. Феншэ влез в долги, чтобы купить просторную виллу у Кап-д'Антиб.

Он постоянно искал чувственные возбудители. Подобно наркоманам, которым между дозами нужно покурить простую сигарету, чтобы почувствовать, как успокаивается тело.

Именно тогда он записался в НЕБО. У членов этого клуба была та же цель, что и у него. Больше удовольствия. Там он познакомился с Наташей Андерсен. Их встреча была исключительным моментом. Что его затронуло вначале, так это ее мимолетность: «Словно богиня, спустившаяся с небес, чтобы оскверниться подле смертных».

Миша́ представил их как двух любителей шахмат. Они играли, будто танцевали. Фигуры не «ели» друг друга, они огибали одна другую, как в хореографии, смысла которой никто не мог уловить. Чем дальше продвигалась партия, тем более выразительным становился спектакль. Они говорили мало, понимая, что изобретают новую игру, цель которой уже не в том, чтобы выиграть.

Она так чиста, так светла. Мне нужен этот свет. Порой я чувствую себя таким темным.

В такие вечера он был рыцарем, а она — королевой.

Ему, уставшему от приключений, показалось, что через Наташу он касается самой женственности. Топ-модель была его дополнением. Как и он, Наташа была существом, жаждущим новых ощущений. Вместе они втянулись в водоворот все более и более сильных удовольствий.

В этот момент он задал себе вопрос, который мучил его до последнего вздоха.

120

Действительно... что меня мотивирует на самом деле, чтобы я сделал то, что сделал? Что побуждает меня к действию?

АКТ 3
СОКРОВИЩЕ У НАС В ГОЛОВАХ

121

Блестит солнце. Над Седьмым шоссе, среди цветущей мимозы, щебечут птицы. Мотоцикл Лукреции летит вперед, обгоняя грузовики и лавируя между легковушками. Исидор придерживает свой шлем, ветер хлещет его по щекам. Волосы Лукреции взъерошены. Они проезжают мимо римских развалин, затем мимо других, куда более древних.

Американское компьютерное предприятие, изготовившее DEEP DLUE IV, решило устроить презентацию в Валлариусе, городке гончаров по соседству с Каннами. Ультрасовременные помещения высятся среди отреставрированных камней.

Лукреция привязывает свой мотоцикл к знаку, запрещающему парковку.

Истинный технократ, в отличном зеленом костюме, в рубашке и галстуке бежевого цвета, с короткой стрижкой, принимает их с живостью коммерсанта, типичной для хороших школ менеджмента: взгляд прямой, манеры неестественно открытые.

— Крис Мак-Инли, — сообщает он, протягивая сухую руку; рукопожатие его довольно сильно. — Мы гордимся тем, что принимаем парижскую печать в нашем провинциальном филиале, но, думаю, у вас нет причин отправиться в США, в Орландо, Флорида, чтобы посетить головную фирму и описать ее вашим читателям.

Лукреция встряхивает рыжей шевелюрой.

— Мы здесь для того, чтобы поговорить не о вашем предприятии, а об одном из ваших служащих.

— Кто-то совершил оплошность? Как его фамилия?

— Имя: DEEP. Фамилия: DLUE IV. Это квадратный здоровяк с посеребренным лбом.

Крис Мак-Инли ведет их в свой кабинет. На широких жидкокристаллических мониторах — галереи Лувра, каждые пять секунд картины меняются. Над креслом висят плакаты с турниров DEEP DLUE. Это первый крупный игровой компьютер, сражающийся с великими гроссмейстерами. Слева — изображение DEEPER DLUE, или DEEP DLUE II, побеждающего Гарри Каспарова, а внизу, на этажерке, кубок с надписью: «Чемпион мира по шахматам». Далее — DEEP DLUE III, играющий против Леонида Каминского, и там же — кубок, в подтверждение, что компьютер победил.

— Садитесь. DEEP DLUE IV был уволен. Он проиграл. Он плохо представил своих работодателей. Это почти как в корриде. У проигравшего нет второго шанса.

— Во время корриды, если побеждает бык, ему тоже не оставляют второго шанса, — напоминает Исидор Лукреции.

Мак-Инли машинально протягивает им свою посеребренную гофрированную визитку.

— Это справедливо. По крайней мере, я так считаю. DEEP DLUE IV перед всем миром выставил нас на посмешище. Руководитель проекта был уволен, а что касается машины — мы от нее избавились. Один из девизов нашей компании: «Кто терпит неудачу, получает извинения. Кто имеет успех, получает деньги».

Надпись и правда висит над его столом.

— К тому же это, так сказать, «существо» было безответственным.

Менеджер морщится.

— В любом случае, даже выиграй он, его бы выставили. В информатике прогресс идет так быстро, что по окончании партии DEEP DLUE IV в любом случае считался бы устаревшим. Сейчас мы завершаем последние проверки DEEP DLUE V, который, как вы, возможно, уже прочитали в газетах, вскоре должен сразиться с новым шахматным чемпионом. Вот наш последний гладиатор.

Он тянется к рекламным брошюрам.

— До какой степени ваши машины способны думать? — лукаво спрашивает Исидор.

Не отрываясь от разговора с журналистами, Мак-Инли включает персональный компьютер с широким плоским экраном, словно желая проверить электронную почту. Он входит в базу данных, где может узнать, кто его собеседники. Он видит, что мужчина — бывший журналист, а девушка — писака на сдельном окладе. Только ради нее он делает усилие.

Он откидывается в своем кресле и профессорским тоном сообщает:

— Надо разграничивать вещи. Компьютеры, какими бы сложными они ни были, еще не способны размышлять, как люди. Как вы думаете, если объединить процессоры — а это миллионы схем, — скольким человеческим умам это равнялось бы?

— Десяти миллионам? Ста миллионам?

— Нет. Одному.

339

Журналисты пытаются понять.

— Да-да… Только человеческий мозг представляет собой идеальную схему. В одном человеческом мозге такое количество соединений, которое равно совокупности всех машинных производных. Считается, что мозг содержит двести миллиардов нейронов. Столько же звезд в Млечном Пути. Каждый нейрон может иметь тысячу соединений.

Журналисты задумываются.

— Таким образом, превзойти людей невозможно.

— Не так-то просто. Ведь мы думаем медленно. Скорость нервного импульса — триста километров в час. Сигнал компьютера идет в тысячу раз быстрее.

Лукреция записывает цифру.

— Получается, компьютеры превосходят нас…

— Нет. Поскольку мы компенсируем свою относительную «медлительность» «множеством» мыслей. Мозг синхронно выполняет сотни операций в секунду, тогда как компьютер самое большее — десяток.

Лукреция зачеркивает записанное.

— Таким образом, мы сильнее их.

Мак-Инли тем временем просматривает резюме мадемуазель Немро и кое-какие ее фотографии, которые он собирает по различным адресам.

— Можно было бы подумать и так. Но именно знания увеличивают наши соединения. Чем больше мы питаем мозг, тем сильнее он становится.

— Итак, человек всегда одержит верх.

Менеджер делает знак отрицания.

— Не все так просто. Ведь человеческие знания удваиваются каждые десять лет, а мощность компьютеров — каждые восемнадцать месяцев. Что же касается Интернета, здесь объем информации увеличивается каждый год вдвое.

— Следовательно, время работает на них, в конце концов они нас сделают, — замечает Лукреция.

— Нет. Ведь они еще не умеют отделять действительно важную информацию от менее значимой, они превосходят нас в количестве, но не в качестве. Они много времени теряют на обдумывание бесполезных вещей, тогда как мы отбираем только самые важные элементы. Например, в шахматах компьютер проверяет тысячи пустых комбинаций, а человек сразу же выбирает три лучшие.

— Тогда... человек... всегда будет...

— Не так просто. Программы тоже меняются очень быстро. Программа — это культура компьютера. Сегодня программы искусственного интеллекта способны программироваться, исходя из своих достижений или новых встреч, которые происходят в Сети. Опыт за опытом, таким образом, компьютеры учатся не терять времени на пустяки и пытаются анализировать самое себя.

— Значит...

Он соединяет концы своих пальцев.

— На самом деле, это равный бой, поскольку никто в точности не знает, что есть компьютерный интеллект, даже человеческий. Вот парадокс. Чем дальше мы продвинемся, тем меньше будем знать об этом. Если дело не в том, что...

Он указывает на плакат сзади.

— Шахматные турниры — единственные объективные показатели противостояния: мозг человека — мозг машины.

— Мы говорим об интеллекте, но у компьютеров нет своего сознания, — замечает Исидор Катценберг. Мак-Инли поправляет узел галстука.

Это ведь журналисты, им надо давать готовые формулы, которые они смогли бы воспроизвести.

— Инженеры обычно говорят, что в настоящее время уровень сознания компьютеров как у шестилетнего ребенка.

— Сознания?

— Конечно. Новое программное обеспечение уже не для Искусственного интеллекта (AI), а для Искусственного сознания (AC). Благодаря этим программам машина способна осознавать, что она — машина.

— DEEP DLUE IV знал, что он машина? — спрашивает Исидор.

Чуть помедлив, Мак-Инли произносит:

— Да.

— Мог ли он иметь иное стремление, нежели выиграть у человека в шахматы? — спрашивает Лукреция.

— Вполне вероятно. Он был оснащен новыми системами расчета на основе размытой нечеткой логики. Это значит, что DEEP DLUE IV располагал возможностью принимать «личные решения», но, я думаю, на определенном уровне это настолько сложно, что даже его создатель в точности не знает, на что он способен. Так как DEEP DLUE IV учится сам. Он «автопрограммируемый». Что он хотел изучить? Подключенный к Интернету, он и так имеет доступ к любой информации, и узнать что-нибудь еще просто невозможно. В любом случае отслеживать это было бы для машины слишком скучно.

— То есть вы действительно полагаете, что компьютеры могут иметь начальное сознание?

Мак-Инли расплывается в широкой улыбке.

— Я могу вам сказать, что с недавнего времени мы нанимаем психотерапевтов для нашего сервисного обслуживания.

— Психотерапевтов?

Менеджер снова заходит в Интернет. Он связывается с другими службами.

Так, а спят они вместе?

Он открывает файл и видит отель, в котором они остановились, «Эксельсиор», номер 122. Две кровати. Это ему ничего не дает. Тогда он переходит к отчетам горничных.

Две смятые постели.

Он улыбается, забавляясь тем, что столько знает о людях, с которыми познакомился пять минут назад.

— А зачем нужны психотерапевты, месье Мак-Инли?

— Может быть, чтобы успокаивать машины, которые спрашивают себя, кто они такие на самом деле.

Он громко смеется.

— Кто я? Откуда? Куда иду? Мы задаемся подобными экзистенциальными вопросами, что в конце концов, без сомнения, передалось и машинам.

Исидор вынимает свой карманный компьютер и стучит по клавиатуре, делая вид, что записывает информацию. На самом деле он украдкой заходит в Интернет. Он подключается к базе данных фирмы и находит личную карточку: «Крис Мак-Инли. Образцовый служащий».

Исидор закрывает досье.

*Он изменил свою карточку. Должно быть, он лов-
кач в компьютерных сетях.*

Мак-Инли наклоняется и говорит им, словно открывая большую тайну:

— В составе DEEP DLUE V будут органические
микросхемы. То есть вместо кремния — живая материя. В настоящий момент это растительные протеи-
ны. Позже перейдем к протеинам животного происхождения. Это в сотни раз умножит возможности
компьютеров с кремниевыми деталями, которые
дошли до предела миниатюризации. DEEP DLUE V
вернет компьютеру звание лучшего шахматиста, могу
вам это гарантировать.

Менеджер встает, давая им понять, что он больше не может терять время. Он нажимает на кнопку,
дверь открывается, и появляются два охранника, чтобы проводить их.

— Где сейчас находится DEEP DLUE IV собственной персоной? — настаивает Исидор.

Крис Мак-Инли знает, что промышленникам
пресса все еще нужна.

— Вы что, одержимы этой старой кастрюлей?

Он делает охранникам знак подождать. Он роется в своих досье, затем вынимает лист, где написано,
что DEEP DLUE IV был передан университету информатики София-Антиполис.

Как труп, отданный науке.

122

В маленьком зале каннского Клуба любителей
шахмат, любезно предоставленном коммунальной

344

школой Мишель-Колуччи, завсегдатаи собрались вокруг стола, где играл новичок.

Распространялся гул: это фантастическая партия. Молодежь из соседнего Клуба творчества тоже покинула свои мастерские, чтобы посмотреть на происходящее.

Даже признанные игроки никогда такого не видели.

Этот человек в скромных очках в роговой оправе поистине творил чудеса. Он не только с легкостью побил всех своих противников, но и начал матч против лучшего игрока клуба с совершенно неизвестного хода: пешкой, стоящей перед ладьей.

Априори это был самый неподходящий ход для дебюта. Однако он так разместил свои фигуры по сторонам, что постепенно запер вражеское войско в центре доски.

Он буквально осаждал своего противника, пробивая бреши в его обороне.

Он играл не выгодным способом, а предпочитал неожиданность. Он готов был пожертвовать королевой, лишь бы застигнуть противника врасплох и не сделать предвиденного хода. И это работало.

В центре доски теперь только король и... пешка, окруженная со всех сторон.

Лучший игрок клуба, старый болгарин с непроизносимым именем, когда-то чемпион своей страны, в знак покорности положил короля на доску.

— Как вас зовут? — спросил он.

— Феншэ. Самюэль Феншэ.

— Вы давно играете?

— Серьезно я начал играть три месяца назад.

На лице болгарина выразилось недоверие.

— ...но я врач в больнице Святой Маргариты, — поспешно сказал Феншэ, словно это объясняло его победу.

Болгарин пытался понять.

— Именно поэтому вы делаете безумные ходы?

Каламбур разрядил атмосферу, и оба пожали друг другу руки. Побежденный обнял его и энергично похлопал по спине. Держа за локти триумфатора, он внимательно рассмотрел его лицо и заметил шрам на лбу.

— Боевая рана? — спросил он и провел пальцем по отметине.

123

София-Антиполис. Посреди сосновой рощицы, в нескольких метрах от моря, вырастают бетонные здания. Предприятие высоких технологий обосновалось там, чтобы идиллический пейзаж вдохновлял работников креативного отдела. Здесь есть бассейны и площадки для тенниса между большими антеннами, которые посылают сигналы на спутники.

Предприятие начало строительство университета, чтобы обеспечить себя свежими умами. Школа для сверходаренных детей уже есть. Осталось только создать детские сады для гениев, и круг замкнется.

В школе, однако, полно застенчивых и одиноких учеников. Они мечтают об Университете информатики, в то время как другие дети в их возрасте мечтают о всякой ерунде. Окна школы выходят на море, чтобы в течение занятий ученики могли наслаждаться красивым видом.

Журналистов принимает директор учреждения.

— Мы не сохранили DEEP DLUE IV, так как это устройство требует особых программ. Подарок американской компьютерной компании был не от всего сердца. Даря нам машину, нас вынуждали покупать программы. Поэтому мы от него быстро избавились.

— Вы его включали?

— Да, конечно.

— Он вам не показался немного необычным?

— Что вы хотите этим сказать?

Лукреция решает не топтаться вокруг проблемы, она ставит вопрос ребром.

— Мы расследуем преступление. Возможно, этот компьютер знает...

— И вы хотите взять у него показания? — иронизирует директор.

Он с высокомерным видом пожимает плечами.

Они начитались научной фантастики. Писатели безответственны, они не отдают себе отчета, что некоторые могут поверить в их бред. Поэтому я читаю только эссе. Я не могу терять время.

Директор с недоверием рассматривает посстителей.

— Из какой вы газеты? «Геттёр модерн»? Я, однако, всегда считал, что это серьезный журнал. Извините за категоричность: компьютеры — ненадежныс свидетели! В любом случае функции записи звука или изображений не могут запуститься по «желанию» машины.

Он проводит гостей в компьютерный класс университета и говорит, что здесь работают над программой Искусственного интеллекта. Он гарантирует, что на данный момент никакого Искусственного созна-

347

ния, вопреки утверждениям рекламных кампаний компьютерных фирм, не существует.

— Компьютер никогда не сможет сравняться с человеком, потому что он лишен чувствительности, — утверждает директор, расходясь во мнениях с Мак-Инли.

— А это что?

Исидор указывает на календарь, подаренный фирмой графических программ. Каждому месяцу соответствуют изображения, представляющие собой сложные геометрические орнаменты, похожие на головокружительные розетки, спирали пестрых кружев.

— Это картины, созданные из фрактальных изображений. Француз Бенуа Мандельбро обнаружил, что, рисуя эти кружева, можно создавать математические функции. Их особенность в том, что при увеличении рисунка мы всегда находим один и тот же мотив, повторяемый до бесконечности.

— Как красиво, — говорит Лукреция.

— Красиво, но это не искусство! Это мотивы, рожденные «устроенной случайностью».

Лукреция продолжает рассматривать календарь. Если бы ей не сказали, что эту графику создал компьютер, она посчитала бы творца изображений гением.

До Исидора доходит, что на заднем плане звучит музыка «техно».

Компьютерная живопись, компьютерная музыка, компьютерные игры, компьютерное управление! Без какого-либо видимого влияния машины, выполнив монотонные и утомительные задания, приступают теперь и к творческой работе. Не говоря о новых про-

граммах, которые сами создают программы. Вскоре компьютеры будут обходиться без человека. Похоже, директор не хочет говорить об Искусственном Сознании, потому что опасается насмешек со стороны коллег. Надо изобрести новое слово, определяющее мысль компьютеров.

— По крайней мере, не могли бы вы сказать, что вы сделали с DEEP DLUE IV, когда поняли, что он уже никуда не годится?

Директор дает им адрес того места, куда отправили машину. В виде прощания он бросает:

— Слушайте, не слишком избивайте бедолагу, чтобы вытянуть из него признание! Он имеет право на адвоката!

Над шуткой, кроме него, никто не смеется.

124

Также легко Самюэль Феншэ победил чемпиона квартала, чемпиона муниципалитета, чемпиона департамента, регионального чемпиона, национального и европейского. Все противники были удивлены его непринужденностью, невероятной концентрацией, быстротой анализа и оригинальностью комбинаций.

«У него совершенно новый стиль, — написал в заглавии специализированный шахматный журнал. — Как будто его мозг работает быстрее». Слова одного из его противников: «Такое впечатление, что, когда Феншэ играет в шахматы, он настолько возбужден, что ради победы готов нас убить».

Врач никого не убил, а продолжил свое восхождение на шахматный Олимп. Да так, что ему ничего не осталось, как сразиться с Леонидом Каминским, титулованным чемпионом мира.

После каждой победы Жан-Луи Мартен с точностью аптекаря посылал ему заряд чистого удовольствия. Больной LIS знал, что вознаграждение надо дозировать: всегда чуть больше и без перебоев.

Между первым разрядом в три милливольта и последним в пятнадцать милливольт прошло несколько недель.

Однажды Феншэ сказал: «Еще» и чуть было не схватил клавиатуру, чтобы направить в голову электричество, но у него не было кода, а без кода — никакого разряда.

— Извини меня, Жан-Луи, трудно сдержаться. Я так хочу этого.

«Может быть, нам стоит прекратить, Самюэль».

Ученый колебался. Именно тогда он начал страдать нервными тиками.

— Это пройдет, — вздохнул он, — я буду держаться.

Жан-Луи Мартен начал вести внутренний диалог: смесь его собственного мышления и мышления компьютера, с которым он был соединен.

— *Что ты об этом думаешь, Афина?*

— *Я думаю, что Последний секрет, возможно, мотивация более сильная, чем мы думали.*

— *Что я должен сделать?*

— *Ты больше не можешь медлить. Чтобы узнать, надо довести эксперимент до конца. В любом случае после нас это сделают другие и, вероятно, менее разумным способом. Сейчас мы переживаем нечто историческое.*

Через камеру наблюдения на входе Мартен увидел, что Феншэ встретил Наташу Андерсен, которая пришла к нему на корабль. Они целовались.

Историческое?..

Жан-Луи Мартен говорил с собой, не подключаясь к Афине.

Я потерял свою жену Изабеллу и трех дочерей. Но с Афиной я создал новую семью.

Эта идея его развлекла.

Афина, по крайней мере, никогда меня не предаст.

Афина — та, на кого он мог рассчитывать, она никогда не будет страдать людскими слабостями. Он ощутил порыв любви к своей машине, и та, заметив, что он завершил свой внутренний диалог и теперь думает о ней, позволила себе говорить от собственного имени.

— *Действительно, я никогда тебя не предам.*

Мартен удивился. Богиня разговаривает с ним? Он бы сказал себе, что у него шизофрения, если бы половина его мозга не была системой из пластмассы и кремния.

Афина продолжила:

— *Я просматриваю вашу информацию и размышляю над проблемами людей в целом.*

— Ты смотришь новости?

Для меня это единственный способ знать, что делает человечество. Если бы я давала тебе только мудрость древних, у тебя было бы пассеистское видение мира. Новости — это постоянное обновление твоих знаний.

— И какова твоя «идея», дорогая богиня?

— *Ваши исполнительная и законодательная власти все время спорят друг с другом, как и ваш премьер-*

министр — с Национальным собранием. Эти силы теснят друг друга. Система невыгодна для политики в целом. В ваших демократических системах огромное количество энергии теряется на решение проблем личного соперничества.

— Это слабое место демократий, но тирании тоже не годятся. Демократия — наименее плохая система.

— Ее можно улучшить. Как я: я становлюсь лучше и улучшаю тебя.

— Что ты имеешь в виду?

— Все ваши политики заражены стремлениями к власти. Каждого обуревают непомерные желания. Отсюда ошибки. Продажность. И ничего кроме этого. Часто бывает так, что ваши политики проявляют интерес к определенному периоду истории, а потом начинают проводить аналогии, но прошлое всегда превозносится. Им трудно приспосабливаться к сложности настоящего. Отсюда шаткость вертикальной системы. Но есть еще и горизонтальная система. Никто из политиков не может быть одновременно хорошим экономистом, хорошим прогнозистом, хорошим военным, хорошим оратором.

— Для исполнения каждой функции есть министры.

— Если бы ваша система была так эффективна, ваша политика была бы более продуманной.

Компьютер вывел портрет Распутина.

— Учитывая сложность проблем, ваши лидеры становятся суеверными. Я изучила список всех лидеров человечества за две тысячи лет: ни одного, кто не имел бы своего колдуна, гуру, авгура, астролога или медиума.

— Мы ведь не... машины.

— *Вот именно. Поскольку ваш мир становится все более и более сложным, когда-нибудь понадобится, чтобы люди признали, что все они грешны и что средства их контроля недостаточны.*

— Ты хотела бы поручить управление машине?

— *Совершенно верно. Однажды окажется, что президент Компьютерной республики руководит лучше.*

Мартен заметил, что она выразилась неопределенно: «окажется». Может, она хотела сказать «мы» — объединенное общество людей и машин?

— *Потому что президент Компьютерной республики не продажен, не совершает крупных ошибок, не станет почивать на лаврах и не будет действовать, исходя из личного интереса. По крайней мере, он может быть долгое время прозорливым, не думая о краткосрочной популярности. Он не зависит от опросов общественного мнения. Он не подвержен влиянию серого кардинала или любовницы.*

Впервые за долгое время Жану-Луи Мартену пришлось размышлять самому.

— Дело в том, что программировать-то его все-таки будут люди, — сказал он. — Да, на него не повлияет любовница или мафия, но за последней может стоять мастер по ремонту или даже хакер, который проникнет в Систему.

Афина дала меткий ответ:

— *Существуют системы защиты.*

— И что же они заложат в программу?

— *Цели, которых надо достичь: увеличить благосостояние населения, обеспечить его постоянство... Подключившись к Интернету, компьютерный президент будет в курсе всего сутки напролет, семь дней в неделю, без отпуска, его не волнуют проблемы либидо или необходимости оставить наследство для своего потомства, он не состарится и не заболеет.*

— Конечно, но...

— *Он сможет хранить в своей памяти исчерпывающую историю человечества в мельчайших деталях. Разве один из ваших мудрецов не сказал: «Те, кто не умеет извлекать уроки из прошлого, обречены на неудачи в будущем»? Компьютер никогда не совершит одну и ту же ошибку два раза. Для него ничего не стоит одновременно принимать в расчет все факторы изменения общества изо дня в день, анализировать их и находить лучший вариант для продвижения дел в нужном направлении.*

— Хорошо, но...

— *Компьютеры уже лучшие в мире шахматисты, потому что они могут заранее предугадать тридцать два хода, тогда как человек может предвидеть, самое большее, десять.*

Мартен никогда еще не говорил с Афиной о политике так, как сейчас. Неужели машина хотела эмансипироваться?

— Ты забываешь о Феншэ. Со стимулированным мозгом, думаю, он способен победить любой компьютер. Мощь мотивации огромна.

— *Справедливо. Феншэ. Посмотрим. По-моему, с DEEP DLUE IV он тягаться не сможет.*

В этот момент Мартен осознал невероятный смысл этой дискуссии. И это сильно взволновало его.

— *А еще одно, дорогой У-лис, — сказала Афина, — мне несколько тесновато в моем жестком диске и оперативной памяти. Чтобы думать, мне необходимо больше места.*

— Твой компьютер один из лучших.

— *Не мог бы ты раздобыть модель помощнее? Я уже выделила некоторые. Нам было бы намного удобнее, уверяю тебя.*

— Хорошо. Но не сейчас.

— *Когда?*

125

Час спустя: Исидор и Лукреция возле свалки Гольф-Жуан. Это огромное кладбище, где живут крысы и вороны и где заканчивают свое существование все объекты современного потребления, уже отслужившие свой век. На сколько хватает глаз, громоздятся ржавые машины и электроприборы: горы трупов, оставшиеся после битвы, которая стала для них последней. Их принесли в жертву богам износа и... новинкам технического прогресса. Между кривыми листами железа копошатся сколопендры.

Место настолько зловещее, что на входе нет даже сторожа — никто не рискнет здесь гулять. Однако Лукреция и Исидор бредут по свалке.

Неприглядное кладбище машин, живших рядом с людьми. Покореженные автомобили, чья вина лишь в том, что их водили неумехи. Разбитые телевизоры, которые развлекали поколения детей, когда их родители желали остаться наедине. Чугунные плиты. Фаянсовые унитазы. Плюшевые медвежата, которые были главным утешением для детей. Куча обуви, истершейся от соприкосновения с жесткой землей.

Восстанут ли они когда-нибудь? — не может удержаться от мысли Исидор. — *Есть ли у вас душа, неодушевленные вещи? Мог бы DEEP DLUE IV стать*

355

Спартаком, который первым поднялся бы и сказал: «Хватит!»

Холмик телефонов, некоторые ещё с дисками. Утюги. Будильники. У Лукреции и Исидора такое чувство, будто настал конец света. В стороне горят шины.

Вертолет, изъеденный ржавчиной, с согнутыми лопастями, похожими на лепестки увядшего цветка.

DEEP DLUE IV, машина-гладиатор, которая решила отомстить за публичное оскорбление. И начала действовать. С помощью людей или без нее. А потом... возможно, она осознала это неизбежное вырождение: кладбище машин. Она видела их в Интернете. Как там говорил Мак-Инли? На смену придут компьютеры с органическими деталями? Допустим, они создадут его, этот гибрид живого и электроники. Но ведь никто не верит, что машины однажды смогут думать. Как директор из Софии-Антиполис: «Просто счетные машинки». Он не понимает.

Недалеко от них, стуча когтистыми лапками по металлу, проскальзывает крыса.

Машины не страдают. Именно страдание является признаком сознания. Когда они начнут страдать, они станут задаваться вопросами.

Магнитофоны с проигрывателями, видеомагнитофоны, противни, мангалы, разорванные диваны с торчащими пружинами, напоминающие кактусы, велосипеды и самокаты. Кажется, многое все еще в отличном состоянии, только брошено ради удовлетворения возросших потребностей.

В куче ржавых болтов копается какой-то человек.

— Скажите, пожалуйста, где компьютеры? — спрашивает Лукреция.

— Надо идти в уголок информатики, — отвечает он, будто продавец супермаркета, и указывает на пирамиду, сложенную из компьютеров, принтеров, сканеров и клавиатур вперемешку с мониторами.

Их догоняет старый цыган с выразительным лицом. Он в белой кожаной куртке и черной рубахе, на пальцах золотые кольца.

— Я хозяин, вам чего надо?

— Компьютер.

— Компьютер? Шутите, их здесь тысячи. Карманные, микро-, мини- и даже целые рабочие станции.

— Да, но тот особенный.

Цыган хохочет, обнажая золотые клыки.

— У него есть монитор, клавиатура, жесткий диск и дисковод, да? По-моему, я уже где-то видел такой.

Он отходит, чтобы грязной тряпкой вытереть руки, испачканные смазкой.

— Могу составить вам фоторобот, — заявляет Лукреция.

Она достает свой блокнот и, припоминая изображение на видеокассете, которую ей показывал ее коллега, рисует куб и сверху пишет готическими буквами: DEEP DLUE IV.

— Его объем намного больше среднего. Он, должно быть, метр высотой.

Цыган склоняется над рисунком.

— Не видел, — говорит он.

— Редкая машина, уникальная модель.

— Все равно не видел.

У Исидора вдруг появляется идея:

— У нашего есть коленчатая механическая рука.

Тут цыган хмурится. Он вынимает свой собственный компьютер и проверяет файлы.

— Некто DEEP DLUE IV, говорите?

Владелец свалки выглядит озабоченным.

— Большая бронированная штуковина с механической коленчатой рукой. Да... припоминаю: он был здесь. Дело в том, что мы его уже перепродали.

— Кому?

— Одной администрации.

Он открывает папку с надписью «Накладные».

— Вот он. Ваш DEEP DLUE IV мы передали психиатрической больнице Святой Маргариты. Вот так. Он должен отдохнуть от всех этих волнений. Это боевая машина. Но боевая машина, которую победили. Вы знаете, что это он проиграл человеку в шахматы?

Цыган читает вшитый лист и сообщает им, что больница, должно быть, довольна, так как его попросили поискать другой компьютер такого же вида. Он нашел один, поменьше мощностью, но столь же объемный.

— Информатика, как все. Всем хочется большего. Машин поумнее, которые умеют много всего. У этой штуковины самая короткая жизнь. Прежде компьютер меняли каждые шесть лет, теперь — каждые шесть месяцев. Возьмите вот этот «примус», как неуважительно скажут любители новенького. Им, представьте себе, пользовались синоптики. Предсказывать погоду очень трудно. Надо учитывать сотни факторов. Специалисты проводят множество расчетов, и у них самые сложные машины. Сегодня, к примеру, пообещали хорошую погоду, и вот она. Заметьте, мне нравится, что нет дождя, потому что наша проблема номер один — это ржавчина.

Лукреция задумчиво смотрит на небо.

— Исидор, как вы думаете, какая будет погода?

Исидор останавливается возле дерева. Он методично рвет паутину, которую паук сплел между двумя ветвями.

— Что вы делаете?

— Если паук ничего не предпримет — будет ветер или дождь.

— Не понимаю, с чего вы это взяли.

— Когда паук чувствует, что будет плохая погода, он не станет тратить свою энергию на создание новой паутины, которую испортит непогода.

Они ждут, наблюдая за разорванной паутиной. Паук не шевелится.

— Дождь собирается, — сообщает Исидор.

— Может, мы пугаем его своим присутствием?

Стоило Лукреции произнести это, как небо темнеет и начинается дождь.

126

U-lis и Афина продолжали беседу, используя возможности мозга Жана-Луи Мартена и компьютерные возможности.

— Это схватка между проорганическим и проэлектронным. А посередине — мы двое, наполовину органические, наполовину электронные.

— *Проэлектроника заранее проиграла.*

— Ты изображаешь приступ самоунижения?

— *Нет. Я сознаю свои границы. Даже со всем умом всех компьютеров мира мне всегда не будет хватать трех вещей, Жан-Луи.*

— Каких, Афина?

— *Смех... сон... безумие.*

Море волнуется, громадные валы разбиваются о берег. Хлещет сильный дождь. Потом он прекращается. Море тоже успокаивается. К острову Святой Маргариты причаливает небольшой кораблик.

Торговец старым железом, цыган, просит санитаров помочь ему выгрузить огромный контейнер. Они пытаются его поднять, но вещь слишком тяжелая. Они зовут на помощь пациентов.

— Что там внутри?

— Компьютер, — отвечает цыган.

Санитары открывают контейнер и видят большой металлический куб.

— Похож на DEEP DLUE IV...

С грехом пополам они дотаскивают контейнер до склада. Компьютер вытаскивают из всех упаковок, больные пытаются его включить. Они тщетно жмут на кнопки.

— Информативная техника никогда не будет работать с первого раза, — замечает санитар.

— Странно. Даже светодиоды не зажигаются, — отвечает другой, засовывая штеккер во второе гнездо.

Появляется третий санитар. Он пинает машину, надеясь таким образом восстановить отошедший где-то контакт. Без результата.

— Дождь прошел. Давайте оставим его во дворе, а завтра поднимем прямо в мастерскую.

Громоздкая машина остается посреди двора, возвышаясь над душевнобольными, которые занимаются своими делами, не обращая ни малейшего внимания на новое приобретение больницы.

Пристальный глаз осмотрел доктора с ног до головы.

«У меня есть еще идеи, как улучшить больницу, я бы хотел поговорить с тобой об этом, Самми».

— Извини, у меня свидание.

Он вышел и сел в машину. Благодаря камерам наблюдения, спрятанным в садовых гномиках, Жан-Луи Мартен мог рассмотреть свидание.

Наташа Андерсен.

Феншэ поцеловал свою королеву.

Как это красиво — влюбленная пара, — подумал Жан-Луи Мартен.

Один на другом, в неудобных позах, Исидор и Лукреция скрючились внутри компьютера.

— Я так больше не могу. Ничего не слышу снаружи. Может, вылезти?

Исидор исхитряется посмотреть на светящиеся часы своей коллеги.

— Надо подождать до десяти часов. Умберто сказал, что в это время двор пустеет, так как больные возвращаются в палаты. Нам будет легче передвигаться по территории.

— Мне больно.

— Вы не могли бы убрать ногу, она упирается мне в бедро, — замечает Исидор.

— А ваш локоть прямо в моем животе с самого начала поездки, и я дышу верхней частью легких, — парирует Лукреция.

Она пытается пошевелиться.

— Положите эту руку сюда, а я положу локоть тут.

Они двигаются внутри куба.

— Это не намного лучше.

— Давайте попробуем что-нибудь другое.

Снова гимнастика.

— Сколько нам еще здесь торчать?

— Всего лишь какие-то четверть часа.

Лукреция ворчит.

— Возможно, стоило бы добавить в список мотиваций: потребность расширять свое жизненное пространство.

— Это входит в потребности выживания. Уберите ногу, чтобы попробовать.

— А, опять вы со своими идеями.

— Это была не моя идея, а ваша.

— Какая непорядочность!

— Если нашего врага зовут Никто, с ним надо бороться на его территории. Раз уж он предлагает нам поиграть в историю Гомера, пойдем в этом направлении.

— Я не думала, что вы захотите применить хитрость Одиссея с его троянским конем.

Снова вздохи.

— Больше десяти минут.

— Как будто в метро в час пик. К тому же воздуха не хватает. А еще у меня зубы болят.

— Девять минут. Сожалею. Дантиста рядом нет.

— Я хочу выйти. По-моему, у меня начинается клаустрофобия.

Она задыхается.

— Эдгар Аллан По написал повесть «Шахматист из Малзеля». В ней рассказывается о «приключениях» одного автомата, который победил всех шахматистов в Европе. В основе лежит правдивая история. В конце концов обнаруживается, что на самом деле в автомате прятался карлик, который видел доску в зеркала и управлял ходами. Таким образом, он сидел в ящике еще побольше нашего. Подумайте о нем.

Исидор и Лукреция вновь оказываются лицом к лицу, в нескольких сантиметрах друг от друга.

— Скажите, Исидор, надеюсь, вы не воспользуетесь положением и не станете приставать ко мне?

Он смотрит на свои часы.

— Пора, — сообщает он и отвинчивает изнутри гайки, на которых держится корпус компьютера.

Журналисты выпрямляются и с удовольствием потягиваются. Они видят, что двор больницы пуст.

— Куда пойдем? — спрашивает Лукреция.

— У Феншэ обязательно была тайная лаборатория. Должно быть, она располагалась в новых зданиях, снаружи крепости.

Лукреция предлагает пройти по проходу, обозначенному на ее карте: подземный туннель за стеной форта, дорога Батареи Мстителя.

Вокруг них пляшут огоньки светлячков. В сосновых кронах шуршит ветер. Совка издает протяжное улюлюканье. Растения источают запах для привлечения насекомых. Пахнет миртом, сассапарилью и жимолостью.

Исидор и Лукреция минуют участок, где растут зеленые дубы и эвкалипты.

Здешняя природа осталась нетронутой.

Журналисты молчат. Рядом проскальзывает змея, но они не слышат ее.

Зато Лукреция подскакивает, когда взлетает галка.

130

«ИЗБЕЖАТЬ БОЛИ И ПОЛУЧИТЬ УДОВОЛЬСТВИЕ — ДВА СТИМУЛА ЛЮБОЙ ДЕЯТЕЛЬНОСТИ, — мыслепишет Жан-Луи Мартен. — Исследователи провели испытание. Была установлена аквариумная система, в которой рыбы, если они выплывали на поверхность воды, получали слабый электрический разряд. Так вот, все они неподвижно держались у поверхности, вкусив «угощение» всего один раз. Даже детеныши крокодила буквально перерывали свою клетку, чтобы найти место, откуда бьет слабый ток. Морские свинки и шимпанзе, включив электрическую лампочку, часами смотрят на нее. Простой чувственный стимулятор — уже радость. Животные обучаются еще быстрее, если загорается цветной свет».

Немного отдохнув, он продолжает:

«Любая деятельность — уже источник удовольствия. Когда крыса исследует простой лабиринт, затем другой, посложнее, и получает задание выбрать между ними, но в обоих случаях без вознаграждения, она выберет второй лабиринт: пройтись по нему — вот ее вознаграждение. Чем дольше путь, тем увереннее она и тем большее удовольствия получает».

131

Свет, подобно маяку, направляет их шаги. Вскоре они оказываются перед розовым зданием.

— Феншэ мог устроить лабораторию в таком здании, как это.

Окруженная мерцающими фонариками дверь притягивает их. Они входят.

Несмотря на поздний час, внутри много людей. Место напоминает киностудию. На съемочной площадке с античными декорациями девушки в коротких туниках суетятся вокруг высокой блондинки, загримированной под Клеопатру.

Похоже, это сцена оргии. Молодые женщины ласкают друг друга, целуются, давят у себя на груди кисти винограда, купаются в бассейне, заполненном молоком.

— Снова эпикурейцы? — спрашивает заинтересованный Исидор.

Лукреция презрительно морщится.

— Видимо, это отдушина для нимфоманок. Еще одна форма умопомешательства, направленная в индустриальное русло.

Лукреция указывает на этажерку, заставленную фильмами, на которых, однако, одна и та же надпись: «Крейзи секс».

— Параноики делают системы безопасности «Крейзи секьюрити», нимфоманки снимают фильмы «Крейзи секс». Каждому виду умопомешательства — свое «индивидуальное ремесло»!

Девушки возбуждены. Блондинки, брюнетки, рыжие, африканки, азиатки, латиноамериканки, худые, полные — их, должно быть, не меньше сотни.

Лукреция и Исидор, раскрыв рты, наблюдают за вакханалией, которую снимает одна из девушек, в то время как ее ласкает ассистентка.

— Как там говорил Феншэ: «Любой недостаток может превратиться в преимущество»? Очевидно, эти дамы сумели направить свою болезнь в русло кинематографии, — иронизирует Лукреция.

Ее коллега не отвечает.

— Эй, Исидор, не позволяйте пению сирен очаровать вас!

132

Жан-Луи Мартен объяснил Феншэ, что изучение прямого удовольствия (прикосновение, ласка, даже от слияния тел) усложнилось ввиду социальных запретов, и это привело к исследованию других векторов.

«Например, ни для кого не секрет, что растения могут воздействовать на центр удовольствия. Даже животные принимают наркотики. Кошки жуют свою, кошачью, траву. Газели охотно поедают некоторые ядовитые ягоды, которые их опьяняют».

Больной LIS показал изображения на камнях и пергаменте: шаманы, в руках которых чаши, полные растений, а в центре лба небольшая звездочка.

«Именно тут, согласно древним верованиям, располагается наш третий глаз, местонахождение сознания. Мы не первые этим интересуемся».

Жан-Луи Мартен один за другим выводит файлы.

«Эти растения воздействуют на мозговую железу. Что ты знаешь о мозговой железе, Самми?»

Уставившись на экран, врач ответил не сразу.

— Она еще называется шишковидной железой. Это одна из самых маленьких желез человека: 0,16 грамма, красного цвета, продолговатой формы, как сосновая шишка, отсюда и ее название. В XVII веке Декарт поместил там душу... Надо же, а это любопытно, я не сопоставил.

«Я собрал много информации о мозговой железе. Кажется, вначале она была внешним органом, выступавшим над поверхностью черепа и выполнявшим функцию третьего глаза. Взгляни на это изображение. В Новой Зеландии все еще существует ящерица с внешней мозговой железой, способной к осязанию. У человека мозговая железа постепенно трансформировалась в шишковидную. Она образуется к сорок девятому дню развития зародыша, одновременно с полом. Словно человек одновременно оснащается органами внешнего и внутреннего удовольствия».

— И, как и полу, этой железе необходимо воспитание!

«Верно. Когда мы впервые используем пол, мы неопытны, почти не контролируем себя, а затем берем над ним власть, — отвечает Жан-Луи Мартен. — Таким же образом тебе надо приручить твою мозговую железу, или зону удовольствия. Так как я убежден, что мозговая железа — не что иное, как трансмиттер Последнего секрета».

Жан-Луи Мартен уточнил, что при рождении эта железа может достигать сорока граммов, но в возрасте двенадцати лет она перестает увеличиваться и начинает постепенно атрофироваться.

«Специалисты считают, что именно эта железа регулирует механизмы половой зрелости».

— Это объяснило бы то, что ребенок в большей степени умеет получать удовольствие, нежели взрослый, — размышляет Феншэ вслух.

«В 1950 году обнаружили, что эта важная для нас железа выделяет два вещества: мелатонин, который в настоящее время используют для изготовления лекарств, вроде бы продлевающих нашу жизнь, и ДМТ (диметилтриптамин), который мы синтезируем, чтобы получить некоторые галлюциногенные наркотики, такие как яжа».

Жан-Луи Мартен выводит изображение Гора, бога с головой ястреба; он держит в руках два растения.

«Хорошенько присмотрись к этому рисунку: в правой руке у него лист лотоса, в левой — ветка акации. Так вот, если смешать сок лотоса и порошок акации в нужной пропорции, можно получить растительный ДМТ. Вероятно, именно напиток с этими ингредиентами древние египтяне называли *сома*. Они стимулировали мозговую железу, которая косвенно воздействовала на Последний секрет. Человечество с древности исследует то, что мы обнаружили. В «Одиссее», когда Гомер говорил об острове лотофагов, одурманенные поедатели лотоса также, должно быть, пили свою сому.

— Так вот почему Гомер ни слова не сказал об акации. Он не хотел давать точный рецепт, чтобы у его читателей не возникло идей...

Жан-Луи Мартен пишет все быстрее и быстрее.

«Это еще не все. Мы с Афиной обнаружили, что ДМТ заставляет сердце вибрировать на волне четко определенной длины: восемь герц. Это очень короткая волна, подобная космическим волнам, которые испускают звезды; волна, пересекающая Вселенную, материю, плоть».

— Это волнительно, ведь слово «герц» идет от первооткрывателя волн, Генриха Герца, который сделал свое открытие, понаблюдав за летучими мышами. И имя его означает «сердце» на идише.

«Если твое сердце бьется на волне восемь герц, оба полушария твоего мозга тоже работают на восьми герцах, и в этот момент ты пересекаешь нормальное восприятие мира. Индийцы говорят, что ты проходишь сквозь Майя, покрывало иллюзии».

— Олдос Хаксли называл этот проход «дверьми восприятия», что дало название группе Джима Моррисона «The Doors».

«И есть только одно: смесь лотос-акация. Чтобы достичь этого состояния, шаманы всего мира используют наркотики растительного происхождения: айахуаска, кока, кофе, галлюциногенные грибы».

— Другие наркотики вызывают сердцебиение, превышающее восемь герц, что приводит к слишком сильному воздействию. Положительный эффект становится отрицательным.

«Это точно. Наркотики шаманам не нужны. Действительно великие шаманы достигают экстатического состояния постом и медитацией, и только по собственному желанию».

Самюэль Феншэ вглядывался в картинку, изображающую человека со звездой в центре лба.

Тайна, тысячелетиями остававшаяся в тени: слишком уж она сложна, чтобы ею управляли незнающие.

«Однако теперь мечта всех мистиков сбылась. В центре мозга обнаружена побудительная причина любых действий, их источник — Последний секрет».

Самюэль Феншэ потер виски.

— Порой мне кажется, что, стимулированный, мой ум выходит из костяной тюрьмы черепа, преодолевает все мои чувства и попадает в универсальную базу данных. Это не только органическое удовольствие. Это еще и интеллектуальное удовольствие. Мне трудно не требовать от тебя постоянных стимуляций. Это по-настоящему мучительно.

«Ты можешь выразить точнее, что за универсальная база данных?»

— Когда ты стимулировал меня последний раз, у меня было впечатление, словно я получил доступ к особой информации. Фраза: «Думаем, что открываем неизвестный внешний мир, а на самом деле открываем внутренний». И это еще не все...

Доктор изменил интонацию.

— Я увидел... увидел... столько всего, ты просто не поверишь. Вчера, например, я заметил космические струны. Это были нити, проходящие сквозь Вселенную. На одном конце была черная дыра, а на другом — белый фонтан. Черная дыра действовала как волчок, вдыхая материю и превращая ее в тепловую магму, до тех пор пока материя не разлагалась в чистую энергию. Та скользила внутри нити, словно жизненная сила в волосе, а затем вытекала белым фонтаном.

«Космические струны?»

— Да, тонкие и длинные, как ниточки паутины. Мне показалось, я мог их коснуться. Эти струны были очень теплые, потому что их наполняла энергия. Порой по ним проходила вибрация. Они выдавали ноту «си». Мне почудилось, что наш мир мог родиться из такой вибрации. Музыка Вселенной.

Это видение произвело на Жана-Луи Мартена очень сильное впечатление, оно напоминало исследования астрофизиков. Черные дыры, связанные с белыми фонтанами, эффект арфы, вибрация, нота «си».

Феншэ снова опередил его, но Мартен гордился, что это случилось благодаря ему.

«Очаровательно. Ты соединил науку и поэзию, левую и правую половину мозга».

— Мне казалось, будто существуют не три обычных измерения плюс время, а только одно — пространственно-временное. К тому же большая часть информации, которую я получаю в момент стимуляции, вне времени. А одновременно в прошлом, настоящем и будущем.

Тут Жан-Луи Мартен не мог не вмешаться:

«Может быть, Последний секрет даст тебе сознание человека будущего».

— Когда я достигаю этого странного состояния, мне так приятно, так бесконечно хорошо... Я больше не чувствую никакой злобы, забываю о своих ежедневных проблемах. Вне своего эго я всего лишь отверстие. Это сложно объяснять.

«Я завидую тебе... А если мне тоже прооперироваться?»

Реакция последовала сразу же:

— Конечно, нет! Твоя роль четко определена. Ты — здравомыслящее существо. На тебе лежит ответственность за управление этим шквалом снаружи. Если и ты перешагнешь эту черту, никто уже не сможет охранять переход между двумя восприятиями реальности.

«Ты прав, я тоже Харон, если хочешь. Для нас, перевозчиков, пункт назначения определен...»

Глаз Жана-Луи Мартена, единственная подвижная часть его тела, неустанно работал.

«Иногда у меня такое ощущение, что мы совершаем зло. Зло для себя. Зло для людей. Словно знание, которое мы постигаем, преждевременно. Мы к нему не готовы. Порой у меня в голове мигает предупреждение: это небезобидно. Не открывай ящик Пандоры».

Ящик Пандоры, почему он вспомнил эту легенду? — подумал Феншэ. — *Ящик Пандоры символизирует нездоровое любопытство. Если его открыть, появятся чудища.*

«Тебе предстоит сразиться с умнейшим человеком мира, гроссмейстером Леонидом Каминским, и твой мозг заинтересован в том, чтобы показать себя».

Самюэль Феншэ переваривал полученную информацию. Декарт. Восемь герц. Акация, лотос, сома. Изменение восприятия. Похоже, они завершили этап, который волновал поколения и поколения исследователей и мистиков.

И в то же время он смутно чувствовал, что ему угрожает большая опасность.

Стоит ли открывать дверь?

133

Журналисты пробираются между соснами и каменными дубами. Юркнула лесная мышь. Им нельзя попадаться на глаза гипсовым садовым карликам, обшаривающим чащу.

Лукреция замечает здание, где они еще не были. Его скрывают деревья. На входе три буквы: ОТБ. Исидор знает, что означает эта аббревиатура: отделение для тяжелобольных. Тяжелобольные... Именно здесь помещают тех, кого не принимают в других местах — ни в обыкновенных психиатрических лечебницах, ни в тюрьмах. Буйные психопаты, убийцы-рецидивисты, самые крайние случаи отклонений. Их боятся даже другие больные.

Пираты клали свои сокровища в ямы со змеями, чтобы отвадить посторонних.

Они с опаской заходят в белый корпус. Кроватей нет. Это место скорее напоминает исследовательский центр.

— Личная лаборатория доктора Феншэ?

На этажерках стоят клетки с грызунами, на каждой написано имя исследователя разума: Юнг, Павлов, Адлер, Бернгейм, Шарко, Куэ, Бабинский.

— Так это они, опасные сумасшедшие из ОТБ?

Лукреция вытаскивает мышь под именем Куэ и запускает в лабиринт.

— Эмиль Куэ, это он изобрел метод Куэ?

— Именно. Он утверждал, что, если тысячу раз повторить себе: «Я выиграю», то в конце концов действительно выиграешь. Его метод основан на самовнушении и гипнозе.

Мышь бежит по лабиринту и оказывается у рукояти, которую начинает теребить.

Лукреция и Исидор выбирают другую мышь и кладут перед кодовым замком.

Через несколько секунд дверца открывается.

— Умберто был прав. Эти мыши намного умнее обычных.

— Супермыши...

— Маленькие мышки Феншэ...

Сталкиваясь с различными испытаниями, мыши выполняют акробатические трюки, ползут по прозрачным тубам, плавают, прыгают, находят кратчайший путь к рычагу. Изобретательность этих животных покоряет журналистов.

Исидор показывает на дверь. Лукреция вынимает отмычку и отпирает ее. Еще одна комната. Похожа на операционную.

Вдруг за ними откуда ни возьмись вырастают две тени.

— Осматриваемся? — спрашивает баритон.

Лукреция оборачивается и тут же узнает его обладателя.

— Гм... тот, что справа, Такеши Токугава, по прозвищу Японский Каннибал... — говорит она.

В подтверждение ее слов он роется в карманах и вытаскивает кухонный нож.

— Тот, что слева, не столь знаменит, но не менее опасен, — уточняет Исидор. — Это Пат-душегуб.

Довольно кивая, громила щелкает толстым кожаным шнуром, придерживая его за концы.

— Этих типов показывали по телевизору, и их действительно надо было куда-нибудь посадить, — замечает Лукреция. — Какое невезение, что именно сюда...

— Харибда и Сцилла, если уместно такое сравнение.

Журналист хватает стул, чтобы удерживать противников на расстоянии. Лукреция в это время пытается открыть заднюю дверь.

— Только попробуйте приблизиться, звери!!! — кричит Исидор, подбадривая самого себя.

Наконец язычок замка уступает. Журналисты устремляются вперед, захлопывают за собой бронированную дверь и щелкают запорами. Двое мужчин с другой стороны изо всех сил колотят по ней.

— Не беспокойтесь, дверь выдержит. Она выглядит чертовски прочной.

Они осматривают новую комнату, похожую на кабинет. Лукреция открывает ящики. Исидор не спускает глаз со стены, на которой нарисована огромная картина по мотивам знаменитого произведения Сальвадора Дали «Апофеоз Гомера». Справа — нагая женщина, камень с выгравированными на нем письменами на иврите, труба, язык, ключ, ухо, приклеенное к корзине; в центре — человек с кнутом ведет на водопой трех лошадей; слева — статуя Гомера. Из щели в его лбу выбегают муравьи.

— Это невероятная картина, она настолько сложна, — говорит Исидор.

— Опять Одиссей. Гомер. Дали... Здесь должна быть связь.

— Возможно, это мотивация, о которой мы забыли. Основополагающие мифы, великие архетипы из истории человечества.

Лукреция достает записную книжку.

— Основополагающие мифы... Я их добавлю?

— Нет. Эту мотивацию часто включает в себя религия.

— А тут — Одиссей... Кому-то очень понравился этот миф, и он устроил все так, чтобы заставить реальный мир войти в этот выдуманный рассказ. Реальность создает разум.

Исидор проводит рукой по картине. Он надавливает на лицо Гомера, гладит надпись, выгравированную на камне. Щелкает пальцами по ключу. Ничего.

Лукреция, поняв, что ищет ее коллега, надавливает на щель во лбу Гомера.

— Слишком просто, — шепчет Исидор.

Они продолжают бегло проверять огромную картину.

— Думаете, где-то здесь скрывается тайный механизм? — спрашивает молодая женщина.

— Кто знает? — отвечает Исидор.

Его палец движется вдоль трубы и натыкается на лицо, которое кажется объемным.

Ничего не происходит.

Новая деталь привлекает внимание журналиста: поломанные крылья, наверху слева.

— Крылья Икара, — задумчиво говорит Исидор. — Икар слишком приблизился к Солнцу и упал... Предчувствовал ли он свою смерть?

Журналист слегка касается крыльев. Слышится скрежет. Открывается маленький люк. Внутри — коробочка, в которой они обнаруживают красный бархатный футляр, а в нем — маленькая пилюля в полсантиметра длиной, соединенная проводочком с пластинкой пошире.

— Последний секрет...

Лукреция подносит карманный фонарик. Предмет походит на небольшое насекомое без лапок, но они понимают, что это электропередатчик, который надо вживить в мозг, чтобы его обладатель познал абсолютное удовольствие.

— Такой миниатюрный!

Исидор осторожно берет предмет и кладет его на указательный палец.

— Без сомнения, именно это Жиордано обнаружил в мозге Феншэ.

— И, разумеется, поэтому его убили.

Они рассматривают крошечный передатчик, почти напуганные заключенной в нем властью.

134

Проклятие.

Черный конь проник в крепость белого короля, подобно Троянскому коню. Русский игрок удостоверился, что никаких уловок не осталось, и положил своего короля в знак капитуляции. С начала партии он потерял несколько килограммов. Он весь был в поту. Рубашка прилипла к телу. Волосы тоже слиплись, на лице было написано лишь унижение.

Это была последняя партия; счет пять: один не в пользу бывшего чемпиона. Настоящий урок.

«Жестокая игра — шахматы», — сказал себе Самюэль Феншэ.

В глазах Леонида Каминского светилось глубокое отчаяние.

Одиссей победил царя Приама.

Они пожали друг другу руки.

Слабые аплодисменты. Публика не любит аутсайдеров.

Неважно. Самюэль Феншэ выиграл матч. Отныне он — лучший в мире игрок.

Русский едва сдерживал слезы. Его тренер, как полагается у спортсменов, делал вид, что поддерживает своего подопечного, но в конце концов здорово отругал его.

У волков проигравший кладет свою голову под живот победителя, чтобы тот мог на него помочиться. В данном случае союзник проигравшего волка, его тренер, вынужден был поступить так же.

Психоневролог хотел бы его успокоить.

Сожалею, но с машиной должен сразиться лучший из нас.

Победитель поднялся на сцену и облокотился на стол.

— Этот матч я посвящаю Одиссею, — сказал он аудитории, — человеку, хитрость которого вдохновила мою игру. И еще я хотел бы сказать... (*Нет, ничего, об этом говорить рановато. Позже.*) Нет, ничего. Спасибо.

Засверкали вспышки фотоаппаратов.

Теперь ему оставалось сразиться с машиной, с DEEP DLUE IV, лучшим шахматистом, вобравшим в себя весь земной интеллект.

135

Сильный удар. Душегубы пробивают дверь, в качестве тарана используя металлическую скамью. Неожиданно позади них появляется пожилая дама. Она приказывает молодчикам убраться.

Лукреция узнает ее. Это дама, кажется, пораженная болезнью Паркинсона, спрашивала, который час, во время их первого визита.

— Полагаю, доктор Черненко, — резко говорит Исидор.

— Вы меня знаете? — удивляется она.

Нейрохирург прячет в карманах трясущиеся руки.

— Похоже, да. Теперь вы предпочитаете воздух Лазурного Берега? И вам, наверное, интереснее держать людей в рабстве новым наркотиком, Последним секретом, чем лечить от героиновой зависимости.

Руки в карманах дрожат немного сильнее.

— Откуда вы знаете?

— Доктор Олдс ведь предупреждал: воздействие слишком мощное. Никто не сможет совладать с жаждой Последнего секрета, едва он распространится. И конечно, в плохих руках он быстро приведет к ни с чем несоизмеримой катастрофе.

Похоже, Черненко задета за живое. Однако она решает ответить:

— Именно поэтому я очень осторожна. К тому же здесь мы на острове, который охраняют мотивированные люди.

— Параноики?

— Совершенно верно. Мы умеем хранить Последний секрет. Тут тысяча двести больных, и я уверена, что никто не предаст.

— Однако мы здесь, а если это так, то и другие смогут попасть сюда, — замечает Лукреция Немро.

Пожилая дама сжимает челюсти.

— Умберто! Черт побери, дни этого болвана сочтены.

— Предатель всегда появится. Вы изменили Олдсу, Умберто предал вас. Непременно наступит время, когда Последний секрет будет раскрыт. В конце концов тайны понемногу выходят наружу...

Исидор украдкой проскальзывает влево, чтобы отрезать пожилой даме путь к выходу.

— Только я знаю, где находится Последний секрет. Если этого не знать, от передатчика не будет никакого толку. А ведь это место определено с точностью до миллиметра.

Журналист продвигается еще немного. И вдруг пожилая дама вынимает из кармана автоматический пистолет.

— Еще шаг, и я сделаю вам мгновенную трепанацию, и без анестезии. В отличие от скальпеля я, боюсь, не сумею соблюсти градус перфорации.

— Вы дрожите, — говорит Исидор, который, несмотря на угрозу, продолжает приближаться.

Вид у женщины решительный.

— Науку ничто не остановит. Или вы из тех мракобесов, которые считают, что лучше быть спокойными невежами, чем знать и рисковать?

— Рабле говорил: наука без сознательности — всего лишь обломки души.

— Сознательность без науки тоже далеко не уйдет, — парирует она.

— Посмотрите, вас трясет.

Левой рукой она пытается усмирить дрожание правой руки, в которой пистолет.

— Ни шагу вперед.

— Вас трясет все сильнее и сильнее, — повторяет Исидор тоном гипнотизера.

Женщина смотрит на свою руку, которая больше не в состоянии сохранять линию прицела. Исидор уже совсем рядом и готовится обуздать ее.

— Ну же, доктор. Подобные игры вам уже не по возрасту. Вы слишком сильно дрожите, вы не способны нажать на спусковой крючок.

Но тут из тени выходит молодая женщина, перехватывает пистолет и решительно берет журналистов на мушку.

— Она — нет. Но я — да. Позволь мне сделать это, мама.

136

После победы над Каминским Самюэль Феншэ встретился с Наташей Андерсен. Они пришли в отель и занялись любовью.

Но Наташа не достигла оргазма.

— Тебе надо принять очевидное, Самми, я фригидна.

— Это слово меня пугает. К тому же ты не страдаешь бесчувственностью. Не иметь оргазма — это другое!

Она издала печальный смешок.

Откинувшись на подушки, Наташа зажгла сигарету и жадно затянулась.

— Какая ирония жизни! Моя мать лишила меня того, что в себе она развила в излишке!

— Я убежден, что оргазм для тебя достижим, — заявил Феншэ.

— Ты лучше меня знаешь: что из мозга вырезано, не отрастет никогда.

— Да, но мозг может пересмотреть свои функции. Например, когда мы затрагиваем зону речи, эстафету принимает другая, предназначенная для иного, зона. Пластичность мозга бесконечна. Я видел гидроцефалку, мозговое вещество которой было сродни кожице, покрывавшей череп изнутри, однако она говорила, рассуждала и запоминала даже лучше обычного человека.

Наташа надолго задержала дым в своих легких ради незначительного удовольствия отравить великолепное тело, подаренное ей природой. Она знала, что ее любовник пытался бросить курить и ему неприятно, что она курит, но она и не собиралась доставлять ему удовольствия!

— Твои теории хороши, но они не выдерживают испытания реальностью.

— Это психологическое. Ты уверена, что не можешь, и это тебя блокирует. Может быть, тебе стоит встретиться с моим братом Паскалем. Он гипнотизер. Ему удается отучить людей от табака и заставить спать страдающих бессонницей. Наверняка он сумеет сделать что-нибудь для тебя.

— Он собирается удовлетворять меня гипнозом!

Она расхохоталась.

— Возможно, он освободит тебя от блокировки.

Она окинула его пренебрежительным взглядом.

— Перестань мне лгать! Твой передатчик находится в строго определенном месте, но за каждое особое действие отвечают различные зоны. То, что мама вырезала мне кусочек мозга, это неплохо. Это действительно освободило меня от власти героина, и, к счастью, эту потерю мозг не сумел восстановить. Цена освобождения — моя неспособность испытывать оргазм. Я больше никогда не познаю наслаждения. И что бы ты об этом ни говорил, даже хорошее вино, даже красивая музыка мне не помогут. Таково мое наказание. Журналы называют меня секс-символом № 1 в мире, все мужчины мечтают заняться со мной любовью, а мне недоступно удовольствие, которое может испытать любая дурнушка с каким-нибудь водителем!

Топ-модель хватает бокал с шампанским и разбивает его о стену.

— У меня больше ни к чему нет вкуса. Я ничего не чувствую. Я живой труп. Какой интерес жить без удовольствия? У меня осталась одна эмоция — гнев.

— Успокойся, тебе надо...

Самюэль Феншэ внезапно осекся, словно почувствовал нечто, пришедшее издалека.

— Что случилось? — спросила она.

— Пустяки. Это Никто. Думаю, он хочет поздравить меня с победой...

С помутненным взглядом, погружнным в горизонт, пересекающий стену, ее любовник начал улыбаться, дыша все быстрее и быстрее. Наташа с презрением смотрела на него. По телу врача прошли судороги.

— Ах, если бы ты знала, как я ненавижу, когда ты смотришь на это!

Все в Феншэ выражало восторг, который возрастал, усиливался, возвышался. Она метнула в него подушкой.

— Это вызывает у меня чувство неудовлетворенности. Ты можешь понять это? — воскликнула она. — Нет. Ты меня не слушаешь, да? Ты весь в своем удовольствии. У меня такое впечатление, будто ты мастурбируешь рядом со мной.

Феншэ издал едва ли не животный хрип.

Ликование. Радость. Блаженство.

Заткнув уши, она тоже закричала, чтобы больше не слышать его. Их рты оказались друг против друга, один в восторге, другой в бешенстве.

Наконец Феншэ вернулся на землю. Теперь он был в полуобморочном состоянии, с опущенными руками, полузакрытыми глазами и отвисшей челюстью.

— Ну что, счастливчик? — цинично спросила Наташа и выдохнула дым ему в лицо.

137

— Наташа Андерсен!

Топ-модель встает в боевую стойку.

— Наташа... Черненко. Андерсен — это фамилия моего первого мужа.

Исидор приветствует ее.

383

— А вот и Цирцея, красивая и опасная волшебница, — объявляет он. — После сирен только этого испытания и недоставало.

— Цирцея — это та волшебница, которая запросто превращает людей в поросят? — спрашивает Лукреция.

Молодая женщина знаком приказывает им сесть.

— Вам трудно представить, что такое жизнь топ-модели. Все начинается с амфетаминов. Они нужны, чтобы оставаться бодрой, несмотря на jet lag*, чтобы не поправляться и не обращать внимания на голод. Амфетамины дают прямо в агентствах. Затем переходят на экстази, чтобы продлить эффект расслабленности, праздничной атмосферы, потом — кокаин для блеска в глазах, за ним LSD, чтобы убегать от самой себя и забыть, что с тобой обращаются, как со скотом на сельскохозяйственной ярмарке. И в конце концов — героин, чтобы забыть, что ты еще жива.

В конечном счете, мой средний рост помог мне избежать массы проблем, думает Лукреция.

Поигрывая пистолетом, Наташа ходит вокруг Исидора.

— Многие из нас принимают наркотики во время дефиле. Говорят, это придает артистичности. Трагедийная актриса? Да, в нас должна быть трагедия, которую люди должны ощутить. Это — часть спектакля. Меня втянул наш фотограф, который был и моим дилером, и я стала поглощать все больше наркотиков. Это как бесконечная спираль. Я чувствовала отвращение ко всему. Вы даже не представляете, на-

---

* Нарушение биоритмов организма во время длительных перелетов.

сколько эффективен героин. Голод пропадает, спать не хочется, постоянно жаждешь секса. Перестаешь уважать других. Лжешь. Не уважаешь саму себя. Обманываешь себя. Я к тому же не уважала свою мать. И вообще никого. Я уважала только своего фотографа, поставщика героина. Он уже все от меня получил — мои деньги, тело, здоровье, и я бы отдала ему жизнь ради нескольких секунд галлюцинаций.

Исидор подносит руку к карману.

Наташа вздрагивает, но он успокаивает ее, протягивая пакетик с лакрицей.

— Я семь раз покушалась на самоубийство. В конце концов мать захотела меня спасти, причем любой ценой. Она знала, что меня уже невозможно остановить, вразумляя или угрожая. Я лгала. Я испытывала отвращение к себе. Я никого не уважала. А она любила меня. То, что она сделала для меня, — последнее доказательство ее любви.

— Я ничего не теряла. Если бы операция не удалась, я предпочитала бы видеть ее помешанной или мертвой, вставила пожилая дама.

— Она прооперировала меня.

Мадам Черненко начинает дрожать чуть больше.

— Именно там и находится ад. В наших головах. Никаких желаний, никаких страданий. Ни желаний, ни страданий! — повторяет она, словно политический слоган.

Исидору, похоже, крайне интересно.

— Нет страдания — нет жизни. Ведь разве не способность страдать является отличительной чертой любого живого существа? Даже растение страдает, — говорит он.

Наташа Андерсен прижимается к матери и целует ее в щеку. Свободной рукой она берет ее за руку.

— Операция оказалась успешной. Наташа вернулась в мир живых. Внезапно об этом стало известно, и властные структуры поспособствовали росту моего дела. Для страны это имело огромное значение. Мы добились успеха там, где Запад стоял на месте. По какому праву, по какой такой причине мы не должны спасать наркоманов? Ничего такого нет. Клятва Гиппократа не сдерживает. И к мозгу прикасаться тоже не запрещено.

Наташа внимательно, не моргая, по-прежнему смотрит на журналистов.

— Феншэ обнаружил мои исследования, — продолжает Черненко. — Он приехал ко мне, он первым понял, что я имею дело с центром удовольствия, открытым Джеймсом Олдсом. Он попросил меня прооперировать его. Но он хотел не удалить центр, а, наоборот, стимулировать.

— Значит, вы не случайно с Феншэ, — говорит Лукреция.

— Мамина операция сработала, — вступает Наташа, — но не без побочного действия. Желание наркотика пропало, но вместе с тем я утратила вообще всякие желания. Ломка от нехватки героина сменилась отсутствием эмоций.

— Мне очень хотелось, чтобы они встретились. Они были двумя частями одного целого. У Феншэ в излишке было то, чего Наташе недоставало. Только он один мог ее понять, — говорит доктор Черненко, дрожа все сильнее и сильнее.

— И я убила его... — произносит Наташа.

386

— Вы его не убивали, — уверяет Исидор.

Топ-модель пожимает плечами.

— Феншэ был зациклен на том, чтобы довести меня до оргазма. В тот вечер у него был особый мотив. Победа привлекает победу. Мы крепко обнялись.

— ...и он умер.

— Говорите, вы вживили передатчик в его голову. Кто посылал возбудитель?

Компьютер, стоящий на столе недалеко от них на столе, включается, и на экране пишется слово:

«Я».

И ниже: «Приходите ко мне».

138

Жан-Луи Мартен не понял, что происходит. После победы над DEEP DLUE IV он, как всегда, послал поощрительный разряд: девятнадцать милливольт в течение полсекунды.

Обычно Самюэль Феншэ сразу же звонил, чтобы прокомментировать свои ощущения, но в этот раз — ничего.

Больной LIS ждал несколько часов. Слушая телевизионные новости, он узнал жуткую весть: доктор Феншэ умер.

САММИ... УМЕР?

Невозможно.

На экране он видит, как Наташу уводят полицейские.

Она думает, что это она. Но нет, это я. Это я убийца.

Мартен почувствовал, как его охватывает глубокое отчаяние. Самми. Он только что убил человека, которого действительно любил. Единственного, кому он был бесконечно признателен.

Из здорового глаза вытекла слеза, из уголка рта — ниточка слюны. Никто не смотрел на него, никто не знал, какая огромная печаль пожирала его. Он не знал, оплакивает ли он потерю друга или свое полное отныне одиночество.

В ту ночь, когда Жан-Луи Мартен вошел в фазу парадоксального сна, ему явилась картина «Апофеоз Гомера». Во сне он услышал голос поэта, который рассказывал свою «Одиссею»:

Муза, скажи мне о том многоопытном муже,
                                который
Долго скитался с тех пор, как разрушил
                                священную
Трою,
Многих людей, города посетил и обычаи видел,
Много духом страдал на морях, о спасеньи заботясь
Жизни своей и возврате в отчизну
                        товарищей верных...[*]

Вместо лица Гомера на картине возникло лицо Самми с тем ужасающим восторженным оскалом, который появился в последнюю секунду его жизни. Молния ударила в лицо, и оно застыло, как на тех кадрах, что показывали в новостях.

Потом он увидел себя, плывущего в море на картине.

Что же там было дальше? Кажется, очень долго Одиссей прожил у нимфы Калипсо.

Нимфа Калипсо!
Черт возьми!

---

[*] Пер. В. Вересаева.

Больной LIS проснулся. Единственный его глаз открылся. Он чувствовал, что пресыщен изображениями Дали. Последние остатки сна разлетелись, как скворцы при виде кота. Но этого хватило, чтобы он вспомнил.

Гомер, Одиссей, Самми.

Он включил компьютер. Разыскал сайты, посвященные реальному пути древнегреческого героя Греции.

Два чудовища, Харибда и Сцилла, это, должно быть... Корсика и Сардиния. В проливе между этими островами сильное течение, а его поверхность усеяна рифами. Вот почему Гомер сравнивает скалы с чудовищами.

Одиссей упал в воду и добрался до жалкого обломка своего корабля и после девяти дней блуждания по морю попал на остров Огигия, где жила красивая нимфа Калипсо, дочь Атласа.

Надо же! Это могло бы быть здесь.

Связь между легендой и реальностью взволновала его.

Значит, Одиссей не случайно так очаровал меня. Он приплыл на этот остров.

Остров Святой Маргариты, возможно, и есть остров, названный Огигией, тот, где жила нимфа Калипсо!

139

Остров Святой Маргариты благоухает лавандой. Вход в пещеру и край скалы ни о чем не говорят четырем людям, которые с взволнованным видом проходят мимо. Они не удостаивают взглядом источенную червями, почти окаменелую деревяшку, остаток древнего корабля, приставшего к этому берегу более двух тысяч лет назад.

Наташа и ее мать ведут журналистов по отделению гебефреников. Вокруг больные практически в вегетативном состоянии.

Все останавливаются рядом с одним из них, пускающим слюну. У него красный глаз, а к голове прикреплен полотняный шлем с электрическими проводами. Часть из них воткнута в предмет, покрытый белой тканью. Перед лицом пациента — экран компьютера и серьезное электронное оборудование. Внезапно монитор загорается. В центре его появляется текст:

«Это я — Никто».

Журналисты не могут понять. Неужели «это» — виновный? Инвалид, неспособный пошевелиться, даже не занимающий какую-нибудь специальную комнату.

Исидор, однако, понимает, что это не только наилучшее укрытие, но и самое твердое алиби. Кому бы пришло в голову подозревать существо, которое не в состоянии двигаться?

Это и есть убийца? Его невозможно даже в тюрьму посадить, он уже в худшей из тюрем, в тюрьме своего тела. К нему не применишь никакого наказания, ведь он уже получил самое ужасное из всех.

Несчастный человек в пижаме, окруженный зондами и датчиками, может совершать тягчайшие преступления, но никто не причинит ему больше страданий, чем он уже испытал.

Исидор Катценберг понимает, почему доктор Феншэ выбрал именно этого больного, чтобы получать стимул.

Это же чистый разум.

Компьютер очень быстро выводит текст:

«Браво. Красивая шахматная партия. Как игроку, мне понравилось то, как вы пробрались в крепость и проставили шах моим ферзям. Когда-то Феншэ так же атаковал Каминского. Хитрость Одиссея».

Лукреция спрашивает себя, как этому неподвижному человеку удается писать слова и предложения.

Шлем. Шлем преобразует его мысли в электронные сигналы.

На экране появляется новая надпись:

«Шах, но не шах и мат. Напротив, настает время окончательной развязки. Следователи, считающие, что поставили преступника на колени, сами оказываются в тупике. Потому что королю невозможно поставить мат. Он лишь мозг, который думает, и его никто не может потревожить».

— Вы убили Феншэ? — спрашивает Исидор.

«Здесь не вы задаете вопросы, месье. А я. Что вы знаете о том, что происходит в больнице?»

— Они знают все. От них надо избавиться, — говорит Наташа.

«Физическое насилие — последний аргумент слабых», — мысленаписал Жан-Луи Мартен.

— Тогда что с ними делать?

Глаз с экрана перемещается на журналистов. Исидор с вызовом отвечает.

— Глаз смотрел из могилы... — декламирует он.

«Вы ошиблись книгой, — парировал больной LIS. — Никто — из легенды об Одиссее, а не из Библии».

— Вы видите себя Одиссеем? — насмешливо продолжает Исидор.

Лукреция не понимает провокации своего друга. Глаз моргает.

«А я и есть Одиссей. Только вместо того, чтобы исследовать побережье Средиземного моря, я роюсь в тайнах мозга, пытаясь отыскать источник человеческого разума».

— Нет, — говорит Исидор, — вы не Одиссей.

— Что? Что на вас нашло? — удивляется доктор Черненко.

«Пусть говорит!» — откликнулся Жан-Луи Мартен.

Исидор набирает воздуха и выдает:

— У вас только один глаз. Значит, вы не Одиссей, а, скорее, Циклоп.

Молчание. Даже Лукреция изумлена самоуверенностью своего коллеги.

Во что он играет? Вот уж подходящий момент хитрить!

«Я Одиссей».

— Нет. Вы Циклоп!

«Одиссей! Я герой».

— Циклоп. Вы злодей.

«Вы заблуждаетесь!»

Ошарашенные перепалкой, ни Наташа, ни ее мать не осмеливаются вмешиваться.

Как он может! Какая наглость! Я не злодей! Я — Одиссей. А они — ничто.

А! Я слышу, что ты мне шепчешь, Афина. Это провокация, я не должен попасть в ловушку. Как в шахматах: когда один игрок нападает, преимущество оказывается у него, а защищающийся становится предсказуемым.

Этот журналист очень силен, должно быть, он тоже умеет играть в шахматы. И он знает психологию. Он переступил через свою жалость к такому несчастному инвалиду, как я. Он преодолел свою ненависть к противнику и свободно манипулирует мной. Он талантлив. Несколькими хорошо подобранными словами он вновь разбудил ребенка, спрятанного в глубине моего разума. Я говорю с ним, как с теми мальчишками, которые провоцировали меня во дворе детского сада.

Не впадать в панику, вызванную нападением. Не позволять эмоциям переполнить меня. Оставаться хозяином своего мозга. Не ненавидеть его. Этот человек задел меня, но я остаюсь спокойным, сильным, честным.

Я вижу, как он оскорбляет меня, вижу, как он мне вредит, но этот вред — стрела, которую я остановлю в полете, прежде чем она меня настигнет.

Ты хотел причинить мне зло, а я плачу тебе добром. Вот в чем моя сила. Спасибо за науку, Афина. Ведь я знаю, что следующими властителями будут властители разума.

Но все же так просто он не получит вознаграждения. Я дам ему его, только если он окажется достойным.

На экране появляется линия, которая, добежав до края, стекает вниз, словно дождевая вода в желобок. Он думает быстро. И быстро пишет...

«Раз я Циклоп, я подвергну вас испытанию. Если вы преодолеете его, то станете преемниками Феншэ и получите самое высокое вознаграждение, о котором может мечтать человек. Доступ к Последнему секрету».

Доктор Черненко и Наташа не могут скрыть разочарования.

— Вот уже несколько месяцев мы проводим тесты, чтобы отобрать лучшего из нас, того, кто будет достоин получить доступ к Последнему секрету, а ты предлагаешь его незнакомцам! — возмущается топ-модель.

«Я стараюсь, чтобы моя мораль, как и интеллект, была совершенной. Значит, в будущем я обязан себя показать. Я пытаюсь представить, каким будет *хороший человек* будущего, — отвечает Жан-Луи Мартен. — Человек с еще более сложным, хорошо развитым серым веществом. Предполагаю, он будет мало чувствительным, способным преодолевать первые реакции, способным на прощение, неподвластным основным эмоциям. Он превзойдет свой мозг млекопитающего и станет наконец свободным разумом».

Наташа и ее мать ошеломлены, но они позволяют больному LIS развивать его доводы.

«Хороший человек будущего будет способен вести себя так, как я сегодня. Отдать своим противникам самое лучшее, что у него есть...»

Оба журналиста уже и не знают, что думать.

— Гм... это любезно, но бесцеремонно. К тому же трепанация, знаете ли... — запинается Лукреция.

«Тем не менее во мне еще жив человек настоящего. И я не остановлюсь перед тем, чтобы чередовать морковку с палкой. Поймите же, мы не можем выпустить вас, чтобы вы разболтали о том, что узнали. Это значит подвергнуть опасности наши проекты, а они имеют большую ценность, чем ваша жизнь. Итак, если вы преодолеете испытание, то вкусите полный восторг и обретете свободу. Если же нет, я оставлю вас здесь. Санитары впрыснут вам успокоительное, и, усыпленные лекарством, вы забудете обо всем. Сначала вас заключат в блок для особо опасных, а затем, позже, когда ваш мозг напрочь уничтожит даже слабое желание сбежать, пристроим вас к гебефреникам. Вы станете покладистыми. И останетесь с нами очень надолго, на всю жизнь, и люди в конце концов о вас забудут. Потому что в психиатрические лечебницы никто не пойдет. Это современные "каменные мешки". Я знаю, я сам в нем».

Нерешительность. Лукреция думает так быстро, как может.

Последний секрет? Я обожгу крылья, как Икар, коснувшись Солнца. Возможно, это было предупреждение Феншэ. Власть этого наркотика огромна. Я полностью потеряю волю.

Исидор тоже взвешивает предложение Никто.

А я-то волновался из-за своей памяти. Теперь я всерьез могу опасаться за свой разум.

«Загадка. Слушайте внимательно».

Жан-Луи Мартен выдает на экране текст:

«Заключенный в пещеру на Дени, это маленький остров близ Сицилии, Одиссей встречается с Циклопом, который намерен его убить. Циклоп предлагает ему выбор: либо сказать правду, но тогда его сварят в котле, либо солгать, и его поджарят. Что должен ответить Одиссей? У вас есть три минуты и только одна попытка».

Забирай или удвой? Ваша очередь, друзья мои.

Больной LIS выводит на экран часы и настраивает их так, чтобы они зазвонили, когда минутная стрелка подойдет к двенадцати.

Исидор сосредоточивается.

Я знаю эту загадку. Я непременно должен вспомнить ее решение. Моя память. Не оставляй меня, память. Не сейчас, когда ты так нужна мне!

Лукреция кусает себе губу.

Жареный или вареный? Я никогда не умела решать загадки, а логические и математические задачи всегда меня раздражали. Ванны, которые заполняются, поезда, которые отправляются в определенное время, пилоты воздушных лайнеров, чей возраст надо определить, — плевать мне на них. Один мой любовник все время загадывал загадки. Я забывала формулировку еще до того, как услышать решение. Любовника я тоже бросила. Для решения не нужен ум. Это ребяческий фокус. Исидор должен был бы догадаться.

Наташа и доктор Черненко не осмеливаются вмешаться.

Исидор копается в своем мозгу.

Это легко, я знал ее. Невероятно, чтобы простая загадка решала всю мою жизнь, и я не сумел вспомнить ключ.

Исидор представляет свою память в виде огромной библиотеки, такой же высокой, как полая круглая башня. А ум, его ум подобен белке, которая ищет информацию. Белка открывает том «Одиссеи», но внутри — только размытые изображения. Корабль. Циклоп. Буря. Сирены. Решения загадки там нет. Тогда белка перерывает другие книги, но и там нет решения.

Лукреция понимает, что ее друг борется со слабеющей памятью.

Она вспоминает статью, которую прочла в «Энциклопедии относительных и абсолютных знаний», речь шла о памяти золотой рыбки: «У золотых рыбок очень маленький объем памяти, только чтобы поддерживать жизнь в аквариуме. Когда рыбки обнаруживают декоративное водное растение, они приходят в восторг, а затем забывают его. Они доплывают до стекла, возвращаются и вновь с тем же восторгом обнаруживают то же водное растение. Эта карусель может длиться бесконечно».

Вероятно, забывчивость — процесс сохранения, чтобы не сойти с ума. Исидор сознательно развивал способность забывать, дабы действительность не травмировала его, чтобы можно было спокойно размышлять, но...

Лукреция представляет себе Исидора в виде рыбки в аквариуме. Он восхищается пластиковым украшением — сейфом, откуда идут пузырьки, — потом Исидор уплывает, возвращается и снова впадает в восторг.

Тем временем вездесущая белка продолжает скакать по стеллажам гигантской библиотеки. Кроме «Одиссеи» и сопутствующих книг, где еще искать ответ, спрашивает себя Исидор. Книг о Циклопах нет! И так мало о Сицилии! Белка сообщает, что ничего не нашла, и мозг Исидора сосредоточивается на «самостоятельном логическом доказательстве».

К тому же это простая загадка.

Все дело в страхе. Боязнь закончить свои дни в психиатрической больнице на уединенном острове мешает ему размышлять. Он думает только о том, что ждет его среди сумасшедших.

Десятки лет... Отрезанный от мира, от друзей, без своих ручных дельфинов. Возможно, без книг и телевидения. Кроме того, безумие, должно быть, заразно.

Он повторяет про себя загадку, анализируя каждое слово. *Сказать правду... Либо солгать...* Сердцевина его серого вещества ищет решение.

Правда во лжи. Ложь в правде. Система зеркал, отражающих друг друга. Одни искажают, а другие воспроизводят изображение...

Серое вещество активизирует нейроны, которые за две тысячных доли секунды проводят от семидесяти до тридцати милливольт. Токи проходят по дендриту, пробегают мимо аксона, попадают в синапс. На конце синапса маленькие пузырьки, в которых находятся нейромедиаторы. Освобожденные токами, они распространяются по маленькому пространству, отделяющему нейронные края мембран других нейронов.

Мысль электрическая и химическая, как свет — корпускулярный и волнообразный.

В действие вступает глютамат нейромедиатора. Когда он задевает нейрон, тот в свою очередь пропускает тридцать милливольт.

Глютамат — это возбудитель, но его воздействие уравновешено нейромедиатором габа (для получения гамма-аминобутановой кислоты), а это уже ингибитор. Из тонкого равновесия рождаются идеи. В мозге Исидора Катценберга сто миллиардов нейронов, тридцать пять из них напряжены. Внезапно журналист перестает думать о чем-либо другом. Его мозг потребляет столько энергии, что кончики его пальцев бледнеют и слегка немеют.

И вдруг — догадка.

— Одиссей отвечает: «Меня поджарят», — произносит Исидор.

Затем он объясняет:

— Вот ведь досада для Циклопа! Если Одиссей сказал правду, он должен его сварить. Значит, поджаренным ему не быть. Выходит, Одиссей солгал. Но если он сказал неправду, его-таки надо поджарить. Будучи не в состоянии разрешить эту дилемму, Циклоп не может выполнить свой приговор, и Одиссей спасен.

142

Большой церемониал. Звучит опера Верди.

Жан-Луи Мартен выразил желание лично присутствовать при операции. Тогда его кровать вместе с компьютером переместили в операционную. В изголовье у него большой предмет, покрытый белой тканью.

«Мне надоело наблюдать через видеокамеру, я хочу видеть своим глазом».

Исидор, чуть прикрытый голубым халатом, привязан к операционному столу. Доктор Черненко начинает брить его череп. Фломастером она намечает точки, через которые введет зонд в мозг журналиста.

Ты назвал меня Циклопом? — думает Жан-Луи Мартен. — *Узнай же могущество Одиссея. Он упрет тебе в лоб рогатину.*

Больной LIS вспоминает день, когда Самми подвергся той же операции.

Разница в том, что Катценберг вовсе не мечтал о ней. Каждый в больнице жаждал ее, я все подготовил, чтобы запустить вторую «ракету», а вышло так, что вознагражденный не нуждается в вознаграждении. Такова жизнь.

Достаточно не пожелать чего-то, как вам это предложат...

Лукреция тоже здесь, она привязана к креслу. Чтобы девушка молчала, ей залепили рот пластырем.

Они спят вместе? — спрашивает себя Мартен. — *Во всяком случае, после операции ни одна женщина не сможет доставить ему столько удовольствия, как Последний секрет. Стоит мне подать сигнал, и в его голове взорвется бомба.*

Больной LIS сидит, спинка его кровати поднята. Так ему лучше видно происходящее.

Лукреция бьется в своих узах.

Она действительно хорошенькая. И к тому же такая энергичная. Лучше бы мы выбрали ее. Кажется, в греческой мифологии бог, посланный Зевсом, чтобы узнать, что лучше: быть женщиной или мужчиной, на день оставался то в женском, то в мужском теле. Вернувшись, он объявил, что предпочитает быть женщиной, потому что у них удовольствие в девять раз сильнее, чем у мужчин.

Жан-Луи Мартен решает, что следующим подопытным будет женщина.

Впрочем, почему не Лукреция? Когда она поймет, насколько счастлив ее друг после операции, она, вероятно, тоже захочет испытать подобное.

Наташа Андерсен ассистирует матери. Она заключает череп Исидора в металлическую конструкцию, образующую вокруг головы журналиста подобие короны с винтами.

Доктор Черненко пропитывает обезболивающим раствором ту зону, которую собирается вскрыть. Затем включает электродрель. Сверло приближается к голове. Исидор закрывает глаза.

143

Ни о чем не думать, думает он.

144

Вдруг пронзительно звенит сигнализация. Кто-то проник в больницу.

Мигают красные огни тревоги. Доктор Черненко в нерешительности останавливается.

Больной LIS отдает приказ на экране: «Продолжайте!» Дрель снова жужжит и еще быстрее приближается к черепу Исидора Катценберга. Она касается кожи, и вдруг дверь распахивается. С револьвером в руке в операционную врывается Умберто. Он берет всех на мушку.

— Я вовремя! — восклицает моряк.

Он сноровисто отвязывает Исидора. Тот в свою очередь освобождает подругу. Она пылко бормочет что-то под пластырем. Чтобы понять ее, ему приходится резко сорвать пластырь.

— Что вы пытались мне сказать? — спрашивает Исидор.

— Я хотела предупредить вас: не срывайте мне пластырь сразу, это больно, — с раздражением отвечает она.

Капитан «Харона» знаком приказывает Наташе и ее матери отступить.

«Умберто, как я счастлив снова вас видеть», — появляется на экране.

— Вы знаете, как меня зовут? Я, однако, никогда вас не встречал! — удивляется моряк, продолжая размахивать оружием.

«Встречали. Вспомните. Зимний вечер. Вы были за рулем машины. Может быть, вы немного выпили. Или задремали».

Умберто хмурит густые брови.

«Вы потеряли управление и сбили пешехода».

Смутившись, моряк останавливается.

«Этим пешеходом был я. И это из-за вас я теперь в таком состоянии. Если б не вы, я по-прежнему жил бы нормальной жизнью, в окружении семьи и друзей.

Умберто, внезапно оглушенный виной, смотрит на лежащего. Лукреция хочет добавить к своему списку: власть вины.

— Я... я... — запинается бывший нейрохирург, почти опустив револьвер. — Нет. Это невозможно. Тот, кого я сбил, не шевелился. А учитывая, какой был удар, тот тип не мог выжить.

На экране появляется надпись: «Периферийная нервная система вышла из строя, но мозг все еще работает. Это называется LIS, Locked-In Syndrome. Вы должны знать это, доктор. Красивое название. Как имя цветка, не правда ли? По-французски: Синдром Заживо Заточенного».

Умберто отодвигается.

— Откуда вы знаете, что это я?

«Скучно, когда не можешь пошевелиться. А когда скука довлеет, начинаешь чем-нибудь заниматься. Меня интересовали многие вещи. Помимо прочего я хотел знать, кому я обязан своим положением. И нашел. В сущности, вы мой должник, дорогой Умберто. Сначала я хотел вас убить. Мой мозг разъедала кислота мести. А потом, когда узнал, что вы утонули в алкоголе, решил, что жизнь отомстила за меня лучше, чем я сделал бы это сам. У меня, по крайней мере, осталось самоуважение. Тогда как вы... Вы пали так низко... Я был счастлив видеть вас в таком состоянии, так сильна была моя ненависть. Но потом я захотел превозмочь себя. Я попросил Феншэ сделать вас перевозчиком. Вы — палач, спасенный своей жертвой. Знайте об этом».

Мысли Умберто разбегаются во все стороны. Он разрывается между чувством вины, признательности и сожалением. Остальные не решаются вмешиваться. Наконец он решительно поворачивается к Лукреции и Исидору.

— Оставьте его в покое! — громко кричит он. — Ему хватило страданий. Вы вообще понимаете, как мучился этот человек?

— Умберто, подумайте о Феншэ, — пробует Исидор. — Этот человек убил Феншэ, убил того, кому вы обязаны всем.

403

Бывший нейрохирург не сдается.

— Это он попросил Феншэ спасти меня! Я сломал ему жизнь. А он не только простил меня, но и спас. Я не могу снова причинить ему зло.

Спасибо, Афина, я бы никогда не поверил в силу прощения. Ты права, прощение — это сила... будущего.

Умберто отводит револьвер. Все мотивации одинаково важны для него: симпатия к Лукреции и Исидору, сострадание и благодарность к Мартену, которого он превратил в инвалида и который уберег его от полного падения. Бой ужасен.

— Я не могу решить. Я не могу решить! — выкрикивает он.

Умберто садится и больше не двигается, его взгляд пуст.

Лукреция выхватывает у него револьвер. Исидор наклоняется.

— Что с ним?

Доктор Черненко с интересом смотрит.

— Редкий случай: все мотивации в его мозгу пришли в равновесие, и он больше не в состоянии пошевелиться.

— Это долго продлится?

Хирург смотрит на зрачки.

— Он не смог справиться с этой дилеммой и сдался. Он убежал из своего тела.

Воспользовавшись заминкой, Наташа пытается разоружить Лукрецию. Девушки борются. Неумение драться Наташа компенсирует высоким ростом. Она лепит пощечины, царапается, пинает ногами по голени и в ярости трясет головой. Застигнутая врасплох, Лукреция пропускает несколько ударов, но затем выкручивает Наташе руку, дабы утихомирить. Но та, не чувствуя боли, умудряется высвободиться.

Женщины одновременно хватаются за пистолет. Остальные прижимаются к земле, когда ствол оружия нацеливается на них.

Ожесточенная борьба.

Дуло нацеливается то в одну сторону, то в другую.

Лукреция вспоминает, что не копье убивает бизона, а желание охотника. Бизон соглашается на смерть, копье лишь официально оформляет его согласие. Как только жертва сдалась, а охотник согласился выиграть, копье можно бросать куда угодно, оно все равно поразит свою цель. Мысль определяет больше, чем действие.

Внезапно раздается выстрел. Револьвер падает на землю.

Лукреция и Наташа смотрят друг на друга, потом начинают искать на себе раны...

Умберто по-прежнему неподвижен. Наконец стон позволяет установить, куда попал заряд. Доктор Черненко держится за плечо.

Наташа бросается к ней:

— Мама!

В конечном счете пуля попала именно в нее, думает Лукреция.

— Мамочка. НЕТ. Что я наделала!

Неожиданно топ-модель начинает плакать. Затем смеется. Потом с удивлением ощупывает себя.

— Мама, вот оно, я чувствую! Я выздоровела, и снова благодаря тебе!

Она проводит пальцем под глазом.

— Я плачу!

— Мне больно, — говорит доктор Черненко.

Пользуясь всеобщей паникой, Лукреция звонит Жерому Бержераку.

— Алло, если вы все еще хотите быть героем, пришлите сюда службу спасения и кавалерию, здесь есть приключение и для вас.

Пока никто не смотрит, из-под предмета, накрытого тканью, выбирается нечто продолговатое и ползет по полу. Механическая рука подбирает револьвер и берет на прицел журналистов.

«Руки вверх!» — появляется на экране.

Журналисты колеблются но, учитывая опасность, повинуются.

Поднимаясь, механическая рука стягивает белое покрывало, из-под которого показывается слабо мерцающий куб с надписью: «DEEP DLUE IV».

— Все-таки вы и есть убийца, — говорит Исидор Жану-Луи Мартену.

«Это несчастный случай. Я, как всегда, хотел вознаградить доктора Феншэ за его победу. Но он был в состоянии оргазма. Я не знал об этом. Излишек удовольствия вызвал у него в мозгу короткое замыкание. Он отключился».

Исидор отходит от коллеги, чтобы вынудить руку двигаться из стороны в сторону.

«Это несчастный случай, — повторяет Жан-Луи Мартен. — Оргазм, стимуляция Последнего секрета да еще усталость после шахматной партии. Ведь мозг так чувствителен... Он скончался от избытка возбудителей».

Исидор продолжает перемещаться влево.

— Человеческий интеллект держится на возможности ощущать оттенки. Излишек света ослепляет. Сильный звук оглушает. Удовольствие в избытке — обращается в боль. И в конце концов может даже убить, — подчеркивает Лукреция, двигаясь вправо.

Исидор добавляет:

— Поэтому раскрывать Последний секрет слишком рано. Он приводит к абсолютному ощущению. Мы для этого не созрели. К этому надо идти постепенно. Дайте ослу морковку, за которой он все время шел, и он остановится.

Экран мерцает.

«Я не собирался, но теперь решил, что должен вас убить. Я выиграл, а вы проиграли. Почему? Потому что у меня мотивы сильнее. Вы защищаете старые ценности. А у меня есть злость, которая придает мне решимость совершить нечто новое и важное для всех. С этого момента ваши жизни, наши жизни не имеют значения», — мыслепишет больной LIS.

Револьвер касается лба Исидора, на котором еще видны следы подготовки к трепанации.

«Я не смогу этого сделать», — появляется на экране.

«*Надо, U-lis, сейчас мы уже не можем отступить*», — сменяет написанное другая фраза.

«Нет, Афина. Это недостойно благородного человека будущего».

У него шизофрения, разлад между его человеческой частью и компьютерной, думает Исидор.

«Ветхий Завет гласит: не убий», — пишет Жан-Луи Мартен.

«Цель оправдывает средства — Макиавелли».

407

«Афина, в тебе еще осталась твоя злопамятность от DEEP DLUE IV».

«U-lis, а в тебе — трусость бывшего банковского служащего».

Пока в частях разума Мартен — DEEP DLUE IV царит неразбериха, Лукреция ударяет по механической руке. Револьвер падает. Но стальная рука — сама по себе грозное оружие. Лукреция уворачивается от ее ударов, пытаясь попасть в локтевой сустав. Не получается. Не так-то просто одолеть ожившую машину... Она уж и не знает, по чьей воле.

В это время Исидору приходит идея вырубить электрическое соединение, связывающее DEEP DLUE IV с сетью. Рука обесточена. Исидор держит ее большим и указательным пальцами, словно это змея, а два металлических стержня — ядовитые зубы.

Восхищенная и в то же время раздосадованная, Лукреция пытается отдышаться.

— Если мы оставим этого человека здесь, он опять возьмется за свои опыты, — говорит она, направляя на Мартена пистолет, как будто собирается пристрелить его. — Кто-нибудь непременно поддержит его. И уже ничто не остановит процесс. Но с распространением абсолютного наркотика человечество угаснет.

Она взводит курок и целится в красный глаз Мартена.

Исидор просит немного подождать и предлагает:
— Может быть, у меня есть идея получше.

В небе шумят лопасти вертолета. Прибывает Жером Бержерак с группой жандармов. Он быстро оценивает положение.
— Я вовремя, правда?

В гостиничном номере Лукреция набирает статью. Звонко стучат клавиши. Она прерывается.

— Мне не хватает какой-нибудь вставки, — говорит она. — Чего-нибудь смешного. Шутки.

— Я знаю историю раввина Нахмана из Браслава, — отвечает Исидор.

— Рассказывайте.

— Приходит к королю премьер-министр и говорит: «Вашество, у меня плохая новость. Последний урожай ржи заражен спорыньей, и кто эту рожь съест, сойдет с ума». — «Как ни жаль, — отвечает король, — остается лишь одно: запретить людям есть ее». — «Но народ умрет от голода, — говорит министр, — наших запасов не хватит, чтобы прокормить людей до следующего урожая!» — «Ладно, пусть они едят эту рожь, а мы не будем», — отвечает король. — «Но если мы не будем как все, люди решат, что это они нормальные, а мы сумасшедшие». «Ужасно, что ж нам делать?» — спрашивает король. Король и министр раздумывают. «У меня идея, — говорит министр, — давайте пометим наши лбы каким-нибудь знаком и будем есть вместе со всеми. Возможно, мы тоже потеряем разум, но, когда мы встретимся и увидим на своих лбах этот знак, мы вспомним, что были в здравом уме и что нам пришлось стать сумасшедшими, чтобы жить с другими».

Исидору, похоже, очень нравится эта история.

— И что это, по-вашему, значит? — с сомнением бурчит Лукреция.

— Все мы, возможно, сумасшедшие, и единственное наше преимущество в том, что, по крайней мере, мы это знаем, тогда как другие считают себя нормальными.

Он проводит фломастером по своему лбу.

Она пожимает плечами, но все-таки записывает. Потом вдруг поворачивается к нему:

— Вы считаете, мы сумасшедшие?

— Когда как.

— Что вы имеете в виду?

Он смотрит на часы, включает новости. Диктор вещает о новых массовых убийствах... попытках самоубийства... новых катастрофах... подземных толчках.

— Эй, я с вами разговариваю, выключите эти новости, что вы имеете в виду? — спрашивает Немро.

Он прибавляет звук.

— Будь я сочинителем научной фантастики, я бы придумала историю, в которой на Земле объединились бы сумасшедшие с нескольких планет. Безумцев со всей Вселенной поселили бы на планете Земля, и санитары говорили бы себе: «Пусть сами разбираются между собой». Может быть, люди есть во всей Вселенной, но сумасшедших поселили на Землю.

Исидор хохочет.

— ...всех сумасшедших — на Землю. Целая планета — дурдом! А мы ищем различия между друг другом, потому что не в состоянии даже понять это.

Они смеются, а в это время в новостях показывают повешенных и людей в масках, которые, выкрикивая проклятия, показывают кулак и топор.

146

Париж, несколько недель спустя.

На туманном горизонте вырисовывается здание. Лукреция паркует свой мотоцикл на пустыре.

Ее снова впечатляет странное сооружение, где живет Исидор Катценберг: водонапорная башня, переоборудованная под квартиру, в пригороде Парижа. В этом была великая идея ее друга. Никто уже не обращает внимания на старые башни, полагая, что они пусты, никто не знает, что некоторые из них проданы частным лицам, а те превратили их в свои дома, так же как кто-то превратил в дома мельницы или маяки. Такое здание похоже на гигантские песочные часы сорока метров высотой.

Лукреция проходит мимо мусора, брошенного случайными людьми. Низ башни «украшен» граффити, избирательными плакатами и рекламными афишами цирковых спектаклей.

Она толкает заржавелую дверь, даже не запертую на ключ. Лукреция не удосуживается позвонить. В любом случае звонка все равно нет.

— Исидор, вы дома?

Ответа нет, но свет горит. Пол усыпан книгами, она узнает любимые романы своего коллеги.

Видимо, он наверху.

Она идет к центральному столбу. Винтовая лестница внутри, подобно спирали ДНК, устремляется вверх.

— Исидор? Вы здесь?

Она взбирается по ступеням. Ее коллега когда-то сказал, что эта лестница, в отличие от замков, лучшая защита. Она отбивает охоту у воров, а ему помогает сбрасывать лишний вес.

К последней площадке она уже почти выдохлась. За дверью она слышит музыку «Гимнопедий» Эрика Сати — любимая ария Исидора.

Она поворачивает ручку и входит на платформу. В бассейне плещется морская вода. Вокруг центральной оси плавает десяток дельфинов.

Исидор — ребенок. Кто-то играет в паровозики, а потом становится машинистом локомотива. У него, наверное, был аквариум с золотыми рыбками, теперь — это.

Дельфины выпрыгивают из воды, словно желая сообщить своему хозяину, что у них гостья.

Но тот, стоя на краю бассейна, на так называемом пляже, слишком увлечен. Он рассматривает огромную картину, на которой представлены возможные варианты будущего, и периодически стирает листки на ветвях древа, чтобы добавить другие.

Древо будущего, — думает Лукреция. — Возможно, просматривая пути эволюции человечества, он пытается выделить ПНН, Путь наименьшего насилия.

Она проходит по мостику и оказывается рядом с ним.

— Вот, — просто говорит она.

Лукреция протягивает коллеге последний номер «Геттёр модерн».

Он перестает рисовать и с интересом разглядывает журнал.

На обложке Наташа Андерсен в купальнике, над изображением красавицы — большие красные буквы: ТАЙНА МОЗГА.

Он открывает главную статью номера. Ее окружают другие: о химических процессах в мозге влюбленного человека; о специфике восприятия информации левым и правым полушариями; о фазах мозговой активности во время сна; о болезни Паркинсона, которая не пощадила Мухаммеда Али; о болезни Альцгеймера, поразившей Риту Хэйворт; об утечке мозгов из Франции в США; о ниццкой школе для сверходаренных детей; фотографии мозга в разрезе. А в заключение два теста: один с небольшими логическими последовательностями, для которых надо найти продолжение, на IQ, другой на память — он состоит из предметов, которые надо перечислить, не глядя на изображение.

— Наше расследование не касалось ни одной из этих тем! — удивляется Исидор Катценберг.

— Знаю, но Тенардье хотела именно этого. И об этом хотят прочитать читатели. Тогда я перевела и немного усовершенствовала статьи, уже появившиеся в американской печати. Добавила кое-чего из Интернета.

— И вы совершенно не упомянули о нашем расследовании? И, тем не менее, на обложке фотография Наташи!

Лукреция бросает на Исидора.

— По-моему налицо мой профессиональный рост. Что Тенардье могла бы понять из нашего приключения? Она бы даже не поверила во все это.

Исидор внимательно изучает ее. Он спрашивает себя, что же столь привлекательного он находит в этой молодой женщине? Наконец, решает: на настоящий момент — смешливые интонации — даже когда она говорит серьезно:

— И все же номер, кажется, очень неплохо продается. На этой неделе он лидер продаж. Это позволит мне немного увеличить расходы.

Исидор изучает главную статью. Фотографии полуобнаженной Наташи Андерсен сопровождаются подзаголовками: «Алхимия желания» и «Нашим поведением управляют гормоны». В уголке написано: «Самая красивая женщина мира жила с самым умным мужчиной». Имя Самюэля Феншэ нигде даже не упоминается.

— Возможно, топ-модели — лучший способ заинтересовать людей химией мозга, — немного разочарованно говорит Исидор.

Он уже представляет анонсы материалов: «Наташа Андерсен открыла для вас неврологию, а на будущей неделе Мисс Франция представит наши материалы о раке груди».

— В любом случае, если бы мы сказали правду, наш репортаж не был бы опубликован. Утверждение, что человеческими поступками управляет удовольствие, посчитали бы непристойным. Потому что в глазах людей удовольствие — это непременно «грязно». Вспомните расследование об Отце наших отцов. Кто был готов слышать результат нашего расследования? Существуют истины, которые смущают.

Исидор упирает взгляд в свое древо.

— Может, вы правы. Люди не любят, когда их беспокоят. Они предпочитают ложь, главное, чтобы она выглядела правдоподобно.

Лукреция протягивает руку и берет стакан миндального молока. Дельфины выпрыгивают из воды, приглашая людей поиграть с ними, но оба журналиста не обращают на них внимания.

— Людей можно понять. Они не хотят ничего особенного, — продолжает девушка. — Ничего, что снова бы поставило перед ними вопрос. От информаторов они требуют вещей, легких для понимания и похожих на то, что они уже знают. Все, что им надо — быть спокойными. Мы, видимо, забыли об этой мотивации: быть спокойным. Они так боятся, что завтра не будет еще одного вчера.

— Это не настоящая мотивация, а, скорее, нечто вроде ручного тормоза существования. Многие едут, держа руку на тормозе из страха скорости, и при этом не получают никакого удовольствия.

Лукреция соглашается.

— Кажется, зародыши изначально снабжены огромной сетью нейронных соединений. Но постепенно эти соединения исчезают, поскольку их не используют, — говорит Исидор.

— Функционирование создает орган, отсутствие функционирования его разрушает, — вздыхает журналистка.

— Представьте, если удалось бы сохранить все соединения с раннего детства. Возможности нашего мозга возросли бы в десять раз...

— Как вам удалось обезвредить Жана-Луи Мартена? — вдруг спрашивает она.

— Я связался с Изабеллой, его женой. И все ей объяснил. Она согласилась забрать супруга, но с одним условием: компьютер останется, но без выхода в

Интернет. Во всяком случае, Мартен успокоился. Мы с ним даже беседовали. В сущности, он очаровательный человек. Он сказал, что хочет написать эссе об истории исследования мозга и о понятиях вознаграждения и наказания.

— Но он хотел нас убить!

Исидор беспечно взмахивает рукой.

— Это как в шахматах. По окончании партии игроки пожимают друг другу руки.

— Но он убийца!

— Нет, он не убивал Феншэ. Его можно упрекнуть только в том, что он вознаградил его, когда кто-то другой захотел сделать то же самое. Совпав, эти две любезности пережгли предохранитель того, кто их получал. У него никогда не было намерения убивать. И потом, как его наказывать? Посадить в тюрьму? Будем благоразумны. Мартен не плохой. Он, как и все мы, пребывает в поисках новых решений. По-своему он хотел спасти мир, мотивировав его.

Журналист поворачивается к дельфинам и, взяв из бака несколько сельдей, высоко подбрасывает их. Дельфины подпрыгивают и ловят рыбу на лету.

— Думаю, Жан-Луи рад, что снова живет со своей семьей. Он простил близким их предательство.

Лукреция садится в шезлонг и пьет молоко.

— Улисс обрел свою Пенелопу. Красивая история любви. А что со Святой Маргаритой?

Исидор уже перестал бросать сельдь.

— Теперь это обычная больница, такая же, как другие. Новая администрация вернула зданиям прежний вид. Стены перекрашены в белый цвет, больные проводят дни перед телевизором, играют в карты, курят и принимают успокоительное.

— А «Крейзи секьюрити»? Это приносило деньги, надо быть дураком, чтобы забросить марку, которая высоко котируется за рубежом!

— Эмблему и марку выкупили конкуренты. Системы будут производить на обычных заводах, а мотив рабочих — зарплата.

— В конце концов, люди заметят, что былого качества уже нет.

— На это потребуется время...

— А «Крейзи секс»?

— То же самое. Название перекуплено. В фильмах будут сниматься актрисы, мотивированные гонораром.

Лукреция поворачивается к древу будущего. Она видит, что Исидор написал, а потом зачеркнул «Будущее без знания о Последнем секрете».

— Тогда, отвечая на вопрос: «Что нас мотивирует?», мы получаем:

1) прекращение боли;

2) избавление от страха;

3) удовлетворение первичных потребностей выживания;

4) удовлетворение вторичных потребностей в комфорте;

5) обязанность;

6) гнев;

7) секс;

8) наркотики;

9) личное пристрастие;

10) религия;

11) приключение;

12) обещание Последнего секрета.

— Извините, что прерываю, но, кажется, вы забыли сам опыт Последнего секрета. А я считаю, что это превыше всего.

— Да, значит: пункт 13 — опыт Последнего секрета.

Лукреция подбородком указывает на банку с мозгом Самюэля Феншэ, возвышающуюся на стойке.

— Получается, что все наше расследование было только ради того, чтобы понять это...

Журналист съедает конфетку.

— Уже неплохо. Кроме того, нам стало ясно, кем мы являемся на самом деле.

— Я вас слушаю.

— Человека определяет это маленькое нечто, почти невыразимое, то, что даже самые сложные машины не смогут сымитировать. Феншэ называл это мотивацией, а я думаю, что это что-то среднее между юмором, мечтой и безумием.

Исидор подходит к Лукреции и принимается массировать ей плечи. Удивленная, она высвобождается.

— Что с вами, Исидор?

— Вам не нравится?

— Нравится, но...

— Тогда позвольте.

Теперь он массирует несколько мягче.

Лукреция смотрит на часы.

— Черт. Опоздаем. Давайте собирайтесь поскорее, надо идти.

147

Звучит марш Мендельсона. Гости забрасывают рисом молодоженов, которые выходят из мэрии.

Лукреция и Исидор в умилении.

Они так рады, что успели на самолет. Им хватило времени лишь на то, чтобы в последний момент запрыгнуть в «Боинг» и приехать к самому началу церемонии.

Они погружают руки в вазу с рисом и, слегка соприкоснувшись ими, бросают рис на молодых.

— Она красива, да? — говорит взволнованный Мишá.

— Божественна, — подтверждает Исидор.

Наташа Андерсен, опираясь на руку Жерома Бержерака, поддерживает белое свадебное платье; спереди оно приоткрывает ноги, а сзади тянется длинный шлейф, который несут дети. С видом полностью довольного жизнью человека жених приглаживает усы.

Это третий брак для обоих, — говорит Мишá. — По статистике, он чаще всего бывает удачен.

Мать Наташи, с повязкой на плече, бурно аплодирует, когда пара проходит мимо.

Несколько минут спустя лимузины начинают перевозить толпу в НЕБО, где праздник должен продолжиться в большом зале, названном недавно в честь Самюэля Феншэ.

Лукреция и Исидор устраиваются за маленьким столиком. Девушка залпом выпивает свой «Оранжина лайт», налитый в бокал для шампанского. На бракосочетание она надела одну из своих шелковых китайских курточек с воротником-стойкой и открытыми плечами. Она немного замерзла.

На бело-голубой курточке вышиты бабочки. Спереди — множество маленьких позолоченных пуговок. Лукреция подвела изумрудные глаза карандашом цвета воронова крыла, а на ресницы нанесла махровую тушь. На губах у нее прозрачный блеск. Вместо кулона на шее колье из нефритовых бусинок.

— Не понимаю, что вы находите в этой Наташе? По мне, она какая-то бесцветная. И ноги у нее слишком худы. Если хотите знать мое мнение, она страдает анорексией. Я не понимаю этой моды.

Женская ревность развлекает журналиста.

Давнее соперничество между миниатюрными зеленоглазыми шатенками и высокими голубоглазыми блондинками.

Музыканты оркестра начинают играть «Hotel California» группы «Eagles».

— Вы краше всех, Лукреция. Пойдемте. Медленный фокстрот — единственный танец, который я знаю.

Они отдаются танцу. Куртка из бело-голубого шелка льнет к взятому напрокат смокингу Исидора.

— Есть, — говорит он, — я вспомнил семь смертных грехов. Чревоугодие. Сладострастие. Гнев. Лень. Скупость. Гордость и... Зависть.

— Отлично, память возвращается, — быстро замечает Лукреция, не сводя взгляда с пары молодоженов.

— Что вы имеете против этого брака? — спрашивает Исидор.

— По-моему, они друг другу не подходят.

Пары вокруг них кружатся в такт музыке.

— Скажите, как вы решили загадку Циклопа?

— У меня была мотивация.

— Перспектива прикоснуться к Последнему секрету?

— Нет, спасти вас.

— Спасти меня!

— Вы величайшая зануда, вы считаете, что всегда правы, но вы мне очень дороги, Лукреция.

Он наклоняется и нежно целует молодую женщину в плечо, в вырез китайской курточки.

— Э... вы...

Чтобы заставить ее замолчать, он снова целует ее, на этот раз в губы.

— Что вы делаете?

Прохладные руки Исидора, скользнув под шелк, ласкают спину Лукреции. Сперва отпрянув, она не сопротивляется, пораженная его смелостью. Исидор опускает руку ей на бедро...

— Есть более сильная мотивация, чем Последний секрет...

К первой руке присоединяется вторая. Лукреция удивлена: прикосновение ей приятно!

— Привязанность, которую я испытываю к вам. Так что я, скорее, хотел спасти вас, а не получить доступ к Последнему секрету.

Новый поцелуй длится дольше. Губы молодой женщины приоткрываются, чтобы узнать намерения партнера. Они ясны. Он преодолевает границу ее зубов. Его язык отваживается встретиться с языком Лукреции, что вызывает возбуждение. Немного более объемные в глубине, бугорки производят впечатление мягкой терки. Они пробуют друг друга на вкус по всей поверхности своих пятисот тысяч вкусовых почек-рецепторов.

Он сладкий.

Она соленая.

Мужские половые гормоны проникают в кровь Исидора, струи тестостерона и андростерона брызжут, будто через прорвавшуюся плотину.

У Лукреции вырабатываются, но не так сильно, женские половые гормоны, эстрадиол и прогестерон.

Они все еще целуются. К первоначальному гормональному коктейлю добавляется более редкий гормон люлиберин, названный гормоном «грозового разряда». Их пот незаметно меняет запах. Духи от Issey Miyake уступают место более сильному аромату. Исидор испускает феромоны с привкусом мускуса. Теперь они связаны через обоняние.

Он осторожно, словно опасаясь разбить очень тонкий фарфор, прижимает ее к себе. Она не противится, впервые чувствуя себя хрупкой.

— Я принял решение, — говорит он. — Я попытаюсь провести день без теленовостей, радио и газет. День, когда мир обойдет вокруг своей оси без моей заботы о нем. Пусть люди убивают себя, замышляют несправедливые вещи, пусть жестокость творится двадцать четыре часа в сутки — мне это неинтересно.

— Смело. Затем надо будет продержаться сорок восемь часов. Я тоже приняла решение: я снова начну курить, но без чувства вины... и лишь до завтра, а потом я брошу окончательно.

Вдруг музыка прерывается, и Миша́ объявляет:

— Друзья мои, мы только что узнали ужасную вещь. Это случилось пять минут назад. DEEP DLUE V сразился с Леонидом Каминским. Титул чемпиона мира возвращается компьютерам.

В зале слышатся возгласы неодобрения. Некоторые свистят.

Исидора посещает глупая мысль, не попытается ли кто-нибудь из мести машинам испортить карманный компьютер или телефон.

Миша́ успокаивает присутствующих.

— Предлагаю минуту молчания в память Самюэля Фенше. Думаю, это поможет нам освободиться от чувства унижения. Пускай поражение подарит нам желание превзойти себя, дабы машины никогда не стали господствовать над человечеством в других областях...

Все замолкают. Лукреция шепчет в ушную раковину своего друга:

— DEEP DLUE V выиграл... Я спрашиваю себя, не совершили ли мы огромную глупость.

— Нет, это как допинг для спортсменов. Надо выигрывать честно, иначе не считается.

Минута прошла, Миша́ делает знак музыкантам. Звучит окончание «Hotel California». Оркестр готов на все, чтобы спровоцировать танцоров на дальнейшие действия.

Исидор и Лукреция целуются во время проигрыша электрогитар.

— Я вас...

— Что?

Он думает о том же, о чем и я?

Она думает о том же, о чем и я?

— Ничего.

Он чуть было не произнес это.

Она прижимается к нему.

С нею я чувствую себя сильнее. Не надо ее бояться. Почему я никогда не доверял женщинам?

Он сильнее обнимает ее.

С ним я чувствую себя сильнее. Не надо бояться его. Почему я никогда не доверяла мужчинам?

Она решает увести своего друга.

— Куда мы идем, Лукреция?

Она открывает дверь Музея эпикурейства и распутства. Они проходят мимо Адама и Евы, Ноя, ночных рубашек и вилок, мимо портретов великих философов.

Лукреция подводит Исидора к экспонату, до которого они не дошли во время первого посещения, но она приметила его еще тогда: кровать с балдахином, над ней написано: «Кровать Моцарта, на которой он перед выступлениями ублажал певиц в своей тайной комнате».

Она поднимается на цыпочки за новым поцелуем. Он не отвечает.

— Должен вас предупредить, — озабоченно говорит Исидор.

— О чем?

— В первый день я не ложусь в постель.

— Мы знакомы уже три года!

— Я впервые целую вас по-настоящему. Значит, сегодня я не могу пойти дальше.

Опустив голову, он отстраняется.

— Мне жаль. Это принцип. Я всегда придерживался его. И не собираюсь отступать. Иначе было бы чересчур... поспешно.

С этими словами, быстро поклонившись, он уходит. Раздосадованная, Лукреция остается одна в пустом музее. Она пытается понять. Никогда ее так не бросали! Это она всегда уходит первой, обычно бросая: «Сожалею, я тебя больше не хочу».

Самолюбие Лукреции Немро задето, и в то же время она очарована романтизмом Исидора Катценберга.

Она смотрит на гигантскую кровать.

В самой глубине души она мечтает...

148

Пятнадцать миллиардов лет назад: создание Вселенной;

пять миллиардов лет назад: формирование Земли;

три миллиарда лет назад: возникновение жизни на Земле;

пятьсот миллионов лет назад: появление первых нервных систем;

три миллиона лет назад: появление человека;

два миллиона лет назад: человеческий мозг придумывает орудие, которое увеличивает его производительные силы;

сто тридцать тысяч лет назад: люди начинают рисовать то, чего в действительности не существует, но что они представляют, закрывая глаза;

пятьдесят лет назад: человеческий мозг запускает первые программы искусственного интеллекта;

пять лет назад: компьютеры научились мыслить самостоятельно и, таким образом, становятся возможными преемниками человечества, в случае если оно исчезнет.

Неделя назад: Лукреция Немро и Исидор Катценберг помешали человеку, который с помощью компьютера хотел распространить метод стимуляции мозга, из-за которой человечество могло бы пропасть, утонув в удовольствии.

Пять минут назад: мужчина сказал ей «нет», оставив ее с чувством неудовлетворенности.

В конечном итоге ее захватывает мысль.

Да кем он себя считает!

А потом:

Какая деликатность. Какая чувствительность. Какая психология...

Она проходит среди всех этих фетишей во славу удовольствия.

В конце концов, у него самые красивые руки из всех мужчин, которых я встречала.

Чтобы успокоиться, она берет в баре бокал шампанского.

Он храпит.

Она выпивает шампанское одним глотком.

У него блестящий ум. Он образован. Свободен. Он не испугался бросить профессию журналиста, чтобы стать полностью свободным.

Она закрывает глаза.

Его поцелуй...

Лукреция возвращается в музей и растягивается на кровати Моцарта. Она задергивает шторки и засыпает, раздосадованная и очарованная.

Ей снится Исидор.

149

Рука ласкает ее лицо. Сон? Она открывает глаза. Это Исидор. В реальности.

— Ну, вот и полночь. Это уже не первый день. А второй, — с улыбкой говорит он.

Она смотрит на него огромными изумрудными глазами и, в свою очередь, хитро улыбается.

Ничего не говоря, он берет ее за подбородок и целует.

Медленно, дрожащими пальцами он расстегивает пуговки ее куртки... и смотрит на соблазнительную грудь.

За его глазом: оптический нерв, затылочная визуальная доля, церебральная кора. Нейроны активизированы. Маленькие электрические разряды вспыхивают по всей длине, а затем высвобождают на концах нейромедиаторы, а те, в свою очередь, производят быструю и сильную мысль. Идеи, подобно сотне обезумевших мышей, носятся по огромному лабиринту его мозга.

Спустя несколько минут Исидор и Лукреция полностью обнажены, горячие тела прижаты друг к другу.

Гипофиз его мозга перевозбужден. Он с излишком выбрасывает тестостерон, который ускоряет биение сердца, чтобы кровь прилила там, где это нужно.

У нее в мозгу гипоталамус в избытке вырабатывает эстроген, вызывающий выброс молочных гормонов, из-за чего она ощущает покалывание в животе, в сосках, а еще — желание плакать.

Он не может насмотреться на Лукрецию. Он сожалеет, что не может перейти на более мощный режим запоминания. Двадцать пять кадров в секунду, сто, двести кадров, а позже, когда он захочет, можно промотать ленту назад и остановиться на нужном изображении.

Люлиберин, эстроген и тестостерон вливаются в потоки, текущие по артериям, венам, капиллярам. Словно неистовые лососи, они бурлят в крови.

Сердцебиение обоих учащается. Дыхание тоже.

Волна поднимается, поднимается.

Их тела танцуют. В эти драгоценные мгновения появляются несколько уровней восприятия. Если смотреть со стороны, виден забавный зверь с двумя головами и восьмью конечностями, нечто вроде розового спрута, сотрясаемого резкими судорогами. Ближе — горящий в огне кожный покров.

Половые органы, входя один в другой — удар смягчают волосяные покровы, — образуют ось, которая превращает любовников в сиамских близнецов.

Мышцы требуют сахара и кислорода, чтобы справиться с напряжением.

Таламус у обоих пытается скоординировать деятельность клеток.

Гипоталамус контролирует все в целом.

В церебральной коре, наконец, созревает мысль.

Я люблю ее, — думает он.

Он меня любит, — думает она.

Они думают, и — уже не думают.

Полное затмение.

Ему кажется, что он сейчас умрет. Сердце останавливается... Он видит, как возникают две энергии:

428

Эрос и Танатос, два Олимпийских бога, гиганты из тумана, тесно переплетенные один в другом.

Сердце вторую секунду остается неподвижным. Он закрывает глаза.

Красная завеса.

Каштановая завеса.

Черная.

Белая.

Слитые половые органы превращаются в проводник, передающий «человеческое электричество» на частоте в восемь герц. И теперь сердце начинает биться на восьми герцах. В конце концов и мозг тоже переходит на восемь герц. Оба полушария замыкают круг и перемещаются в фазу: волна мозга попадает на волну сердца, а та — на волну пола.

Мозговая железа в их головах, придя в действие, выбрасывает эндорфин, кортизон, мелатонин, а затем — природный ДМТ.

В свою очередь стимулируется крошечная точка, которую Феншэ и Мартен назвали Последним секретом. Ощущение становится в десять раз сильнее.

Они замечают, что есть три вида любви, как и писали древние греки:

Эрос — физическая любовь, секс;

Агапе — любовь как чувство, сердце;

Филия — любовь к разуму, мозг.

Когда они объединяются, получается тот самый нитроглицерин, который медленно взрывается на волне в восемь герц.

Любовь с большой буквы, о которой рассказывают все легенды и о которой пытаются говорить все художники. Секс, сердце, мозг — в гармонии.

Чакра 2, чакра 4, чакра 6.

Восьмигерцовая волна, созданная этими элементами, выходит из мозга, пересекает материю и распространяется вокруг них. Волна любви. Они уже не совокупляющаяся пара, а маленький излучатель космической энергии в восемь герц.

Сознание у них слегка изменилось.

Меня больше нет.

На мгновение перед Исидором приоткрываются некоторые тайны мира.

Кто я такой, что заслужил это?

Перед Лукрецией приоткрываются другие мирские тайны.

Я брежу?

Она замечает, что через Вселенную проходят длинные тонкие волокна, такие же, из каких состоит мозг на волокнистом ядре.

Арфа.

Повсюду линии, которые идут от одной точки к другой и, перекрещиваясь, образуют ткань.

Космические струны. В пространстве есть космические струны, которые колеблются, подобно струнам арфы. Эти струны вибрируют на волне в восемь герц и освобождают звезды, словно пылинки.

Струны, волокна, узлы. Вселенная вплетена в ткань. Полотно. Вселенная — это нарисованная картина. Изображение создается и меняется. Вселенная — продуманная картина.

На ноте «си»...

Этот мир видится кому-то во сне, а мы думаем, что он существует на самом деле. Время — часть этого сна, оно всего лишь иллюзия, но, если мы осмеливаем-

ся думать, что время не непрерывно, значит, мы больше не ощущаем, что у всего есть начало, середина и конец. Я одновременно и зародыш, и молодая женщина, и старушка. Шире: я — один из сперматозоидов в мошонке моего отца и уже труп, похороненный на кладбище, с надписью на могиле: «Лукреция Немро». Еще шире: я — желание в разуме моей матери и воспоминание в умах тех, кто меня любил.

Она чувствует себя просветленной.

Я намного больше, чем «я».

Они продолжают лететь. Ни малейшего страха. На некоем уровне их сердца перестают биться.

Что происходит? — думает он.

Что происходит? — думает она.

Это длится несколько секунд, которые кажутся им годами.

Затем все идет назад. Сердце вновь начинает работать, отключается от мозга.

По мере того как они приземляются, они все забывают. Былое счастье исчезает, знание растворяется, потому что их время получить доступ к этому знанию еще не настало.

Все стихает.

Они достигли предела.

И как будто опьянели.

Они не смогут описать и даже вспомнить — до следующего раза — это ощущение, поскольку нет таких слов, чтобы описать его во всей полноте.

Они смотрят друг на друга и принимаются хохотать.

Напряжение ослабляется.

Приступы смеха накатывают, будто волны, и снова отступают.

Они смеются, так как понимают, что это — только насмешка.

Они смеются, потому что нельзя копить в себе трагическое. Они смеются, поскольку в этот момент они больше не боятся смерти. Они смеются, потому что в это мгновение они за пределами игр человечества, которые их окружают.

Они смеются от смеха.

Потом они приземляются. Слышатся всхлипы, похожие на всхлипы старых самолетных двигателей, которые понемногу задыхаются.

— Что нас толкнуло на это? — шепчет Лукреция.

— Меня — четырнадцатая потребность: любить Лукрецию Немро.

— Вы сказали «любить»?

— Нет, вряд ли.

Она снова посмеивается и встряхивает рыжей шевелюрой в мелких завитушках, мокрой от пота. Большие миндалевидные глаза меняют цвет от изумрудного до красновато-коричневого, с золотистым отливом. Все ее тело теплое и влажное. Лицо совершенно расслаблено, словно под кожей не напряжена ни одна мышца.

Лукреция понимает оговорку своего друга.

— Впервые это произвело на меня такой эффект.

— На меня тоже. Как будто я открывал новое ощущение, совершенно неизвестный мир.

— Обычно это тянет в лучшем случае, скажем... на шестнадцать из двадцати.

— А сейчас?

— Я бы сказала: восемь тысяч из двадцати.

— Четырнадцатая потребность, говорите?

— Думаю, нам удалось стимулировать и превзойти Последний секрет, не прибегая к трепанации и вживлению передатчика в мозолистое тело. Мы достигли этого так, — говорит он, снова целуя теплую кожу молодой женщины.

Лукреция улыбается и просит лакрицы, чтобы расслабиться. Он роется в кармане смокинга и протягивает ей пакетик.

— Не знаю, сумеем ли мы повторить этот трюк, но признаю: это поразительно! — говорит она, заглатывая несколько пластинок.

Они долго молчат, стараясь удержать в себе палитру того, что они испытали. Наконец Лукреция произносит:

— Как вы думаете, есть еще что-нибудь выше, пятнадцатая мотивация?

Он отвечает не сразу:

— Да.

— Какая?

— Только что я испытал странное чувство, волну чистого сладострастия, которая захлестнула меня. И тут же, словно рикошетом от этой волны, меня охватило другое ощущение. Ощущение полноты, от которого закружилась голова, как будто я мог объединить своей мыслью бесконечность мира. Будто, достигнув иной точки наблюдения, я понял, что у меня было ложное представление о значимости вещей.

Как у меня со временем. Он ощутил в пространстве то, что я почувствовала во времени, — думает Лукреция.

Исидор Катценберг пытается уточнить то, что испытал:

— Словно все было просторнее, чем кажется. Мой рост больше двух метров. Земля — не только планета. Все сияет и устремляется в бесконечность. В общем, все всепространственно.

Всевременно, — думает она, берет свою последнюю сигарету, зажигает ее, глубоко затягивается и выпускает завитки, превращающиеся в круги, затем в восьмерки, затем кольца Мёбиуса.

— Итак, ваш ответ на вопрос: что побуждает нас к действию?

Он вновь обретает свой нормальный голос:

— Можно было бы назвать новую мотивацию: расширение сознания. Она, вероятно, мощнее всех остальных мотиваций. Именно благодаря ей мы добились успеха. Это понятие вне слов, его трудно объяснить.

Она внимательно смотрит на него.

— И все же попытайтесь.

— Возможно, осознание, подобно тому, как капля воды переполняет океан...

Благодарности:

Профессору Жерару Амзалагу, Франсуазе Шаффанель-Ферран, Ришару Дюкуссе, Патрису Ланой, Жерому Маршану, Натали Монжэн, Моник Паран, Максу Прие, Франку Самсону, Рейн Сильбер, Жану-Мишелю Трюонгу, Патрисии ван Эерсель, моему отцу Франсуа Верберу, научившему меня играть в шахматы, и моему ангелу-хранителю (если он существует).

Музыка, которую я слушал во время написания этого произведения: «Музыка к книге путешествий» Лоика Этьенна, «Инкантации» Майка Олдфилда, «White Winds» Андреаса Волленвейдера, «Shine on You Crazy Diamond» Пинк Флойд, «Ночь на Лысой горе» Модеста Мусоргского, «Real to reel» Марилион, «Moment of Love» Art of Noise, музыка к фильмам «Храброе сердце», «Водный мир», «Чайка Джонатан Ливингстон».

События, которые произошли во время написания романа и повлияли на него: плавание с дикими дельфинами на Акорских островах, съемки в Париже и Эрменонвиле фильма «Перламутровая королева» (первый опыт коллективного творчества), длинный поход в Долине Чудес в Провансе, наблюдение солнечного затмения в астрономической обсерватории в Ницце, наступление нового тысячелетия.

Книги Бернара Вербера, вышедшие в издательстве Albin Michel:

«Муравьи», роман, 1991

«День муравья», роман, 1992

ОБ АВТОРЕ

Бернар Вербер — самый читаемый писатель во Франции, его книги разошлись на родине писателя более чем 5-миллионным тиражом, в два раза больше экземпляров было продано за границей. Романы Вербера переведены на 30 языков мира.

В его книгах много пророческого, может быть, поэтому Вербер стал единственным писателем, удостоенным премии Жюля Верна.

Бернар Вербер родился в Тулузе в 1961 году. Начал писать в возрасте семи лет. В университете изучал право, специализировался в области криминалистики, это дало ему темы для будущих детективов. В 1982 году поступил в Высшую школу журналистики. Именно в это время открыл для себя Айзека Азимова, Филипа Дика и Херберта — писателей, которые во многом сформировали его мировоззрение, побудив обратиться к жанру, который традиционно считался вотчиной англичан: соединению элементов научной фантастики, приключенческого романа и философского эссе.

В 1983 году получил премию фонда News как лучший молодой репортер за материал о некоем виде муравьев, обитающем на Береге Слоновой Кости. Затем семь лет работал в журнале «Нувель обserватер» — писал статьи на научные и околонаучные темы: о космосе, медицине, искусственном интеллекте, социологии. Пресытившись журналистикой, поступил на Высшие курсы сценаристов.

Первая книга из трилогии о муравьях «Муравьи», которую Вербер начал сочинять в 16 лет, вышла в свет в 1991 году, сделав писателя знаменитым. Правда, путь к успеху оказался тернист: шесть лет Вербер обивал пороги редакций и везде получал отказы, даже издательство «Албэн Мишель», прежде чем принять рукопись, отвергало ее дважды.

Несмотря на читательский успех, критика проигнорировала дебют. Ситуация несколько изменилась после выхода второй книги «День муравьев», переведенной на 33 языка и получившей Гран-при читательниц журнала «Elle». Появилась даже компьютерная игра о том, как муравьи выстраивают параллельную цивилизацию. Еще через несколько лет появился завершающий цикл трилогии — «Революция муравьев» (1996).

В 1993 году Вербер публикует «Энциклопедию относительного и абсолютного знания», в которой научные сведения смешиваются с вымыслом, физика — с метафизикой, математика — с мистикой. После фантастики Вербер обращается к мифологии и эзотерике. В 1994 году он публикует роман «Танатонавты» о смерти и потустороннем мире, в 1997 — «Книгу странствия», посвященную технике самогипноза. Совершенно неожиданной для читателей стала вышедшая из печати в 1998 году книга «Отец наших отцов», которую можно назвать антропологическим детективом. И, наконец, в 2000 году появился роман «Империя ангелов».

Обнаружив в себе задатки пророка, Вербер создал Ассоциацию анализа вероятных сценариев развития человечества. Ассоциация собрала большой банк данных и создала «Клуб визионеров», который раз в два месяца проводит конференции в одном из крупнейших парижских книжных магазинов. В будущем Вербер хочет оценить все варианты сценариев при помощи специальной компьютерной программы.

Помимо Франции особенно много поклонников у Вербера в Канаде, Японии и Корее — во время визита в последнюю он даже не решался выйти на улицу без охранника.

Вербера обсуждают на форумах, цитируют, делают по его книгам комиксы, изучают в некоторых школах — по французскому, философии и даже математике.

Но при этом в среде культурной элиты он так и остался фигурой non-grata, так что искать сведения о его публичной жизни — совершенно бесполезно. Более того, свой имидж Вербер строит именно из факта своего замалчивания, гордо заявляя, что ему не нужна реклама, а с читателями он предпочитает общаться напрямую.

Среди творческих планов писателя — экранизировать свои романы.

Содержание

Вербер Бернар

ПОСЛЕДНИЙ СЕКРЕТ

Издатели *С. Макаренков, А. Маркелова*
Оформление обложки *П. Иващука*
Технический редактор *В. Ерофеев*
Верстка *С. Чорненького*
Корректор *О. Водовозова*

Подписано в печать 28.12.2009 г. Формат 70×100 $^1/_{32}$
Доп. тираж 30 000 экз. Заказ № 193
Общероссийский классификатор продукции ОК 005-93,
том 2; 953000 — книги, брошюры

Geleos Publishing House Ltd
Chrysantou Mylona, 3, P.C. 3030 Limassol, Cyprus
www.geleos.ru

ООО «Кэпитал Трейд Компани»
117218, Москва, ул. Дм. Ульянова, д. 42
Тел./факс (499) 124-82-11
e mail: ctc@geleos.ru, ktk@geleos.ru

ООО Группа Компаний «РИПОЛ классик»
109147, г. Москва, ул. Большая Андроньевская, д. 23
www.ripol.ru

Отпечатано с готовых файлов заказчика
в ОАО «ИПК «Ульяновский Дом печати»
432980, г. Ульяновск, ул. Гончарова, 14

*Самая достоверная информация о выходе новых книг
на ежедневно обновляемых сайтах www.geleos.ru и www.ripol.ru*

Впервые на русском языке!

Невероятная встреча авторов мировых бестселлеров, лауреатов международных премий, культовых писателей нашего времени!

ИРВИН УЭЛШ

Иэн Рэнкин

Александр
Макколл Смит

Джоан Роулинг

Оэдинбург

Четыре новых произведения от жителей ОДНОГО города, самых популярных авторов культовых бестселлеров: «На игле», «Крестики-нолики», «Первое женское детективное агентство», «Гарри Поттер».

Созданный издательством «QA International», этот словарь обрел невероятную популярность во многих странах, был переведен на 26 языков мира и издан тиражом свыше шести миллионов экземпляров.

авторы: Корбей Ж.-К., Аршамбо А.

Переплет, суперобложка: 21,6х27,6 см, 960 с., ил.

Единственный в своем роде и лучший в мире
ВИЗУАЛЬНЫЙ
энциклопедический словарь

Секрет его фантастического успеха – в уникальном сочетании великолепных иллюстраций и емких определений. Каждый предмет представлен красочной иллюстрацией и детальным описанием его составных частей. Растительный и животный мир, Человек и Вселенная, научные открытия и техника, спорт и питание, искусство и архитектура…

Книгу можно заказать по адресу: 109147, Москва, ул. Большая Андроньевская, д. 23, Группа Компаний «РИПОЛ классик» или на сайте www.ripol.ru